KB197066

조선 중·후기 정치제도 연구

명재 한충희 明齋 韓忠熙

1947년 경북 김천시 아포읍 예리에서 출생
1968. 3~1992. 8 계명대학교 학사·석사, 고려대학교 박사
1983. 3~2013. 2 계명대학교 교수
2004. 7~2008. 6 계명대학교 인문대학장
2013. 2~2022 현재 계명대학교 사학과 명예교수

주요논저

1980·1981, 「朝鮮初期 議政府硏究」(상·하), 『韓國史硏究』 31·32
1994·1995, 『한국사』 권22·23(공저)(국사편찬위원회)
1998, 『朝鮮初期 六曹와 統治體系』(계명대학교출판부)
2006, 『朝鮮初期 政治制度와 政治』(계명대학교출판부)
2011, 『朝鮮前期 議政府와 政治』(계명대학교출판부)
2014, 『朝鮮의 覇王 太宗』(계명대학교출판부)
2020, 『조선초기 관인 이력(태조~성종대)』(도서출판 혜안)

조선 중·후기 정치제도 연구

한충희 지음

초판 1쇄 발행 2022년 11월 30일

펴낸이 오일주
펴낸곳 도서출판 혜안

등록번호 제22-471호
등록일자 1993년 7월 30일

주 소 ㉾04052 서울시 마포구 와우산로 35길 3(서교동) 102호
전 화 3141-3711~2
팩 스 3141-3710
이메일 hyeanpub@hanmail.net

ISBN 978-89-8494-689-7 93910

값 30,000 원

조선 중·후기 정치제도 연구

한충희 지음

혜안

  1979년부터 연구생활을 시작하였으니 금년 임인년까지 43년간 연구를
한 셈이다. 이 책은 2010년에 「朝鮮中期 議政府의 政治活動硏究」(『大丘史學』
100, 대구사학회)를 발표한 이후 2021년에 발표한 「朝鮮 中·後期 文班 京官職
變遷硏究」(『朝鮮史硏究』 30, 조선사연구회)까지 조선중기나 조선 중·후기
정치제도를 주제로 하여 발표한 7편의 논문으로 구성되었다.

  이 책은 저자가 평생 연구의 대표작으로 생각하고 있는 『朝鮮初期의 政治制
度와 政治』(2006, 계명대학교출판부)의 후속작업으로 정년퇴직한 2013년
3월부터 착수하여 현재까지 정리하고 있는 '朝鮮 中·後期의 政治制度와 政治
(가칭)'와 관련된 연구이기도 하다.

  즉 '조선 중·후기의 정치제도와 정치'는 그간에 발표한 정치제도 관련
연구를 해체하여 서언, 본론(3부 17장),[1] 결어로 정리하기 때문에 동서의

---

  1) 3부 17장의 제목은 다음과 같다.
     제1부 『經國大典』의 官階·官職·官衙
     제1장 『經國大典』의 官階 / 제2장 『經國大典』의 官職 / 제3장 『經國大典』의 官衙 /
     제4장 『經國大典』의 官衙機能
     제2부 朝鮮 中·後期 官階·官職·官衙·官衙機能의 變遷
     제5장 朝鮮 中·後期 官階의 變遷 / 제6장 朝鮮 中·後期 京官職의 變遷 1-文班職 / 제7장
     朝鮮 中·後期 京官職의 變遷 2-武班職과 雜職 / 제8장 朝鮮 中·後期 京官職의 變遷 3-女官,
     廟·殿·陵·園官, 臨時官職 / 제9장 朝鮮 中·後期 外官職의 變遷 / 제10장 朝鮮 中·後期
     京衙門의 變遷 1-直啓衙門과 軍營衙門 / 제11장 朝鮮 中·後期 京衙門의 變遷 2-六曹
     屬衙門·屬司와 臨時衙門 / 제12장 朝鮮 中·後期 外官衙의 變遷 1-道·郡縣과 驛·渡·牧場
     / 제13장 朝鮮 中·後期 外官衙의 變遷 2-營과 鎭·浦 / 제14장 朝鮮 中·後期 官衙機能의

토대가 된 논문의 본문을 중심으로 재구성할 수밖에 없고, 따라서 서언(연구사 검토·문제제기)과 결어는 물론 특징적인 내용을 수록할 여지가 없다. 또 토대가 된 논문들이 유기적으로 연관되면서 중앙과 지방의 정치제도와 정치운영이 망라되어 저서의 체제를 갖추었기에 간행하여도 무방하다고 생각되어 우선 본서를 상재하게 되었다.

연구생활의 거의 대부분을 '朝鮮初期 政治制度, 政治勢力, 政治運營'의 궁구에 매진하였는데, 금번에 '조선 중·후기 정치제도 연구'를 간행하게 되니 감회가 새롭다. 특히 몇 년 전부터 지병인 당뇨로 안력이 나빠져 자료를 읽기에 어려움이 많았고, 그 위에 퇴직 시에 소장도서를 모두 기증한 관계로 자료난까지 겹친 가운데 이런 결실을 얻게 되니 그 기쁨이 이루 말할 수 없다.

끝으로 좋아하는 글을 읽고 정리하게 해주신 하나님께 찬미와 감사를 드립니다. 또 출판계가 여러 면에서 어려운 이때에 흔쾌히 출판을 허락해 주신 도서출판 혜안 오일주 사장님과 저자의 부족한 문장을 꼼꼼히 검토하고 교열해 준 김태규 님과 편집진에게 진심으로 감사를 드립니다.

2022년 6월 10일
대구 이곡동 명재실에서 **한충희** 근서

표 차례

(부록의 별표는 차례 참조)

서언

　조선 중·후기(1495, 연산군 1~1863, 철종 14)의 정치는 정치상황에 따라 다소의 차이는 있지만 중기(1495~1591, 선조 24)에는 『경국대전』체제를 토대로 議政府가 왕을 받들고 六曹와 道를 지휘하면서 국정을 총관하였고, 조선후기(선조 25~철종 14)에는 備邊司가 왕을 받들고 六曹·軍營衙門·道를 지휘하면서 국정을 총괄하였다. 즉, 조선후기에는 정치, 군사, 사회, 경제적인 상황과 관련되어 備邊司·宣惠廳·訓練都監 등 군영아문이 연이어 설치되면서 정치·경제·군사를 주도하였고, 의정부는 유명무실해지고 육조는 기능이 약화되었으며, 육조속아문은 그 기능의 약화와 함께 다수아문이 강격되고 혁거되었다. 또 이와 관련되어 비변사 등에 설치된 겸직의 都提調·提調와 軍營大將이 핵심 관직으로 대두되고 六曹屬衙門 관직은 대대적으로 혁거되고 삭감되었다.

　朝鮮 中·後期의 郡縣과 邊鎮은 법제적인 기능은 조선초기와 같았지만 당시의 정치, 군사, 경제, 사회상, 특히 국방·지방통치의 효율화와 관련되어 많이 변천되면서 운영되었다. 그 외에도 역년의 이행과 함께 陵官 등 왕실관계 관직이 증설되었고, 그로 인해 관제가 조정되기도 하였다.

　이 책은 조선 중·후기에 급변하는 정치, 군사, 경제, 사회, 지방통치 등과 관련하여 조선중기 국정을 총관한 議政府, 조선중기 邊事 등 군정을 주관한 備邊司, 조선후기 국정을 주도한 備邊司·六曹와 이들의 정치·군사를 뒷받침한 중앙관아·군현·변진, 이들 관아를 운영한 문반 경관직과 왕실관계 특수관직인 능관제 등의 정치제도 관련 연구를 수록하였다.

본서에 수록된 7장의 주제는 2010년으로부터 2021년까지에 걸쳐 발표한 7편의 논문이다. 장별 주제와 揭載 논집은 다음과 같다.

제1장은 조선중기에 정치를 총령하거나 주도한 議政府의 政治活動·政治活動分野를 고찰하고, 이러한 정치활동이 院相·六曹·權臣·戚臣 등 정치기구·권력집단과 어떻게 연관되었는가를 검토하면서 의정부 기능의 실체를 규명한 글이다.

제2장은 성립기의 備邊司, 즉 선조 25년 임진왜란 이후에 조선의 최고 정치기관이 되기 전에 운영된 비변사의 설치·조직, 비변사 당상을 겸대한 인물과 활동분야를 검토하면서 이 시기 비변사가 邊事 등 軍政에 있어서 議政府·兵曹의 지휘·간섭을 배제하고 독자적인 군정기관으로 정립되었음을

14

규명한 글이다.

제3장은 마지막 『경국대전』이 반포된 성종 16년으로부터 『대전회통』이 반포된 고종 2년까지, 즉 조선 중·후기 기존 中央官衙—주로 六曹屬衙門—의 혁거·강격·승격과 신설되어 정치·경제·군사를 주도한 備邊司·宣惠廳·奎章閣과 訓練都監 등 군영아문의 설치배경·운영 등 관아변천, 관아변천이 당시의 정치운영과 어떻게 연관되었는가를 종합적으로 규명한 글이다.

제4장은 조선 중·후기에 중앙 각급 관아에 설치되어 관아—정치운영을 주도하고 담당하였던 모든 문반 경관직을 祿職·遞兒職·無祿職·兼職으로 구분하면서—의 혁거·삭감·설치·증치 등 변천, 이러한 관직변천이 당시의 정치운영과 어떻게 연관되었는가를 규명한 글이다.

제5장은 조선 중·후기 지방민을 통치하는 府尹府 이하 모든 군현의 승격·강격·혁거·복치 배경과 변천상, 이러한 군현변천이 당시의 국방·지방통치에 어떻게 기여하였는가를 규명한 글이다.

제6장은 조선 중·후기 해안과 북방 요지에 설치되어 왜적과 야인을 방어한 水軍鎭과 兵馬鎭의 승격·강격·혁거·복치 배경과 변천상, 이러한 변진변천이 국방과 어떻게 관련되었는가를 규명한 글이다.

제7장은 조선이 개국된 태조 1년으로부터 『대전통편』이 반포된 정조 9년까지 역대 왕의 능을 관리하고 수호한 陵官의 승격·강격 배경과 그 변천상, 능관의 증설과 승격이 당시의 관제운영과 어떻게 연관되었는가를 종합적으로 규명한 글이다.

결어에서는 1~7장의 핵심이 되는 내용을 제시하고, 이를 토대로 조선 중·후기 정치제도의 특징을 제시한 것이다.

부록은 조선후기 '議政府政事'를 연대순으로 기록한 1차 사료인 『議政府謄錄』을 깊이가 있으면서도 체계적으로 소개한 해제이고, 그 내용을 통해 조선전기까지 국정을 통령하거나 주도하였던 의정부가 비변사에 실권을 빼앗기고 의례 등이나 주관하는 명목상의 최고 기관으로 존재하였음을 시사해주는 글이다.

이 책은 독립적으로 발표된 논문을 모아 수록(전재)한[1] 한계는 있지만 그 모두가 중앙과 지방통치의 근간이 되고, 서로 연관되면서 마지막『경국대전』이 반포된 1485년(성종 16)으로부터『대전회통』이 반포되는 1865년(고종 2)에 이르는 조선 중·후기 중앙과 지방 정치제도의 변천·운영과 그 특징을 종합적이면서도 구체적으로 이해하는 한 토대가 될 것으로 생각한다.

---

1) 최초 게재 때의 내용을 전재함을 원칙으로 하되, 오·탈자는 교정하고, 보충설명이나 보완이 필요한 경우는 최소한의 범위에서 수정하였다.

제1장 朝鮮中期 議政府의 政治活動研究

1. 서언

조선의 議政府는 정종 2년 4월에 왕권의 강화도모와 관련되어 都評議使司를 의정부라 개편하고 도평의사사가 전장하였던 政權과 軍權을 의정부와 中樞院에 분장시킨 조치로 성립되었다.[1]

의정부는 성립과 함께 判門下·門下左政丞·門下右政丞(각1, 정1), 門下侍郎贊成事(2, 종1), 參贊門下府事(4)·政堂文學(1)·知門下府事(1)(모두 정2), 門下舍人(?, 정4)·檢詳條例司 檢詳(?, 정5)·錄事(?, 정7)가 백관을 총령하면서 서정을 총관하도록 규정되었다.[2] 이 중 관원은 이후 세조 12년까지 태종·세종·세조의 왕권, 의정부·육조기능의 변천 등과 관련하여 10여 차에 걸쳐 개변되면서 領·左·右議政(각1, 정1), 左·右贊成(각1, 종1), 左·右參贊(각1, 정2), 舍人(2, 정4), 檢詳(1, 정5), 司祿(2, 정7)으로 정비되었다가[3] 마지막 반포된 『경국대전』에 법제화되었다. 기능은 태종 1년 7월경에 백관을 총령하고 서정을 고르게 하고 음양을 다스리고 나라를 경륜하는 것(總百官 平庶政 理陰陽 經邦國)으로 정비되었다가[4] 『경국대전』에 법제화되었다. 이 관직과 기능이 이후 조선중

---

1) 『정종실록』 권4, 2년 4월 신축.
2) 한충희, 1981, 「朝鮮初期 議政府研究(상)」, 『韓國史研究』31(서울 : 韓國史研究會, 1981), 100~101, 107쪽.
3) 변개 시기별 직제는 위 논문, 101~104쪽 참조.

기는 물론, 근대적인 관제개혁으로 의정부가 혁거되는 조선말까지 비변사가 중심이 된 의정부 기능의 쇠퇴와는 무관하게 그대로 계승되었다.[5]

　조선 중·후기 의정부연구는 조선초기 의정부와는[6] 달리 의정의 사회적 배경이 검토되었을 뿐[7] 의정부를 주제로 한 연구가 없었고, 조선전기 권력구조의 연구에 수반되어 포괄적으로 의정부가 전개한 활동유형과 활동분야가 제시되면서 의정부가 당시의 정치운영에 끼친 영향이 규명되었을 뿐이었다.[8] 또 조선중기 사림파, 척신, 정치권력구조 등의 연구에 수반되어 의정부

　4) 위 논문, 107, 110쪽.

　5) 의정부의 법제적인 기능은 변동이 없었지만 실제기능은 정종 2~선조 24년·고종 3~16년에는 시기별로 다소의 차이는 있지만 최고 국정기관으로 기능하였고, 선조 25~고종 2년에는 비변사가 중심이 된 국정운영에 따라 최고 국정기관으로서의 지위만 유지하였다. 관직은 법제적으로는 1785년(정조 9) 이전에 사록 1직이 감소되었을 뿐이지만, 실제운영을 보면 조선후기에는 비변사의 운영에 따른 의정부 기능의 약화에 따라 찬성·참찬은 유명무실해지면서 거의 제수되지 않았다(한충희, 1991, 「朝鮮前期(太祖~宣祖 24년)의 權力構造研究-議政府·六曹·承政院을 중심으로-」, 『國史館論叢』 30(서울 : 국사편찬위원회) ; 潘允洪, 2003, 『朝鮮時代 備邊司硏究』(서울 : 景仁文化社) ; 李在喆, 2001, 『朝鮮後期 備邊司硏究』(서울 : 集文堂) ; 金炳佑, 2005, 『大院君의 統治政策』(서울 : 혜안) ; 한국역사연구회, 1990, 『조선정치사(1800~1863)』 상, 하(서울 : 청년사) ; 한충희, 1989, 「議政府謄錄解題」, 『議政府謄錄』(서울 : 保景文化社)에서 종합).

　6) 한충희는 위 「조선초기 의정부연구」에서 의정·찬성·참찬의 출사로·성관·부조관력, 직전·체직·최고관직, 기능, 관직적 지위, 의정 등이 당시의 정치와 의정부 기능에 끼친 영향 등 의정부의 전모를 체계적이고도 깊이 있게 규명하였다. 末松保和도 1956, 「朝鮮議政府攷」, 『朝鮮學報』 9(일본 : 朝鮮史硏究會)에서 조선시대(초기)의 의정부를 고찰하였는데, 직제는 당상관을 중심으로 그 개략적인 변천과정을 논하였고, 당하관은 항목만 제시함에 그쳤다. 또 기능은 사료를 제시하면서 법제적인 면을 중심으로 그 시말만을 다루었기 때문에 실제적인 것은 규명되지 못하였으며, 기능변천의 구체적인 배경이나 과정도 논급하지 않았다.

　7) 金泳謨, 1964, 「李朝 三議政의 社會的 背景」, 『韓國社會學』 1(서울 : 한국사회학회), 38~57쪽 ; 金泳謨, 1977, 「三議政의 社會的 背景」, 『朝鮮支配層硏究』(서울 : 一潮閣), 437~454쪽. 조선중기와 조선후기의 의정부 당상관에 있어서는 영·좌·우의정을 대상으로 역임의정, 출사로, 피임년령, 그 4조(부·조·증조·외조)와 장인의 출사로 조부의 역임관직, 4조의 사관율과 문과합격률, 3의정과 그 외조·장인의 성관이 통계로 제시되면서 간략히 분석되고 그 각각의 특징이 제시되었다.

가 당시의 정치에 끼친 역할 등이 간략하게 언급됨에 그쳤다.9) 따라서 조선 중·후기 의정부의 기능·구성원, 의정부가 당시의 정치에 끼친 영향 등을 구체적으로 알기 어렵다. 여기에 조선 중·후기 의정부의 실체, 즉 의정부관원이나 의정부 기능을 규명하기 위한 연구의 필요성이 있다.

본 장에서는 조선초기 의정부연구의 후속으로 우선 조선중기(연산군 즉위~선조 24년)10) 의정부가 전개한 정치활동과 그 의의를 지금까지 조선중기 의정부를 언급한 연구성과를 수용하고『조선왕조실록』등을 참고하면서 의정부가 전개한 정치활동과 이 정치활동이 의정부 기능·국정운영에 어떻게 작용하였는가를 고찰하고자 한다. 먼저 의정부가 전개한 정치활동을 검토한다. 두 번째로 의정부가 전개한 정치활동분야를 검토한다. 세 번째로 의정부 정치활동이 의정부 기능과 어떻게 관련되었는가를 검토한다. 네 번째로 의정부 정치활동이 국정운영에 끼친 영향이 어떠하였는가를 검토한다. 結語에서는 지금까지 살핀 내용을 요약하면서 의정부 정치활동이 조선중기의 의정부 기능과 國政運營에 끼친 역할을 제시하고자 한다.

---

8) 한충희, 1991,「朝鮮前期(太祖~宣祖 24년) 權力構造研究-議政府·六曹·承政院을 중심으로-」,『國史館論叢』30(서울 : 국사편찬위원회), 40~55쪽. 또 末松保和도 앞 논문, 23~26쪽에서 중종 11년에 의정부서사제가 부활되는 과정을 논급하였다.

9) 그 대표적인 업적은 다음과 같다.
李秉烋, 1999,『朝鮮前期 士林派의 現實認識과 對應』(서울 : 一潮閣) ; 정홍준, 1996,『조선중기 정치권력구조 연구』(서울 : 高麗大學校 民族文化研究所) ; 崔異敦, 1994,『朝鮮中期 士林政治構造研究』(서울 : 일조각) ; 金宇基, 2001,『朝鮮中期 戚臣政治研究』(서울 : 集文堂) ; 韓春順, 2006,『明宗代 勳戚政治 研究』(서울 : 혜안).

10) 조선왕조의 시기구분을 보면 정치사·정치운영, 사회경제·사상사, 정치세력·정치운영, 정치·사상사, 정치제도와 관련되어 크게 2~4시기 즉, 전·중·후기, 초·중·후·말기, 초·중·후기, 전·후기로 구분된다(고영진, 1995,「조선사회의 정치·사상적 변화와 시기구분」,『역사와 현실』15(서울 : 한국역사연구회), 86~89쪽). 본 장에서는 이러한 시기구분과『경국대전』의 편찬·비변사의 대두와 관련시켜 조선중기를 '연산군 즉위~선조 24년'으로 설정하고 고찰한다. 또 선조 즉위~24년의 경우에는 왜란으로 인한 자료난과 관련되어 의정부 찬성·참찬 재직자와 그 전후관력이 불명한 경우가 많고, 의정부와 의정부 당상의 활동상을 구체적으로 파악하기 어렵지만 포괄하여 파악한다.

이러한 연구를 통하여 조선중기에 의정부가 발휘한 기능과 최고정치기관으로 존속할 수 있었던 배경이 규명되고, 조선중기의 의정부연구와 권력구조·정치운영을 천착하는 한 토대가 될 것이라고 생각한다.

2. 議政府 政治活動

조선시대 의정부가 전개한 정치활동은 국왕으로부터 命을 받아 정사를 수행한 受命活動, 국왕에게 上言·上疏 등을 통하여 의견을 개진함으로써 정사에 참여한 啓聞活動, 국왕의 命을 받아 정사를 擬議하는 擬議活動 등이 있었다. 그런데 이들 활동을 활동주체별로 보면 議政府 合同, 의정부 일부, 議政府·六曹 合司, 其他(議政府·三司(臺諫) 또는 議政府·其他 諸司)로 구분된다. 또 위에 제시된 활동주체가 직접으로 수명·계문·의의활동을 하기도 하지만 의정부나 육조 또는 百司가 계문한 정사를 왕이 의정부에 명하기도 하였고, 육조나 백사·지방관의 상계를 의정부가 검토한 후 傳聞하기도 하였으며, 백사·지방관·의정부가 계문한 내용을 다시 의정부에 내려 의의하게 하기도 하였다.[11] 이때 의정부나 육조가 제사와 공동으로 수행한 활동은 엄밀하게는 의정부활동과 구분하여야 하겠고, 의정부 합동인가 일부에 의한 활동인가도 구분해서 파악해야 되겠지만 여기서는 모두 의정부활동으로 포괄하여 파악한다.

조선중기(연산군 즉위~선조 24년) 의정부의 정치활동을 보면 연산군대에는 다음의 표와 같이 의의가 911건 중 596건 65%로 중심이 되면서 계문도 활발하고(245건/27%) 수명은 미미하였다(70/8). 연도별로는 1~3년과 5·

---

11) 한충희, 앞의 「조선초기 의정부연구(상)」, 112쪽. 이 중 의정부가 육조의 계문을 검토한 후 국왕에게 다시 계문하는, 즉 傳聞은 의정부서사제 운영기에 의정부가 육조를 지휘하면서 국정을 총관하는 핵심적인 형태였다.

8~12년에는 의의가 59~82%를 점하면서 계문·수명활동을 압도하였고, 4·6년에는 의의(51%)가 중심이 되면서 계문활동도 활발하였고(42·43), 7년에는 계문이 중심이 되면서(60) 의의활동도 활발하였으며(40), 11년에는 수명이 활발하면서(21) 계문활동(12)을 능가하였다.

중종대에는 의의활동이 중심이 되면서(2,550건/71%) 계문이 활발하고 (944/26) 수명은 미미하였다(94/3). 연도별로는 4~21년과 22~29년에는 의의가 58~95%를 점하면서 계문·수명활동을 압도하였고, 2·3·22년에는 의의가 중심이 되면서(55·52·52) 계문활동도 활발하였으며(39·44·46), 1년에는 의의·계문활동이 49%로 중심이 되었다.

인종대는 재위기간이 1년에 그쳤기에 별 의미가 없겠지만 중종대와는 달리 계문활동이 중심이 되면서(54/57%) 의의도 활발하였다(34/42). 연도별로는 즉위년에는 계문·의의가 중심이 되었고(50·50%), 1년에는 계문이 중심이 되면서(58) 의의도 활발하였다(42).

명종대에는 의의가 중심이 되면서(516건/53%) 계문이 활발하고(387/44), 수명은 미미하였다(36/2). 연도별로는 3~5·8·19·21~22년에는 의의가 압도하면서(54~82%) 계문도 활발하였고(15~40), 수명은 미미하였다(0~12). 6·20년에는 계문이 압도하면서(76·62) 의의도 활발하였고(23·36), 즉위~2·7년에는 계문이 중심이 되면서(49~58) 의의도 활발하였다.

선조대에는 사료의 한계상 의정부 활동상이 명확하지 않지만 의의와 계문이 119건 49%와 115건 47%로 중심이 되었고, 수명은 미미하였다(11/4). 연도별로는 4~6·10·13·14·17·24년에는 의의가 압도하면서(60~100%) 계문도 활발하였고(25~43), 즉위·3·8년에는 계문이 압도하면서(58~78) 의의도 활발하였고(22~33), 1·21·22년에는 계문이 중심이 되면서(50~58) 의의도 활발하였고(42~44), 7년에는 의의가 중심이 되면서(52) 계문도 활발하였고 (43), 16년에는 의의가 중심이 되면서(46) 수명도 활발하였으며(36), 2·9·11·12·18·20·23년에는 계문·의의가 38~50%로 중심이 되었다.

이를 볼 때 조선중기 의정부 정치활동은 연산군대·중종대·명종대에는 의의활동이 압도하면서 계문활동도 활발하였고, 인종대에는 계문활동이 중심이 되면서 의의활동도 활발하였으며, 선조대는 계문활동과 의의활동이 중심이 되었다고 하겠다. 그런데 인종대는 재위기간이 1년여에 불과하고, 선조대는 정치활동의 전모를 파악하기 어렵다. 이점을 감안한다면 결국 조선중기의 정치활동은 의의활동을 중심으로 전개되었다고 하겠다.

한편 조선중기의 정치는 왕권과 육조기능, 사림·권신·훈척의 대두, 국정운영체계 등과 관련되어 연산군대, 중종전기(1~14년), 중종후기(15~인종 1년), 명종 초·중기(1~19년), 명종말 이후(명종 20~선조 24년)로 구분되면서 전개되었다.12) 또 정치운영은 의정부서사제의 실시13) 등과 관련되어 연산군대,

---

12) 李秉烋, 1984,『朝鮮前期 畿湖士林派硏究』(서울 : 일조각) ; 최이돈, 앞『조선중기 사림 정치구조연구』; 한충희, 앞 「조선전기(태조~선조 24년) 권력구조연구-의정부·육조·승정원을 중심으로-」 ; 정홍준, 앞『조선중기 정치권력구조 연구』; 김우기, 앞『조선중기 척신정치연구』등에서 종합. 인종대는 1년에 불과하고 중종말의 정치 분위기가 계승되었으므로 중종 후반기에 포괄하였다.

13) 세조 즉위와 함께 실시된 육조직계제가 중종 11년에 의정부서사제로 전환되었다. 이때의 의정부서사제가 어느 때에 다시 육조직계제로 전환되었는가는 불명하나, 한충희는『증보문헌비고』기사,『중종실록』기사, 찬성·참찬의 기능약화 등을 들어 중종 29년경 이전에 육조직계제로 전환되었다고 보았고(한충희, 앞 「조선전기 의정부 권력구조연구」, 40~41쪽), 정홍준은『조선왕조실록』기사를 볼 때 선조 24년까지 의정부서사제가 지속되었다고 하였다(정홍준, 앞『조선중기 정치권력구조연구』, 28쪽). 이와 관련되어 중종 11년 의정부서사제의 복구를 논의할 때 중종이 내린 전교에

(전략) 祖宗朝(議政府)署事節目 予未詳也 且(經國)大典云 議政府 總百官 平庶政 理陰陽 經邦國 由是觀之 雖不別立(議政府)署事之法 依(經國)大典 政府治職可也 予嘗以此意 言于大臣 而近無檢察 六部(曹)之事 進退人物 相職廢弛 (중략) 自今三公 不可躬親細事 六部大事及各司新立法 受敎之事 先報政府 而勘定 則上自酌其可否而處之 甚合事體 六部公事 政府若不啓稟 而先退之 則自古所以有廢端者也 (하략)(『중종실록』권25, 11년 4월 병자, ( )는 필자 보)

라고 하였듯이 의정부 기능이 포괄적으로 규정되었기에 의정부서사제는 물론 육조직계제가 실시될 때에도 그에 적응하여 기능을 발휘할 수 있었다. 곧 이어 의정부서사제가 실시되고 의정부는 六曹·漢城府·掌隷院의 細瑣事를 제외한 모든 정사를 보고 받아 검토한 후 보고하여 시행하고, 이·병조의 인사도 제수에 앞서 규핵하는 등 육조·백사

중종 1~10년, 중종 11~28년경, 중종 29~인종 1년, 명종 1~19년, 명종 20~선조 24년으로 구분되면서 운영되었다.[14] 이에 따라 위에서 살핀 중종대 이후의 정치활동을 정치운영과 관련된 3시기로 다시 구분하여 볼 때도 위에서 살핀 내용과 별 차이가 없었다. 즉 다음의 표에서 제시되었음과 같이 중종 1~10년에는 885건 중 의의가 587건 66%(연도별로는 49~98)로 계문(271건 /31%, 15~49)과 수명(27/3)을 압도하였다. 중종 11~28년에는 1,744건 중 의의가 1,164건 67%(연도별로는 52~84)로 계문(502/29, 12~46)과 수명(48/3, 0~9)을 압도하였다. 중종 29~인종 1년에는 1,054건 중 의의가 809건 77%(연

를 지휘하면서 국정을 총관하게 되었다(위 책 권25, 11년 5월 신사·권26, 11년 6월 신해 是日始復署事).

그런데 중종 11년 이후의 『조선왕조실록』을 보면 조선초기(태종 5~13년·세종 18~단종 3년)에 의정부가 육조를 지휘하면서 국정을 총관한 것(한충희, 앞 「朝鮮初期議政府硏究(상)」, 121~128·133~139쪽 참조)과는 달리 의정부는 서사권의 행사와 인사규핵이 미미하였고, 국왕의 요청에 따라 육조정사·현안사의 논의에 참여하면서 영향력을 발휘하는 경향이 현저하였다.

또 의정부서사제가 실시된 중종 11년 이후의 의정부·육조의 정치활동을 보면 의정부는 조선초기 의정부서사제가 실시되었을 때에는 육조의 정치활동을 압도하고 계문활동이 중심이 되면서 의의활동도 활발하였음과는 달리 연산군 1~중종 10년의 활동경향과 차이가 없었고, 육조활동을 능가하기는 하나 의의활동이 중심이 되었고 계문활동은 육조 보다 미약하였다(한충희, 앞 「조선전기의 권력구조연구」, 42쪽 〈표 1〉, 뒤 〈표 1-1〉 참조).

이를 볼 때 중종 11년에 복구된 의정부서사제하의 의정부는 조선초기와는 달리 육조의 지휘·인사권에 대해 강력한 기능을 행사하지 못하였고, 당시의 정국운영과 관련되어 의정부서사제에 의해서라기보다는 『경국대전』에 규정된 기능에 따라 신축적으로 기능을 발휘하였고, 이에 따라 의정부서사제는 그 의의를 상실한 것으로 추측된다. 아마도 이점에서 『조선왕조실록』에 의정부서사제가 혁파된 명확한 시기가 언급되지 않았다고 하겠고, 그 혁파시기를 두고 '중종 28년 이전'이나 '선조 25년 이전'이 제기되었다고 하겠다. 본 장에서는 일단 '중종 28년 이전'에 혁거된 것으로 파악한다.

14) 연산군 1~9년에는 성종말의 정치운영이 계승되었고, 중종 1~10년에는 공신중심의 정치가 운영되었고, 중종 11~28년에는 의정부서사제가 실시되었고, 명종 1~19년에는 문정왕후·윤원형일파가 정치를 주도하였고, 명종 20년에는 명종의 왕권이 강화되고 사림이 정치를 주도한 것 등이 있다(『조선왕조실록』 연산군 1~명종 22년조, 주13) 이병휴, 『조선전기 기호사림파연구』 등에서 종합).

도별로는 71(인종대 41)~94)로 계문(225/21, 4~35(인종대 57)과 수명(20/2)을 압도하였다. 명종 1~19년에는 898건 중 의의가 477건 55%(연도별로는 즉위~7년 23~58%, 8~19년 60~82%)로 중심이 되거나 계문(427/43, 즉위~7년 32~76%, 8~19년 15~38%)과 수명(34/4, 0~10%)을 압도하였다.

〈표 1-1〉 연산군 즉위~선조 24년 의정부 정치활동 유형15)

		연산군 즉위~12년													
		즉위	1	2	3	4	5	6	7	8	9	10	11	12	계
수명	수	0	3	5	5	3	9	6	0	7	5	18	7	2	70
	%	0	7	6	5	7	10	6	0	5	6	13	21	14	8
계문	수	0	14	12	21	18	25	43	24	37	24	20	4	3	245
	%	0	34	13	23	42	27	43	60	28	27	16	12	21	27
의의	수	1	24	77	67	22	59	50	16	88	59	103	22	9	596
	%	0	59	82	72	51	63	51	40	67	67	73	67	64	65
계	수	1	41	94	93	43	93	99	40	132	88	141	33	14	911
	%	100													100

		중종 1~10년											중종 11~28년		
		1	2	3	4	5	6	7	8	9	10	계	11	12	13
수명	수	2	7	3	1	3	2	3	3	3	0	27	13	9	2
	%	2	5	4	1	3	3	4	4	7	0	3	9	7	2
계문	수	60	55	35	20	39	13	12	12	11	14	271	29	40	19
	%	49	39	44	21	33	21	15	16	25	20	31	19	39	23
의의	수	60	78	41	73	77	46	66	59	30	57	587	110	85	60
	%	49	56	52	78	68	75	81	98	68	80	66	72	63	71
계	수	122	140	79	94	119	61	81	74	44	71	885	152	134	81
	%	100											100	100	100

		중종 11~28년													
		14	15	16	17	18	19	20	21	22	23	24	26	26	27
수명	수	6	0	2	0	1	2	2	3	1	1	1	2	1	3
	%	6	0	2	0	1	2	1	5	2	1	2	2	2	8
계문	수	28	23	28	29	37	27	49	7	28	42	15	36	19	12
	%	27	24	29	25	24	28	32	12	46	34	26	38	40	33
의의	수	70	73	68	89	116	67	100	48	32	81	42	57	28	21
	%	67	76	69	75	75	70	66	84	52	65	72	60	58	58
계	수	104	96	98	118	154	96	151	57	61	124	58	95	48	36
	%	100													100

15) 『조선왕조실록』 연산군 즉위~선조 24년조에서 종합.

		11~28년		중종 29~인종 1년											
		28	계	29	30	31	32	33	34	35	36	37	38	39	(계)
수	수	0	48	0	1	0	1	5	6	1	2	0	0	3	19
명	%	0	3	0	1	0	1	7	4	2	3	0	0	2	2
계	수	34	502	25	21	16	21	14	22	3	10	5	6	28	171
문	%	42	29	35	28	21	22	20	16	4	13	5	9	22	18
의	수	47	1164	47	54	59	72	50	113	64	67	89	60	94	769
의	%	58	67	75	71	79	77	72	80	94	84	95	91	75	80
계	수	81	1744	72	76	75	94	69	141	68	79	94	66	125	959
	%	100	100	100											100

		(중종 29~인종 1)			명종 즉~19년								
		인종 즉위	1	(계)	합계	명종 즉위	1	2	3	4	5	6	7	8
수	수	0	1	1	20	5	6	3	1	2	3	1	0	1
명	%	0	1	1	2	5	6	4	3	7	2	1	0	2
계	수	6	48	54	225	55	53	34	16	10	9	71	19	20
문	%	50	58	57	21	56	56	49	40	32	35	76	56	38
의	수	6	34	40	809	39	36	33	23	19	14	21	15	32
의	%	50	41	42	77	39	38	47	58	61	54	23	44	60
계	수	12	83	95	1054	99	95	70	40	31	26	93	34	53
	%	100			100	100								100

		(명종 즉~19)											명종 20~선조 24		
		9	10	11	12	13	14	15	16	17	18	19	소계	20	21	22
수	수	1	4	2	0	1	1	0	2	0	0	1	34	1	0	1
명	%	2	7	4	0	3	3	0	10	0	0	7	4	2	0	7
계	수	15	17	13	21	5	9	4	5	2	6	3	387	28	8	4
문	%	33	28	28	36	15	27	27	25	18	29	21	43	62	36	29
의	수	30	39	31	37	27	23	11	13	9	15	10	477	16	14	9
의	%	65	65	67	64	82	70	73	65	82	71	71	53	36	64	64
계	수	46	60	46	58	33	33	15	20	11	21	14	898	45	22	14
	%	100											100	100		100

		(명종 20~선조 24)													
		명종 계	선조 즉위	1	2	3	4	5	6	7	8	9	10	11	12	13	14
수	수	36	0	1	0	1	0	0	0	1	0	2	1	0	0	0	0
명	%	4	0	8	0	8	0	0	0	5	0	25	8	0	0	0	0
계	수	427	7	6	1	7	1	1	5	9	31	3	3	2	1	2	4
문	%	44	78	50	50	58	25	25	26	43	70	38	25	40	50	40	36
의	수	516	2	5	1	4	3	3	14	11	13	3	8	3	1	3	7
의	%	53	22	42	50	33	75	75	74	52	30	38	67	40	50	60	64
계	수	979	9	12	2	12	4	4	19	21	44	8	12	5	2	5	11
	%	100	100														100

		(명종 20~선조 24)										소계	총계	비고
		15	16	17	18	19	20	21	22	23	24			
수명계	수	?	4	0	0	0	0	0	0	1	0	13	212	
	%	?	36	0	0	0	0	0	0	14	0	4	4	
계문의	수	?	2	1	1	0	2	9	14	3	0	55	1,785	
	%	?	18	20	50	0	50	56	58	43	0	48	31	
의의	수	?	5	4	1	1	2	7	10	3	5	58	3,821	
	%	?	46	80	50	100	50	44	42	43	100	49	66	
계	수	?	11	5	2	1	4	16	24	7	5	326	5,818	
	%											100	100	

이상에서 조선중기 의정부 정치활동은 정치가 왕권·정치운영과 관련되어 연산군대, 중종 1~10년, 중종 11~28년, 중종 29~인종 1년 , 명종 즉위~19년, 명종 20~선조 24년으로 구분되면서 운영되었음과는 달리 시종 의의활동이 중심이 되면서 계문·수명활동을 압도하면서 전개되었다고 하겠다.

3. 議政府 政治活動分野

조선중기 의정부가 전개한 정치활동분야에는 刑政·奴婢, 軍事, 儀禮·服制, 人事, 外交, 制度·立法, 經濟·田制, 賑濟·救療, 教育·科擧·風俗 등 육조가 분장한 모든 정사-국정의 전분야가 망라되었다.[16] 여기에서는 조선중기 의정부가 전개한 이러한 정치활동분야를 국정운영과 관련시켜 六曹直啓制가 실시된 연산군대, 중종 1~10년, 중종 29~인종 1년, 명종 1~19년, 명종 20~선조 24년, 議政府署事制가 실시된 중종 11~28년경의 6시기로 구분하여 살펴본다.

---

16) 의정부가 전개한 정치활동분야를 육조의 기능과 연관시키면 다음과 같다(육조기능은 『경국대전』 권1, 이전 육조조 참조).

형정·노비	- 형조	외교 - 예조	교육·과거·풍속 - 예·형조
군사	- 병조	제도·입법 - 예조(육조)	시무 - 육조
의례·복제	- 예조	경제·전제 - 호조	기타 - 공조 등
인사	- 이·병조	진제·구료 - 호조	

먼저 六曹直啓制가 실시된 시기의 정치활동분야를 보면 다음의 표와 같이 연산군대에는 형정·노비(258/912건, 28%/평균 22건)와 인사분야(207건/23%/평균 17건)가 중심이 되면서 군사(112/12/9), 진제·구료(63/7), 의례·복제(58/6), 외교(47/5), 경제·전제(48/5)도 활발하였다. 연도별로 볼 때도 형정(1년)·인사(11·12)·군사(1·10~12)는 1~4개년을 제외하고는 중심이 되거나 활발히 전개되었고, 외교(2·3년)·경제(5~9)·진제(2·3·6·8·9) 등은 1~5개년에 걸쳐 활발하게 전개되었다. 특히 5·6년에 군사, 8년에 인사(特旨除授), 10년에 형정활동이 활발하였는데, 이것은 三水·江界 등지의 야인침입, 특지제수, 갑자사화 등에서 기인된 것이었다.[17]

중종 1~10년에는 인사(281/883건, 32%, 연평균 26건)분야가 중심이 되면서 형정(160건/18%/16건), 군사(104/12/10), 외교(59/7/6), 제도·입법(53/6/5)분야도 활발하였다. 연도별로는 형정·인사·군사는 1~2개년을 제외하고는 중심이 되거나 활발히 전개되었고, 외교·제도·경제·진제 등은 1~2개년에 걸쳐 활발하게 전개되었다. 특히 1~3년에 인사, 2년에 형정, 5년에 군사활동이 활발하였는데, 이것은 중종즉위, 柳子光 등 논죄, 三浦倭變 등에서 기인된 것이었다.[18]

중종 29~인종 1년에는 형정(200/1,111건, 18%, 연평균 17건)·외교(173건/16%/14.4건)·인사(162/15/13.5)분야를 중심으로 군사(100/9/8), 의례·복제(79/7), 교육·과거·풍속(64/6)분야도 활발하였다. 연도별로는 형정·인사·군사는 1~5개년을 제외하고는 중심이 되거나 활발히 전개되었고, 의례·외교·진제 등은 1~4개년에 걸쳐 활발하게 전개되었다. 특히 이 시기에는 외교활동이 활발하였는데, 이것은 황후추존·흥서, 宗系辨誣, 왜·야인 위무, 중종흥서와 인종즉위 등에서 기인된 것이었다.[19]

---

17) 『연산군일기』 5~6년조에서 종합. 특지제수는 국왕이 인사절차를 거치지 않고 국왕의 특권으로 제수하는 인사행정이다.
18) 『중종실록』 1~5년조에서 종합.

명종 1~22년에는 형정(178/979건, 18%, 연평균 8건)·인사(160건/16%/7
건)분야가 중심이 되면서 군사(102/10/5), 외교(86/9/5), 의례·복제(48/5/
2.2)분야도 활발하였다. 연도별로 볼 때도 형정·인사·군사는 9~14개년을
제외하고는 중심이 되거나 활발히 전개되었고, 의례·외교·제도는 1~8개년
에 걸쳐 활발하게 전개되었다. 특히 9·10년에 군사, 즉위·1년에 인사, 10~13
년에 외교활동이 활발하였는데, 이것은 신왕즉위·을사사화, 達梁浦倭變과
야인준동, 종계변무·대왜수교 등에서 기인된 것이었다.[20]

議政府署事制가 실시된 중종 11~28년경에는 형정(413/1,744건, 24%, 연평
균 23건)·인사(344건/20%/19건)분야를 중심으로 군사(182/10/10), 외교
(152/9/8), 의례·복제(134/8/7), 진제·구료(91/5/5)분야도 활발하였다. 연도
별로는 형정·인사·군사는 2~8개년을 제외하고는 중심이 되거나 활발히
전개되었고, 의례·외교·제도·진제 등은 1~6개년에 걸쳐 활발하게 전개되었
다. 특히 11~14년에 인사와 제도·입법, 11·12·20년에 진제·구료, 16~20년에
외교, 17~20·23년에 형정과 군사활동이 활발하였는데, 이것은 언관의 대두·
공신개정과 장순왕후의 신주봉안·왕비홍서와 책봉, 旱災, 명의 武宗홍서와
世宗 즉위, 獄事와 三浦倭亂·입거야인구축 등에서 기인된 것이었다.[21]

조선중기를 통해서는 형정(1,219/5,576건, 22%, 연평균 14건)과 인사
(1,153건/21%/13건)분야가 중심이 되면서 군사(601/11/7), 외교(508/9/8),
의례·복제(344/6/7)분야도 활발하였다.

---

19) 『중종실록』 29~인종 1년조. 종계변무는 『대명회전』에 이성계가 李仁任의 아들이라고
   기재된 것을 이자춘의 아들로 바로잡은 일인데, 『대명회전』의 개정을 계기로 원문을
   고치지는 못하고 원문에 부기하는 형식으로 마무리됨에 그쳤다.
20) 『명종실록』 즉위~13년조에서 종합.
21) 『중종실록』 11~23년조에서 종합.

〈표 1-2〉 연산군 즉위~선조 24년 의정부 정치활동 분야22)

	연산군 즉위~12년													
	즉위	1	2	3	4	5	6	7	8	9	10	11	12	소계
刑政·奴婢		5	24	17	11	14	16	9	29	19	89	18	7	258
軍事		1	13	10	11	33	68	6	9	7	3	1	0	112
儀禮·服制	1	10	7	4	1	5	6	0	3	1	15	4	1	58
人事		15	20	29	10	17	23	9	36	29	14	3	2	207
外交		3	10	11	1	1	5	0	7	8	1	0	0	47
制度·立法		0	8	4	5	2	3	1	2	1	3	1	0	30
經濟·田制		0	3	5	0	6	7	5	15	6	0	1	0	48
賑濟·救療		2	7	9	1	5	13	3	9	13	0	0	1	63
教育·科擧·風俗 등		1	0	3	2	2	3	0	5	0	4	1	0	21
時務條陳		1	0	0	1	1	0	0	2	0	0	0	0	5
기타		3	2	1	0	7	5	7	15	4	12	4	3	63
합계	1	41	94	93	43	93	99	40	132	88	141	33	14	912

	중종 1~10년											중종 11~28년		
	1	2	3	4	5	6	7	8	9	10	소계	11	12	13
刑政·奴婢	18	38	14	13	18	11	14	15	4	15	160	21	17	9
軍事	3	8	6	14	30	7	15	6	5	9	104	20	6	7
儀禮·服制	5	0	3	3	4	3	0	3	2	4	28	16	12	5
人事	45	61	35	29	30	17	15	19	17	13	281	34	31	35
外交	5	3	8	6	6	9	12	4	3	3	59	8	7	1
制度·立法	16	4	4	3	10	3	3	2	1	6	53	16	10	6
經濟·田制	2	2	1	9	5	2	2	2	3	4	32	8	2	2
賑濟·救療	6	5	3	3	3	3	5	7	2	1	38	9	17	1
教育·科擧·風俗 등	5	6	1	4	4	2	5	2	1	2	32	12	10	2
時務條陳	1	0	2	3	1	0	1	1	2	3	14	1	2	4
기타	18	13	2	7	8	4	9	13	4	11	89	7	20	9
합계	122	140	79	94	119	61	81	74	44	71	883	152	134	81

	(중종 11~28년)													
	14	15	16	17	18	19	20	21	22	23	24	25	26	27
刑政·奴婢	8	29	25	36	35	29	32	16	25	36	16	23	18	7
軍事	5	15	3	24	38	15	17	3	2	18	4	2	0	1
儀禮·服制	2	8	6	9	6	5	15	3	5	12	4	18	4	4
人事	38	11	21	12	29	13	17	13	12	18	6	18	15	7
外交	2	4	25	11	23	9	20	1	2	11	13	3	2	3

22)『조선왕조실록』연산군 즉위~선조 24년조에서 종합.

制度·立法	17	5	0	8	2	4	6	3	2	1	2	1	0	1
經濟·田制	1	2	3	1	2	3	10	4	1	5	2	0	0	3
賑濟·救療	5	8	5	5	5	1	16	2	3	1	3	5	0	1
教育·科擧·風俗 등	3	4	2	3	4	6	7	6	0	5	1	0	1	3
時務條陳	1	0	0	0	2	1	1	0	0	1	0	1	0	0
기타	12	10	8	9	8	10	10	0	9	16	6	24	8	6
합계	104	96	98	118	154	96	151	57	61	124	57	95	48	36

	(중종 11~28년)		중종 29~인종 1년										
	28	소계	29	30	31	32	33	34	35	36	37	38	39
刑政·奴婢	31	413	28	24	9	24	15	21	9	19	6	15	23
軍事	2	182	1	12	14	3	3	11	4	11	12	12	16
儀禮·服制	0	134	14	2	0	8	2	13	6	1	2	5	13
人事	13	344	10	15	17	18	15	12	17	6	11	8	13
外交	7	152	7	5	10	18	3	38	10	11	31	12	11
制度·立法	2	86	1	3	3	1	3	2	3	5	4	5	2
經濟·田制	5	54	0	1	1	5	2	2	3	3	7	0	2
賑濟·救療	4	91	1	1	0	0	2	11	0	3	5	1	1
教育·科擧·風俗 등	5	74	4	5	8	2	9	10	4	4	9	5	4
時務條陳	0	14	0	0	0	0	2	2	1	6	1	1	1
기타	13	185	6	8	13	15	13	19	11	10	6	4	39
합계	82	1,744	72	76	75	94	69	141	68	79	94	68	125

	(중종 29~인종 1년)					명종 즉위~19년							
	중종계	즉위	1	인종계	소계	즉위	1	2	3	4	5	6	7
刑政·奴婢	776	0	7	7	200	42	22	15	13	8	6	8	2
軍事	384	0	3	3	100	4	6	2	1	6	3	6	6
儀禮·服制	227	3	10	13	79	9	6	3	0	0	0	0	0
人事	766	4	16	20	162	17	27	9	7	3	2	9	3
外交	367	0	8	8	173	4	8	7	1	1	1	2	6
制度·立法	170	0	1	1	33	1	0	1	0	0	2	3	0
經濟·田制	112	0	0	0	26	0	0	1	2	1	0	5	0
賑濟·救療	154	0	1	1	26	0	2	4	5	0	0	3	1
教育·科擧·風俗 등	168	0	0	0	64	4	4	2	0	4	2	2	1
時務條陳	42	0	0	0	14	2	1	2	0	0	0	0	0
기타	424	5	37	42	131	16	19	24	11	8	10	55	15
합계	3,590	12	83	95	1,111	99	95	70	40	31	26	93	34

	(명종 즉위~19년)													
	8	9	10	11	12	13	14	15	16	17	18	19	소계	20
刑政·奴婢	4	8	7	4	2	4	1	1	2	1	4	2	158	16
軍事	7	10	18	4	3	5	8	1	1	1	1	3	96	2
儀禮·服制	1	1	0	0	7	1	0	3	2	0	1	0	34	7
人事	12	9	7	9	5	10	7	4	4	2	5	1	152	1
外交	6	3	8	9	11	7	2	2	0	2	1	1	82	1
制度·立法	5	0	1	6	2	1	0	0	1	0	0	0	23	0
經濟·田制	1	0	4	0	1	0	0	0	0	0	0	2	17	0
賑濟·救療	0	3	2	0	0	0	3	1	0	0	0	0	24	0
教育·科擧·風俗 등	1	2	1	2	4	1	1	0	3	1	1	1	37	0
時務條陳	2	0	0	0	2	1	1	0	0	0	0	0	9	0
기타	14	10	12	12	20	3	10	3	7	4	8	4	265	18
합계	53	46	60	46	58	33	33	15	20	11	21	14	898	45

	명종 20~선조 24년												
	21	22	명종계	선조즉위	1	2	3	4	5	6	7	8	9
刑政·奴婢	4	0	178	1	0	0	0	0	0	0	0	0	0
軍事	4	0	102	0	0	0	0	0	0	1	1	0	0
儀禮·服制	3	2	46	0	2	2	0	0	1	0	0	0	3
人事	5	2	160	0	6	0	9	2	3	11	9	7	2
外交	0	3	86	0	1	0	0	0	0	0	1	1	0
制度·立法	2	0	25	2	0	0	1	0	0	1	0	1	0
經濟·田制	0	0	17	0	0	0	0	0	0	0	2	0	0
賑濟·救療	0	0	24	3	0	0	1	0	0	0	0	0	0
教育·科擧·風俗 등	1	0	38	1	1	0	0	1	0	0	0	1	0
時務條陳	2	0	11	0	0	0	0	0	0	0	2	0	0
기타	2	7	292	2	2	0	1	1	0	6	6	31	6
합계	22	14	979	9	12	2	12	4	4	19	21	44	8

	(명종 20~선조 24년)												
	10	11	12	13	14	15	16	17	18	19	20	21	22	23
刑政·奴婢	0	0	1	1	1	0	1	0	2	0	1	0	2	1
軍事	0	0	0	0	0	0	3	0	0	0	1	0	1	0
儀禮·服制	1	0	1	0	0	0	0	0	0	0	0	0	1	0
人事	5	1	0	3	2	0	7	5	0	0	1	13	18	4
外交	0	0	0	0	0	0	0	0	0	1	0	2	2	1
制度·立法	0	1	0	0	0	0	0	0	0	0	0	0	1	0
經濟·田制	0	1	0	0	0	0	0	0	0	0	0	0	1	0
賑濟·救療	0	0	0	0	2	0	0	0	0	0	0	0	0	0

教育·科擧·風俗 등	0	0	0	0	0	0	0	0	0	0	0	0	0	0
時務條陳	1	0	0	0	0	0	0	0	0	0	0	0	0	0
기타	5	2	0	1	5	0	0	0	0	0	1	1	0	1
합계	12	5	2	5	11	0	11	5	2	1	4	16	24	7

	(명종 20~선조 24년)			총계
	24	선조계	소계	
刑政·奴婢	0	11	30	1,219
軍事	0	7	13	601
儀禮·服制	0	11	23	344
人事	3	111	110	1,153
外交	2	11	15	508
制度·立法	0	7	9	226
經濟·田制	0	3	3	177
賑濟·救療	0	6	6	242
教育·科擧·風俗 등	0	4	4	227
時務條陳	0	3	3	58
기타	0	71	99	821
합계	5	245	303	5,576

이를 볼 때 조선중기 의정부 정치활동분야는 육조직계제가 실시된 연산군 1~중종 10년·중종 29~명종 22년에는 형정·인사분야를 중심으로 군사·외교·의례분야도 활발하였고, 의정부서사제가 실시된 중종 11~28년에는 형정·인사분야를 중심으로 군사·외교·의례·진제 등 분야도 활발하였다. 그런데 조선중기 의정부 정치활동의 중심이 된 형정·인사와 군사, 외교, 의례, 진제 등은 당시의 가장 중요하고 현안이 된 국사였다.

이상에서 조선중기 의정부는 의정부나 육조가 중심이 된 국정운영체제, 권신대두 등에 구애되지 않고 가장 중요한 국사인 인사·군사·형정을 중심으로 모든 정치분야에 걸쳐 활동하였다고 하겠다.

4. 議政府 政治活動과 國政運營

조선중기의 국정운영은 육조직계제·의정부서사제·원상제가 운영되면서[23] 연산군 즉위~1년 11월·중종 즉위~3년 5월·인종 즉위~1년 1월·명종 즉위~3년 5월·선조 즉위~즉위년 11월과 중종 11~28년에는 원상이나[24] 의정부가 육조를 지휘하면서 국정을 주도하였고, 연산군 1년 12월~12년·중종 3년 6월~10년·중종 29~39년·인종 1년 2월~7월·명종 3년 6월~22년·선조 즉위년 12월~24년에는 육조가 국정을 주도한 것으로 추측된다.

또 연산군 10~12년에는 왕측근, 중종 1~8년에는 반정공신, 중종 11~14년에

---

23) 의정부서사제의 운영은 앞의 주 13) 참조. 의정부서사제는 의정부가 육조를 지휘하면서 국정을 총관하고, 육조직계제는 육조가 관장사를 직접으로 국왕에게 보고하고 지시받으면서 국정을 분장하고, 원상제는 원상이 육조·승정원을 지휘하면서 국정을 총관하는 국정운영체제이다(그 운영의 실제는 한충희, 「조선초기 의정부연구(상)」, 112~142쪽 ; 金甲周, 1973, 「院相制의 成立과 機能」, 『東國史學』 12(동국대학교사학과), 60~70쪽 참조.

24) 원상제는 국왕 즉위초 3개월(인종)~3년(명종)에 걸쳐 운영되었다. 원상 겸대자는 다음의 표에서와 같이 2(인종)~10명(명종)이었고, 그 본직은 3의정이 중심이 된 전임 의정과 좌·우찬성, 판중추·지중추였다.

〈조선중기 원상 운영기간과 겸직자(비고는 원상운영기간)〉

		겸직기간	본직	비고			겸직기간	본직	비고
연산군	李克培	즉위.~1.6	영의정·부원군	즉위~1.11	명종	成世昌	즉.~3.5	우·좌의정, 판중	즉위~3.5
	盧思愼	즉.~1.11	좌·영의정			洪彦弼	〃	영중추(전의정)	
	愼承善	〃	우·좌·영의정			李彦迪	즉.~즉.9	좌찬성	
	尹弼商	〃	부원군(전의정)			權橃	즉.~즉. 10	우찬성	
	鄭佸	1.3~1.10	지중·우의정			李芑	즉.~3.5	우·좌의정	
	魚世謙	1.10~1.11	우의정			鄭順朋	즉.9~3.5	우의정	
중종	柳洵	즉.~3.5	영의정	즉위~3.5	선조	許磁	〃	우·좌찬성, 판중	
	金壽童	〃	좌의정·부원군			林百齡	즉.11~1.9	우찬성	
	朴元宗	1.9~3.5	우·좌·영의정			李浚慶	즉.~즉. 11	영의정	즉위~9.11
	柳順汀	1.10~3.5	우의정			李蓂	〃	좌의정	
인종	洪彦弼	즉.~1.1	좌의정	즉위~1.1		權轍	〃	우의정	
	尹仁鏡	〃	우의정			洪暹	〃	좌찬성	
명종	尹仁鏡	즉.~3.5	좌·영의정	즉위~3.5		吳謙	〃	우찬성	
	柳灌	즉.~즉.8	우의정			閔箕	〃	우참찬	

는 삼사, 중종 15~25년·29~32년에는 권신, 명종 즉위~19년에는 외척, 선조 17~24년에는 동인이 각각 득세하면서 정치를 주도하였기에25) 이 시기에는 의정부 기능이 약화된 것으로 추측된다. 그러면 동기 국정운영의 실상과 의정부 기능은 어떠하였겠는가?. 여기에서는 이를 의정부·육조·원상의 정치활동을 통하여 살펴본다.

먼저 의정부 정치활동과 국정운영을 살펴본다. 의정부 정치활동을 보면 육조직계제가 실시된 시기는 연산군대에는 다음의 표와 같이 911건 중 수명활동이 70건 8%였고, 계문활동이 245건 27%였으며, 의의활동이 562건 62%였다. 중종 1~10년에는 1,573건 중 수명이 27건 3%였고, 계문이 271건 31%였으며, 의의가 617건 70%였다. 중종 29~인종 1년에는 수명이 1,779건 중 20건 2%였고, 계문이 225건 21%였으며, 의의가 809건 77%였다. 명종대에는 1,811건 중 수명이 36건 4%였고, 계문이 427건 44%였으며, 의의가 516건 53%였다. 이 시기를 합해서는 수명이 3,795건(연평균 67.7건) 중 153건(1.5) 4%였고, 계문이 1,168건(20.9) 31%였으며, 의의가 2,504건(64.7) 66%였다. 議政府署事制가 실시된 중종 11~28년경에는 1,747건(연평균 96.9) 중 수명이 48건(2.7) 3%였고, 계문이 502건(27.9) 29%였으며, 의의가 1,164건(64.7) 67%였다. 연산군 1~명종 22년을 통해서는 5,539건(연평균 74.9) 중 수명활동이 201건(2.7) 4%였고, 계문활동이 1,670건(22.6) 30%였으며, 의의활동이 3,668건(49.6) 66%였다. 또 이러한 활동 경향은 연도별로 보아도 비슷하였다 (앞 〈표 1-1〉 참조). 그런데 조선중기 정치활동의 전개양상을 보면 수명·의의 활동은 조선초기와 같았으나, 계문활동은 조선초기의 경우 의정부서사제가 실시되었을 때는 "議政府據某曹呈啓"의 형식 즉, 傳聞活動이 중심이 되고 의의활동이 활발하였음과는 달리 의정부서사제가 실시된 중종 11~28년은

---

25) 『조선왕조실록』 연산군 10~선조 24년, 주12) 이병휴, 『조선전기 기호사림파연구』 등에서 종합. 각 시기의 대표적인 인물은 뒤 〈표 1-5〉 참조.

물론 그 외에 육조직계제가 실시된 시기에도 의의가 중심이 되고 독자적으로 상계하는 계문이 활발하였다. 이를 볼 때 전문활동은 육조를 직접적으로 지휘하는 국정운영의 형태라고 하겠다. 반면에 의의활동은 육조가 계문한 내용이나 그 외의 현안사 등을 국왕의 지시에 따라 논의하는 것이었던 만큼 간접적으로 육조의 정사를 지휘하거나 참여하는 형태라고 하겠다.

〈표 1-3〉 연산군 즉위~선조 24년 의정부와 육조·원상 정치활동 대비(단위 건)[26]

		六曹直啓制 운영기					議政府 署事制 운영기	합계
		연산군 1~12	중종 1~10	중종29~ 인종1	명종 1~19	명종20~ 선조24	소계	중종 11~28	
수명	議政府	70	27	20	34	13	164	48	212
	六曹	226	110	158	154	97	745	251	996
	院相*	5	?	0	4	?	9?	0	9?
계문	의	245	271	225	387	155	1,283	502	1,785
	육	322	312	299	353	165	1,451	674	2,125
	원	19	?	1	27	?	47?	0	47?
의의	의	596	587	809	477	158	2,657	1,164	3,821
	육	209	266	268	218	73	1,034	378	1,412
	원	27	?	5	34	?	66?	0	66?
합계	의정부	911	885	1,054	898	326	4,074	1,744	5,818
	육조	757	688	725	725	335	3,230	1,303	4,533
	원상	51	?	6	65	?	122?	0	122?

* 연산군 즉위~1년 11월, 중종 즉위~3년 5월, 인종 즉위~1년 1월,
  명종 즉위~3년 5월, 선조 즉위~즉위년 11월(계문·의의 동).

육조의 정치활동을 보면 연산군대는 911건 중 수명활동이 226건 30%였고, 계문활동이 322건 43%였으며, 의의활동이 209건 28%였다. 중종 1~10년에는 688건 중 수명이 110건 16%였고, 계문이 312건 45%였으며, 의의가 266건 39%였다. 중종 29~인종 1년에는 725건 중 수명이 158건 22%였고, 계문이 299건 41%였으며, 의의가 268건 37%였다. 명종 1~19년에는 725건 중 수명이

26) 뒤 1장 〈별표〉에서 종합.

154건 21%였고, 계문이 353건 49%였으며, 의의가 218건 39%였다. 명종
20~선조 24년에는 335건 중 수명이 97건 29%였고, 계문이 165건 49%였으며,
의의가 73건 22%였다. 이 시기를 합해서는 수명이 3,230건(연평균 40.9건)
중 745건(9.4)23%였고, 계문이 1,451건(18.4) 45%였으며, 의의가 1,034건
(13.1) 32%였다. 議政府署事制가 실시된 중종 11~28년경에는 1,303건(연평균
72.3) 중 수명이 251건(13.9) 19%였고, 계문이 674건(37.4) 52%, 의의가
378건(21) 29%였다. 연산군 1~선조 22년을 통해서는 4,533건(연평균 46.7)
중 수명활동이 996건(10.3) 22%였고, 계문활동이 2,125건(21.9) 47%였으며,
의의활동이 1,412건(14.6) 31%였다. 또 이러한 활동경향은 연도별로 보아도
비슷하였다.[27]

　　의정부와 육조의 정치활동을 대비하여 보면 다음의 표와 같이 연산군대에
는 의정부가 총 1,688건 중 911건 55%로 육조의 757건 45%를 능가하였고,
중종 1~10년에는 885/1,573건 56%, 중종 11~28년에는 1,744/3,047건 57%,
중종 29~인종 1년에는 1,054/1,779건 59%, 명종 1~22년에는 979/1,791건
55%로 각각 육조활동을 능가하였으며, 선조 1~24년에는 의정부가 245/493
건 49.7%로 육조활동 348건 50.35와 비슷하였다.

〈표 1-4〉 연산군 즉위~선조 24년 의정부·육조 정치활동 대비(〈표 1-3〉에서 종합)

		연산군 1~12	중종 1~10	중종 11~28	중종29~ 인종1	명종 1~22	선조 1~24	합계
의정부	건수	911	885	1,744	1,054	979	245	5,818
	%	55	56	57	59	55	49.7	56
육조	건수	757	688	1,303	725	812	248	4,533
	%	45	44	43	41	45	50.3	44
합계	건수	1,668	1,573	3,047	1,779	1,791	413	10,351
	%	100						100

　　원상활동과 의정부·육조의 정치활동을 대비하여 보면 연산군 즉위~1년

---

27) 수명, 계문, 의의활동의 구체적인 내용은 1장 〈별표〉 참조.

11월에는 51건으로 의정부 38건과 육조 43건을 능가하였지만, 인종 즉위~1년 1월과 명종 즉위~3년 5월에는 6건과 65건으로 의정부 24건·290건과 육조 3건·185건과 비할 바가 아니었다(불명인 중종 즉위~3년 5월, 선조 즉위~즉위년 11월 제외).28) 그러나 원상은 운영된 시기를 통하여 정치활동수와는 무관하게 육조와 승지를 지휘하면서 국정을 총관하였다.29)

또 왕측근·공신·언관·권신·외척이 대두된 시기에 의정부 정치활동을 보면 다음의 표와 같이 연산군 10~12년과 중종 1~8·11~14·15~25·29~32년에는 의정부활동이 육조활동을 압도하거나 능가하였고, 명종 1~19년·20~21년에는 의정부활동과 육조활동이 비슷하였다. 그러나 명종 1~19년에 있어서는 의정부·육조의 총활동수와 그 활동을 대비하면 의정부가 육조를 능가하였다 (898건 55%)725건 45%). 이를 볼 때 의정부는 왕측근·공신·언관·권신·외척이 대두한 모든 시기를 통해 육조의 활동을 압도하거나 능가하였다고 하겠다.

〈표 1-5〉 조선 중·후기 공신·권신·외척 등 대두기 의정부·육조 정치활동30)

		의정부		6조		비고
		수(年)	%	수	%	
왕측근 대두기	연산군10~12	14~141	46~64	8~117	36~54	任士洪·柳子光 등
공신 대두기	중종1~8	61~140	42~73	42~113	27~63	朴元宗·柳順汀·成希顏
언관 대두기	중종11~14	81~152	55~66	63~104	34~45	趙光祖·金湜 등
권신 대두기	중종15~25	57~154	39~71	48~193	29~56	南袞·沈貞 등
권신 대두기	중종29~32	72~94	57~72	29~55	28~36	金安老 등
외척 대두기	명종1~19	11~99	30~66	15~75	31~70	尹元衡 등
외척 대두기	명종20~21	22~45	36~59	31`40	41~64	沈通源·李樑

이러한 의정부와 육조의 정치활동, 원상의 기능, 공신·권신·외척 등 대두기의 의정부활동을 볼 때 조선중기의 국정은 원상제가 운영된 연산군 즉위~1

---

28) 『조선왕조실록』 연산군 즉위~1년 11월, 인종 즉위~즉위년 11월, 명종 즉위~3년 5월조에서 종합.
29) 『명종실록』 권1, 즉위년 7월 무진·즉위년 8월 기해 외.
30) 위 〈표 1-1〉, 『조선왕조실록』 연산군 10~명종 21년조에서 종합.

년 11월·중종 즉위~3년 5월·인종 즉위년 11~11월·명종 즉위~3년 5월·선조
즉위년 6~11월에는 원상이 육조·승정원을 지휘하면서 국정을 주도하였다고
하겠다. 의정부서사제가 운영된 중종 11~28년에는 의정부가 육조활동을
능가하면서 국정을 주도하였고, 육조직계제가 운영된 연산군 1년 12월~12년
·중종 3년 6월~39년·인종 즉위년 12월~1년·명종 3년 6월~22년·선조 즉위년
12월~24년에도 육조활동을 능가하면서 국정을 주도하였다고 하겠다. 공신·
권신 등이 대두된 시기에는 육조활동을 능가하면서 정치에 큰 영향력을
발휘하였다고 하겠다. 즉, 의정부는 원상제가 운영된 신왕즉위초를 제외한
모든 시기에 걸쳐 육조가 중심이 되도록 된 국정운영체계, 공신·권신 등이
대두된 시기를 통하여 서정을 분장한 육조를 직, 간접으로 지휘하면서 최고
정치기관으로서의 지위를 유지하고 국정운영을 주도하거나 당시의 정치에
큰 영향을 끼쳤다고 하겠다.

덧붙여 의정부의 정치활동과 의정부 기능을 살펴본다. 조선초기의 의정부
는 의정부서사제가 실시될 때에는 육조를 직접으로 지휘하면서 국정을
총관하는 강력한 기능을 발휘하였고, 육조직계제가 실시될 때에는 의정부서
사제가 실시될 때에 비해서는 기능이 다소 약화되나 왕명을 받아 대소국정
논의에 활발하게 참여(육조를 간접으로 지휘)하면서 국정운영에 큰 영향력
을 발휘하였다.[31] 의정부의 활동을 보면 육조직계제가 실시된 연산군 1~중종
10년·중종 29~명종 22년은 의의활동을 중심으로 계문·수명활동을 전개하였
다. 의정부서사제가 실시된 중종 11~28년에도 실제로는 조선초기와 같이
서사권을 행사하지 못하고 육조직계제가 실시되었을 때와 같이 의의활동이
중심이 되면서 계문·수명활동이 전개되었다.[32] 의정부의 정치활동분야를

---

31) 한충희, 앞 「조선초기 의정부연구(상)」, 112~142쪽.
32) 조선초기 의정부서사제가 실시된 시기의 경우 태종 5~13년에는 계문활동이 343건
    56%이고 의의와 수명활동이 205건 34%와 63건 10%였으며, 세종 18~단종 3년에는
    계문활동이 1,890건 60%이고 의의와 수명활동이 1,199건 38%와 79건 3%였다. 반면에

보면 조선의 가장 중요한 국사였던 인사·군사·형정분야가 각각을 점하면서 중심이 되는 등 모든 국정이 망라되었고,[33] 수시로 제기된 긴급하고도 중요한 정사인 옥사·왜인과 야인침입·대명외교 등의 정사는 의정부가 주관하거나 그 결정을 주도하였다.[34] 의정부는 원상제운영, 정변으로 인한 공신의 대두, 유년의 국왕즉위, 의정부 기능, 척신·권신의 대두, 국왕의 자질과 통치스타일, 삼사의 과감한 언론활동 등과[35] 관련되어 왕권이 중종 1~8년·인종 1년·명종 즉위~19년·선조 즉위년에는 미약하거나 강력하지 못하였고, 연산군 1~12년·중종 9~39년·명종 20~22년·선조 1년 이후에는 점차 신장되고 강화되었다.[36] 의정부는 왕권이 미약하거나 신장·강력한 시기 모두 육조활동을 능가하였다(55~58%) 42~45%, 명종 20~22년은 48〈52%〉.[37] 이점에서 조선중기의 의정부는 최고 정치기관이고 국정통령기관으로 규정된 기능을 토대로 조선중기의 전시기에 걸쳐 국왕의 지시에 따라 육조정사·현안사의 의의에 참여하고 독자적으로 국정전반에 대해 계문하였고, 이 결과 육조를 압도하거나 능가하는 최고 국정기관으로서의 기능을 유지하고 발휘하였다고 하겠다.

육조직계제가 실시된 태종 14~세종 17년과 세조 1~성종 25년에는 계문활동이 279건 12%와 659건 18%였고, 의의·수명활동이 894건 73%·60건 5%와 2,698건 73%·335건 9%였다(한충희, 앞 「조선초기 국정운영체제와 국정운영」, 36쪽 〈표 1〉·39쪽 〈표 2〉·42쪽 〈표 3〉·46~47쪽 〈표 4〉·49~50쪽 〈표 5〉에서 종합).

33) 앞 〈표 1-2〉 참조.
34) 앞 27~28쪽 참조.
35) 원상제가 운영, 공신 등이 대두된 시기는 앞 〈표 1-3〉·〈표 1-5〉 참조.
36) 『조선왕조실록』 연산군 1~선조 24년조에서 종합.
37) 각 시기별로 의정부와 육조의 정치활동을 대비하면 다음의 표와 같다(위 〈표 1-1〉과 『조선왕조실록』 연산군 1~명종 22년조에서 종합).

	의정부		6조			의정부		6조	
	수	%	수	%		수	%	수	%
연산군 1~12	911	55	757	45	인종 1	95	56	119	44
중종 1~8	770	57	572	43	명종 1~19	898	55	725	45
중종 9~39	2,818	58	2,031	42	명종 20~22	82	48	87	52

이상에서 조선중기의 의정부는 모든 시기를 통해 국정운영체계, 공신·권신 등의 대두, 왕권의 신축에도 불구하고 육조를 압도하거나 능가하는 정치활동을 전개하면서 국정운영을 주도하거나 정치전반에 큰 영향력을 발휘하였고, 그 결과 최고 정치기관으로서의 지위와 기능을 유지하였다고 하겠다.

5. 결어

조선중기의 의정부는 『경국대전』에 규정된 "百官을 거느리고 庶政을 고르게 하고 陰陽을 다스리며 나라를 경륜한다"는 기능을 계승하여 최고 정치기관으로 존속되었다.

조선중기 의정부의 정치활동은 受命, 啓聞, 擬議活動으로 전개되었다. 이중 의의활동이 3,821건 66%로 중심이 되었고, 계문활동과 수명활동은 1,785건 31%와 212건 4%였다.

조선중기 의정부는 인사, 군사, 형정, 외교, 법제, 의례 등 모든 국정에 걸쳐 활동하였고, 그 중에서도 가장 중요한 정사인 형정이 1,319건 22%, 인사가 1,153건 21%, 군사가 601건 11%, 외교가 508건 9%로 중심이 되었다.

조선중기 의정부는 의정부가 국정운영의 중심이 되도록 된 중종 11~28년, 육조가 국정운영의 중심이 되도록 된 연산군대·중종 1~10년·중종 29~선조 24년의 모든 시기에 걸쳐 육조의 정치활동을 능가하면서 국정운영을 주도하거나 정치운영에 큰 영향력을 발휘하였다.

조선중기 의정부는 법제적인 최고 국정기관으로서의 기능과 지위를 토대로 육조가 상계한 정사나 현안사를 국왕의 명을 받고 논의하여 그 정사를 결정하게 하는 등 육조를 간접적으로 지휘하면서 국정운영을 주도하거나 정치전반에 강력한 기능을 발휘하였다.

조선중기 의정부는 의정부나 육조가 중심이 된 국정운영체제, 왕권의 신축, 공신·권신·척신 등의 대두에도 불구하고 육조를 능가하는 정치활동을 전개하였고, 이와 관련되어 정치운영을 주도하거나 정치에 큰 영향력을 발휘하는 등 강력한 기능을 보유하고 행사하였다.

요컨대 조선중기 의정부는 최고 국정기관으로서의 기능과 지위를 토대로 국정운영을 주도하거나 국정전반에 큰 영향력을 발휘하였고, 이를 토대로 최고 정치기관으로 존속되고 기능하였다고 하겠다. 참고로 조선중기 의정부·육조·원상의 정치활동경향을 표로 정리하여 첨부한다.

〈별표〉 연산군 즉위~선조 24년 의정부와 육조·원상 정치활동 대비(단위 건)38)

		\multicolumn{14}{c}{연산군 즉위~12}	
		즉	1	2	3	4	5	6	7	8	9	10	11	12	계
수명	議政府		3	5	5	3	9	6	0	7	5	18	7	2	70
	六曹		8	12	21	6	18	25	5	64	28	19	18	2	226
	院相	5													5
계문	의		14	12	21	18	25	43	24	37	24	20	4	3	245
	육	2	23	33	59	13	14	18	7	68	22	48	13	2	322
	원	19													19
의의	의		24	77	67	22	59	50	16	88	59	103	22	9	596
	육		11	28	30	7	18	10	3	21	20	50	7	4	209
	원	27													27
합계	의		41	94	93	43	93	99	40	132	88	141	33	14	911
	육		41	94	93	43	93	99	40	132	88	141	33	14	911
	원														

		\multicolumn{15}{c}{중종 1~38}
		1	2	3	4	5	6	7	8	9	10	11	12	13	14	15
수명	議	2	7	3	1	3	2	3	3	3	0	13	9	2	6	0
	六	12	15	12	18	7	6	15	9	10	6	34	14	6	11	7
	院	?	?	?												
계문	의	60	55	35	20	39	13	12	12	11	14	29	40	19	28	23
	육	17	35	22	55	31	27	43	32	17	33	43	35	36	26	22
	원	?	?	?												
의의	의	90	78	41	73	77	46	66	59	30	57	110	85	60	70	73
	육	17	20	8	30	31	27	53	30	23	27	27	19	25	26	20
	원															
합계	의	122	140	79	94	119	61	81	74	44	71	152	134	81	104	96
	육	46	70	42	103	69	60	111	71	50	66	104	68	67	63	49
	원															

		\multicolumn{14}{c}{(중종 1~38)}
		16	17	18	19	20	21	22	23	24	25	26	27	28	29
수명	議	2	0	1	2	2	2	1	1	1	2	1	3	0	0
	六	6	14	8	13	34	11	3	43	11	11	6	8	11	10
	院														
계문	의	28	29	37	27	49	7	28	42	15	36	19	12	34	25
	육	14	58	31	30	93	29	13	105	38	41	11	13	36	33
	원														

---

38) 앞 〈표 1-1〉, 『조선왕조실록』 연산군 즉위~선조 24년조에서 종합.

의의 원	의	68	89	116	67	100	48	32	81	42	57	28	21	47	47
	육	28	18	32	29	45	4	9	45	11	15	5	9	11	12
합계	의	98	118	154	96	151	57	61	124	58	95	48	36	81	72
	육	48	90	71	72	172	44	25	193	60	67	22	30	58	55

		(중종 1~38)											인종 즉~1		
		30	31	32	33	34	35	36	37	38	38	계	즉	1	계
수명	議	1	0	1	5	6	1	2	0	0	3	94	0	1	1
	六	5	11	17	9	16	9	20	15	7	32	512	0	7	7
	院											?	0	0	0
계문	의	21	16	21	14	22	3	10	5	6	28	944	6	48	54
	육	6	26	16	10	14	13	20	26	10	47	1207	3	75	78
	원											?	0	1	1
의의	의	54	59	72	50	113	64	67	89	60	94	2550	6	34	40
	육	18	5	18	16	17	17	24	43	20	44	878	4	30	34
	원											?	2	3	5
합계	의											?	2	3	5
	육	76	75	94	69	141	68	79	94	66	125	3588	12	83	95
	원														

		명종 즉~22													
		즉	1	2	3	4	5	6	7	8	9	10	11	12	13
수명	議	2	0	1	2	2	2	1	1	1	2	1	3	0	0
	六院	6	14	8	13	34	11	3	43	11	11	6	8	11	10
계문	의	28	29	37	27	49	7	28	42	15	36	19	12	34	25
	육	14	58	31	30	93	29	13	105	38	41	11	13	36	33
의의	의	68	89	116	67	100	48	32	81	42	57	28	21	47	47
	육원	28	18	32	29	45	4	9	45	11	15	5	9	11	12
합계	의	98	118	154	96	151	57	61	124	58	95	48	36	81	72
	육원	48	90	71	72	172	44	25	193	60	67	22	30	58	55

		(명종 즉~22)										선조 즉~24			
		14	15	16	17	18	19	20	21	22	계	즉	1	2	3
수명	議	2	0	1	2	2	2	1	1	1	2	1	3	0	0
	六院	6	14	8	13	34	11	3	43	11	11	6	8	11	10

계문	의	28	29	37	27	49	7	28	42	15	36	19	12	34	25
	육원	14	58	31	30	93	29	13	105	38	41	11	13	36	33
의의	의	68	89	116	67	100	48	32	81	42	57	28	21	47	47
	육원	28	18	32	29	45	4	9	45	11	15	5	9	11	12
합계	의	98	118	154	96	151	57	61	124	58	95	48	36	81	72
	육원	48	90	71	72	172	44	25	193	60	67	22	30	58	55

		(선조 즉~24)													
		4	5	6	7	8	9	10	11	12	13	14	15	16	17
수명	議	2	0	1	2	2	2	1	1	1	2	1	3	0	0
	六	6	14	8	13	34	11	3	43	11	11	6	8	11	10
	院														
계문	의	28	29	37	27	49	7	28	42	15	36	19	12	34	25
	육원	14	58	31	30	93	29	13	105	38	41	11	13	36	33
의의	의	68	89	116	67	100	48	32	81	42	57	28	21	47	47
	육원	28	18	32	29	45	4	9	45	11	15	5	9	11	12
합계	의	98	118	154	96	151	57	61	124	58	95	48	36	81	72
	육원	48	90	71	72	172	44	25	193	60	67	22	30	58	55

		(선조 즉~24)								총계	비고
		18	19	20	21	22	23	24	계		
수명	議	0	0	0	0	0	1	0	11	212	
	六	3	0	3	4	2	3	7	66	996	
	院									9	
계문	의	1	0	2	9	14	3	0	115	1,785	
	육	2	3	3	7	14	1	3	128	2,125	
	원									47	
의의	의	1	1	2	7	10	3	5	119	3,821	
	육	1	0	3	4	6	1	1	54	1,412	
	원									66	
합계	의	2	1	4	16	24	7	5	245	5,818	
	육	6	7	9	15	22	7	11	248	4,533	
	원									122	

제2장 朝鮮 中宗 5~宣祖 24년(성립기)의 備邊司에 대하여

1. 서언

조선시대 備邊司의 직제와 기능은 『속대전』 권1, 이전 경관직 비변사조에

A1 ㉠ 總領中外軍國機務, ㉡ 都提調(정1품)時原任議政兼, 提調(종1~종2)無定數
啓差 吏·戶·禮·兵·刑曹判書, 兩局(訓練都監·御營廳)大將, 兩都(개성·강화)留
守, 大提學例兼, 4員有司堂上-1有副提調則例兼-. 8員兼差8道句管堂上, 副提調
(정3 당상)1원, 郎廳(종6)12員-文4員 1員兵曹武備司郎廳例兼, 3員以侍從啓差,
武8員 或以參外兼 參外仕滿15朔 陞6品.

이라고 하였음과 같이 ① 중외의 군국기무를 총령하였고, ② 구성원으로는
시·원임 의정이 당연직으로 겸하는 무정수의 도제조, 종2품 이상인 이·호·예
·병·형판, 양국대장, 양도유수 및 대제학이 당연직으로 겸하는 제조, 정3품
당상이 겸한 부제조 1명 및 종6품관이 겸하는 낭청 12원이 있었다.

확립기 비변사의 이러한 기능과 직제는 외견상 고려후기~조선 개국초에
정치·군사·경제 등 전 국정을 총령하였던 都評議使司의 그것과 유사한 것으
로서,[1] 동기에 국정을 총령하였던 의정부의 기능과 구성원의 규모를[2] 능가
하였다. 실제로 비변사는 그 구성원의 기능은 효종 5년에 大司成 金益熙가

災異를 계기로 시무조를 개진한 중에

A2 (전략) 我國家 倣擬周典 設官分職 三公統六卿 六卿統百司 體統分要 有條不紊
遇有選用制作錢穀甲兵刑獄興造之事 政府與該曹堂上 商議擧行 是則政府於六曹
之事 無所不通 而六曹不失其職也 (중략) 成廟(성종)建州之後 權設備邊司 (중
략) 及至今日 事無巨細 無不歸重 政府徒擁虛號 六曹皆失其職 名曰 備邊 (하략)3)

이라고 하였음과 같이 의정부를 유명무실하게 하면서 전 국정을 총령하였고,
육조의 기능도 마비시켰다. 또 비변사가 확립되는 중종 5~선조 24년(1591,
임진왜란 전년)에 있어서도 시기적으로 차이는 있지만 중종 17년에 弘文館
副提學 徐厚 등이 비변사의 대두로 인한 의정부·병조 기능의 부실화로 인한
폐단개선책으로 비변사의 혁파를 청하는 중에

A3 今之政府卽冢宰之任 今之兵曹卽故司馬之職也 國有戎事 政府議以處之 兵曹擧
以行之 亦足以無敗矣 今者國有邊警 政府不任其責 別設備邊司 而又置都提調
與政府相抗 兵曹反爲之退聽 則是軍國重事 委諸權設之司 而政府兵曹反不得以
專之也 (하략)4)

---

1) 도평의사사의 기능과 구성원에 대하여는 변태섭, 1969, 「高麗都堂考」, 『歷史敎育』
11·12합호 ; 한충희, 1980, 「朝鮮初期 議政府硏究(상)」, 『韓國史硏究』 31호 참조. 그
기능·구성원은 시기에 따라 차이가 있지만 조선초에는 국정을 총령하였고, 판사(2,
시중)·동판사(11, 문하부·삼사 정2품 이상)·사(1, 판중추)·부사(15, 중추사 이하 중추
학사 이상)의 都評議使司와 경력(1)·6房錄事(각1)·전리(6, 7품거관)의 經歷司 및 검상
(2)·녹사(3)의 檢詳條例司로 구성되었다.
2) 『경국대전』 권1, 이전 경관직 의정부조. 그 기능은 '總百官 平庶政 理陰陽 經邦國'이었고,
구성원에는 영·좌·우의정(각1, 정1품), 좌·우찬성(각1, 종1), 좌·우참찬(각1, 정2)의
당상관과 사인(2, 정4), 검상(1, 정5), 사록(2, 정8)의 낭관이 있었다.
3) 『효종실록』 권13, 3년 11월 임인.
4) 『중종실록』 권45, 17년 7월 신미.

라고 하였음과 같이 의정부의 국정총령 기능과 병조의 군정 기능을 유명무실하게 하면서 국정을 총령하는 기능을 발휘하였다.

이러한 비변사의 기능에서 ① 重吉萬次씨가 1936년에 「備邊司의 組織에 就하여」(『靑丘學叢』23)를 발표한 이래로 ② 麻生武龜, 1963, 「重吉氏의 備邊司設置에 就하여에 私見을 釋明함」(『청구학총』24), ③ 申奭鎬, 1964, 「備邊司와 그 謄錄에 대하여」(『한국사료해설집』, 국사편찬위원회), ④ 鄭夏明, 1968, 「軍令 軍政 系統의 變化」(『韓國軍制史』 근세조선전기편), ⑤ 李鉉淙, 1970, 「備邊司創置年代考」(『編史』3, 국사편찬위원회), ⑥ 李載浩, 1971, 「朝鮮備邊司考」(『歷史學報』50·51합호), ⑦ 洪奕基, 1984, 「備邊司의 組織과 役割에 대하여」(『素軒南都泳博士華甲紀念史學論集』), ⑧ 吳宗祿, 1990, 「비변사의 조직과 직임」(『조선정치사』 하, 청년사), ⑨ 오종록, 1990, 「비변사의 정치적 기능」(『조선정치사』 하) 등[5] 제씨에 의한 비변사를 주제로 한 연구가 속속 발표되면서 비변사의 성립배경과 시기, 변천과정, 기능 및 1800~1863년(세도정치기) 비변사의 정부에서의 위치와 정치적 기능 등이 규명되었다.

그런데 위 논문들을 구체적으로 보면 ②, ⑤ 논문은 주로 비변사의 성립시기를 고찰하였다. ①, ④는 비변사의 설치시기, 비변사가 의정부를 제치고 최고의 국정기관이 된 임진왜란 때까지의 직제와 기능의 변천을 고찰하였다. ⑥은 비변사의 설치시기, 임진왜란기·인조반정 이후의 직제와 기능 및 성격 등을 개관하였다. ③, ⑦은 비변사의 설치배경, 조직, 운영 및 기능을 개관하였다. ⑧은 비변사의 성립배경과 성립기로부터 1800년까지의 비변사제의 변천·기능을 개관하였다. ⑨는 1800~1863년의 비변사의 논의구조, 비변사관의 인사, 비변사의 인사기능을 천착하였다.

이를 볼 때 비변사의 성립배경·성립시기, 1800~1863년의 조직·직임·기능

---

5) ③·⑦은 엄밀히는 논문체제를 갖춘 연구는 아니나 그 내용과 관련하여 함께 파악하였다.

등은 심도있게 고찰되면서 그 실상이 규명되었다. 그러나 비변사제가 확립된 1592년(선조 25) 임진왜란~1864년(고종 1) 시기의 비변사는 물론, 비변사가 성립되어 확립되는 중종 5~선조 24년까지의 비변사의 조직과 기능, 비변사와 의정부·6조 등과의 국정운영을 둘러싼 권력체계는-위 ①, ②, ③, ④, ⑥ 등의 논고에서 부분적으로나 개략적으로 논급되기는 하나-깊이 있게 고구되지 못하였다. 여기에서 중종 5~선조 24년의 비변사의 조직, 기능 및 당시까지 국정운영의 중심이 된 의정부-6조(병조) 등과의 국정운영을 둘러싼 권력관계를 재검토하면서 천착할 필요가 있다.

본 장에서는 임진왜란 이후의 비변사를 고구하기 위한 기초로서 비변사가 성립된 중종 5년으로부터 의정부를 제치고 최고의 국정기관이 된 선조 24년까지(이하 성립기로 서술), 즉 성립기의 비변사를 대상으로 지금까지에 걸친 선구업적과 비변사관계 사료를 종합하면서 그 성립의 배경·시기·변천·조직·기능, 비변사와 의정부·육조의 권력관계를 규명하여 보고자 한다. 이러한 연구를 통하여 성립기 비변사의 구체적인 실상이 규명되고, 의정부를 제치고 최고의 국정기관이 된 임진왜란 이후(확립기) 비변사를 천착하는 한 토대를 제공할 수 있다고 생각한다.

2. 備邊司의 成立과 變遷

1) 備邊司의 成立

비변사의 성립배경과 성립시기는 앞에서 언급하였음과 같이 ①~⑧의 논문에서 모두 언급되었다. 그런데 그 구체적인 내용을 보면 성립배경은 약간씩의 차이는 있을망정 대개 '당시의 긴박한 국방문제'로 귀일되고 있다. 그러나 성립시기에 있어서는 비변사를 기록한 대표적인 사료인 『朝鮮王朝實

錄』과『備邊司謄錄』이 있는데, 전자는 임진왜란 이전의 비변사관계 기록이
자세하지 않음은 물론 그 설치연대도 서로 다르게 기록하였고,6) 후자는
임진왜란 이전의 것은 전혀 기록하고 있지 않는7) 등의 사료적 한계에서8)
세종 15년 전후(이현종), 중종 5년(重吉萬次, 麻生武龜, 정하명, 이재호, 홍혁
기, 오종록), 중종 12년(신석호), 명종 10년(麻生武龜) 등으로 그 시기가
분분하다.

여기에서는 서술의 편의상 먼저 위 ①~⑧의 제설을 검토하고 필자의
의견을 개진하면서 비변사가 성립된 시기를 살피고, 이어 그 성립배경을
살피기로 한다. 먼저 비변사 성립시기를 살펴본다. 세종 15년 전후설은
이현종에 의해 주장되었다. 씨는 重吉萬次, 麻生武龜, 신석호의 논문을 검토한
후에 ① 태조 이래로 빈삭하게 야기된 대북방 야인관계의 분석을 통하여
이에 대처할 비변사의 필요성이 제기되었다. ② 세종이 왕 27년에 司諫院
左正言 金長春이 상계한 寺院田·築城問題에 대하여 대답한 중에

> B1 (전략) 築城 本欲爲民 今若停止 明年又如此 無時可築也 凡備邊司 惟力所及者
> 則爲之可矣 (하략).9)

라고 한 기사를 토대로 비변사의 존재와 비변사가 북방비어의 책임을 띄고

---

6)『중종실록』권45, 17년 6월 을미조(鄭光弼)에는 중종 5년으로 기술되었고,『명종실록』
   권18, 10년 5월 경신조(沈連源)와 같은 책 권20, 11년 1월 을해조(심연원 등)에는
   중종 12년으로 기술되어 있다. 또『명종실록』권45, 17년 8월 을미조(高荊山 등)에는
   "初設備邊司而令三公視之 其後再設時三公不與焉"이라고 하였는데 삼공의 비변사 참여
   를 볼 때 중종 12년으로 파악한 듯하고, 동상서 임오조(南袞)에는 "備邊司設局已久"라고
   하였는데 '已久'의 의미상 12년 이전(5년)으로 파악한 듯하다. 또『명종실록』권16,
   9년 2월 기사조(臺諫)에는 중종말(36?)로 파악하였다.
7) 현존의『비변사등록』은 광해군 9년 1월로부터 기술되었다.
8) 이점은 重吉萬次, 앞 논문, 54쪽 ; 정하명, 앞 논문, 340쪽에서도 지적되었다.
9)『세종실록』권110, 27년 10월 임인.

축성을 담당한 만큼 세종대에 비변사가 존재하였다. ③ 위의 ①, ②와 "備邊"이란 용어 사용 및 세종 15년에 대대적인 야인정벌이 있었음에서 추리해 본다면 세종 10년대－구체적으로는 세종 15년－에 평안도 등 비변책의 일환으로 요해처나 야인 등의 침구 가능성 지점에 비변사무를 담당케 하는 임시적이고 특수성을 가진 비변사가 존치된 것으로 추측할 수 있다고 하였다.

중종 5년설은 重吉萬次·麻生武龜·정하명·이재호·홍혁기·오종록에 의하여 주장되었다. 重吉萬次는 비변사의 설치를 언급한 관찬, 사찬 사료의 명종 10년설, 명종조설, 중종말년설, 중종 12년설, 성종조설 및 麻生武龜의 중종조설을[10] 검토한 후에

> B2 ⓐ『중종실록』권11, 5년 4월 계사 (전략) 備邊司從事官 請以秩高文臣差之何如 (하략), ⓑ 동상서, 권12, 5년 8월 경진 (전략) 我朝置備邊司 擇文武宰相 諳識邊事者任之 委以籌邊, ⓒ 동상서 권45, 17년 6월 을미 (전략) 庚午年政丞 兼備邊司 (하략).

라고 한 자료를 토대로 비변사를 최초로 언급한 중종 5년(ⓐ), 중종 5년에 비변사가 존재하였음을 언급한 중종 5(ⓑ)·17(ⓒ)년 기사중의 '비변사', ② 중종 5년에 발생한 삼포왜란의 대응책 요청과 관련시켜 비록 비변사의 창치를 명확히 언급한 사료가 없기 때문에 단정할 수는 없지만 중종 5년에 설치(創置)되었다고 하였다. 麻生武龜는 군제사적 견지에서 왜란이 일어나자 성종조의 예에 따라 문무 재상으로 하여금 대책을 논의하게 하고 都體察使 이하의 정토군을 편성한 후에 고급 종사관으로 하여금 병조 武備司의 사무를 나누어 관장하게 하면서 비변사로 칭하면서 설치되었다고 하였다. 鄭夏明은

---

10) 重吉萬次, 앞 논문 42~50쪽. 이하 ①~⑧ 논문의 인용내용의 전거제시는 번다함을 피하여 특별한 경우를 제외하고는 생략한다.

비변사를 최초로 언급한 중종 5년(B2 ⓐ)과 중종 5년에 비변사가 존재하였음을 언급한 중종 17년(B2 ⓒ) 기사를 토대로 비록 (운영초기의, 필자보) 비변사는 치·폐의 반복과 관련하여 그 설치시기를 언급한 인물(사료)에 따라 차이가 있기 때문에 설치연대에 차이가 있을 수 있다면서 다소 의문을 제기하기는 하나 중종 5년에 설치된 것으로 파악하였다. 李載浩는 당시까지 비변사의 설치시기를 언급한 논문의 중종 5년설, 중종 12년설에 따라 그 관계기사를 검토하면서 비변사를 최초로 언급한 중종 5년 4월(B2 ⓐ), 중종 5년 8월 이전에 비변사가 존재하였음을 언급한 B2 ⓑ 및 중종 17년 기사(B2 ⓒ)와 왜란흥기를 토대로 중종 5년에 설치되었다고 하였다. 洪奕基는 구체적인 전거는 제시하지 않은 채 삼포왜란이 일어나자 병조의 3屬司 이외에 1개사를 임시로 증설하여 都體察使와 從事官에게 그 지원사무를 맡기면서 비변사라 이름하였다는 기사를 들어 중종 5년에 설치되었다고 하였다. 吳宗祿(⑧ 논문)은 정하명의 비변사 설치시기를 검토한 내용을 참고하면서 삼포왜란을 계기로 세종말 이래의 '知邊司宰相制'의 관행이 제도적으로 정비되면서 중종 5년에 성립되었다고 하였다.

중종 12년설은 申奭鎬에 의해 주장되었다. 씨는 중종 12년에 築城司巡察使 安潤德·柳聃年이 "築城司之名已罷 當改以他號 使三公監領(축성사사, 필자보) 然後易於辨事也"라고 한 상계에 따라 이를 3공인 鄭光弼·金應箕·申用漑에게 의논하게 하고 이들이 "監領事 臣等啓之似難 然此大事 豈敢避嫌 三公或一人 或全數監領 同議措置 以備邊司稱號爲當"[11]이라고 한 것, 그 4일 후에 삼공이 "已令臣等監領備邊司事 但無名號 以臣等爲都提調 改巡察使爲提調 從事官爲郎官 何如"[12]라고 한 상계가 각각 가납된 기사를 토대로 북방여진의 군사행동에 대응하기 위하여 설치한 築城司가 備邊司로 개칭되면서 성립되었다고

---

11) 『중종실록』 권28, 12년 6월 경술.
12) 위 책, 계축.

하였다.

명종 10년설은 麻生武龜가 주장하였다. 씨는 『宮闕志』와 비변사를 언급한 여러 사료에 "명종 10년에 비변사가 상설의 정1품아문이 되고, 廳司가 설치되었다"[13]는 기사를 토대로 비변사는 관제사적으로 명종 10년에 설치되었다고 하였다.

그런데 이들이 주장한 설치시기, 그 입론의 근거를 검토하여 보면 이현종의 '세종 15년 전후설'에 있어서는 근거로 제시한 세종 27년의 기사(B1)와 야인사 대처의 필요성에 있어서 ① 세종 27년의 기사를 두고 위 B1의 備邊司의 '司' 字를 '事' 字의 오기가 아닐까라고 의심은 하면서도 전후문장의 구성내용, 『세종실록』의 기사 중 15년 전후의 내용, 비변사가 포함된 구절 머리의 '凡'자의 용례 등의 분석을 통하여 '司'가 틀림없다고 하였다.[14] 필자의 견해로는 위 B1 사료 및 동 기사의 전후 내용으로 보아 '司'를 '事'로 단정할 명확한 근거가 없고, 또 '事'는 물론 '司'로도 해석이 가능하지만 '司'로 파악하여 "여러 비변사가 힘이 미치는 곳으로부터 곧 축성을 함이 가할 것이다"라고 해석하기 보다는 '事'로 파악하여 "무릇 비변─축성의 일은 힘이 미치는 곳으로부터 곧 축성을 함이 가하다"라고 해석하는 것이 온당하지 않을까 한다.[15] ② 야인사 대처 필요성의 경우 씨의 주장처럼 세종 15년을 전후하여

---

13) 麻生武龜 앞 논문, 128쪽. 비변사가 정1품아문이 된 전거를 제시하지는 않았지만 명종 10년에 을묘왜변이 발발하였고, 『명종실록』 권20, 11년 4월 신묘에 司憲府가 "備邊司雖是一品衙門 而實非政府之比"라고 한 것에서 명종 10년에 1품아문이 된 곳으로 파악한 듯하다.

14) 이현종, 앞 논문, 64~66쪽.

15) 이현종씨는 세종 15년 전후의 실록기사에 언급된 용례를 고찰하여 '事'를 뜻할 경우에는 '備邊事'로 기록되지 않고 '備邊之事'로 기록하였고, '備邊司'의 앞에 쓰여진 '凡'자는 여러의 뜻으로 해석할 수 있다고 하였다. 시기는 다소 차이가 있지만 중종 7년에 병조가 평안도 수령의 改差事와 邊事를 정부와 이·병조 당상과 함께 논의할 것을 상계한 '平安道 守令改差事 及凡備邊事'(『중종실록』 권15, 7년 1월 신유) 중의 '凡備邊事'는 필자가 시사한 의미로 사용되었고, 또 실록에 사용된 '凡'자는 대개 문장의 앞에 붙어 무릇을 뜻하는 의미로 사용되었다.

야인과의 관계가 번다하였음은 재언할 필요가 없겠다. 그러나 동시기에 평안도·함길도의 군정을 총괄한 인물은 세종의 전폭적인 신임을 받고 군정에 정통한 崔潤德·李蕆·李叔畤·趙末生·河敬復·成達生·金宗瑞 등이었다.16) 세종 대에는 통치질서가 확립되기도 하였지만 세종의 자질·경륜이 탁월하였고, 중앙에서 변사를 총령·지휘한 의정부·병조의 대신이 국정에 두루 통달하면 서 세종의 신임이 깊은 黃喜·孟思誠·崔潤德(의정)과 崔士康·皇甫仁(병판) 등 이었음에서17) 평안·함길도 등지에 별도의 비변사가 설치되었겠느냐는 의심 이 제기된다. 또『세종실록』에는 야인사 등 군정에 관계된 사항은 상세히 기록되었는데도 '비변사'의 기록은 위 B1의 1례만 확인되었고, 이 비변사를 임란 이후에 의정부를 제치고 중앙 최고의 국정·군사기관이 된 비변사와 동일시하여 파악하였다. 따라서 세종 15년 전후에 비변사가 창치되었다고 보기는 어렵겠고, 이현종씨의 주장을 긍정한다 하여도 왜란 이후의 비변사와 는 계통을 달리하는 지방적인 비변사로 파악해야 한다고 생각된다.

---

16) 최윤덕·이천·조말생·김종서는 재론할 여지가 없다. 이숙치는 세종의 깊은 신임을 받으면서 왕 15년 1월에 兵曹左參議에서 종2품에 승진하면서 평안도관찰사겸평양부 윤에 제수된 이래 공조참판겸평안도관찰사(15.5), 병조참판(16.12), 함길도관찰사 (17~12), 지중추(22), 공판(22.7), 議政府右參贊(23.5), 좌참찬(27.1), 좌참찬겸판호조 사(27.3) 등을 역임하였다. 성달생은 태종 2년에 호군으로서 무과에 장원으로 급제하 고 대호군에 승진한 이래 태종과 세종의 깊은 신임을 받으면서 경성절제사(태종 15), 中軍同知摠制(17), 동지총제(세종 즉), 내금위삼번절제사(즉.8), 함길도병마도절 제사겸길주목사(즉.11), 전라도관찰사겸병마도절제사(즉.12), 중군총제(1.3), 삼도 수군처치사(1.6 이전), 좌군동지총제(1.12), 좌군총제(2.5), 평안도절제사(7), 공판 (9.1), 도총제(10.8), 함길도도절제사(13.7), 함길도도절제사겸판길주목사(14.4), 숭 정대부함길도도절제사겸영길주목사(14.4), 지중추(17.3), 판중추(22.12) 등을 역임하 였다.

17) 황희·맹사성·최윤덕·황보인은 재론할 여지가 없고 최사강도 왕실과 연혼(사위가 태종자 誠寧君과 세종자 錦城大君이고, 아들 承寧의 사위가 세종자 臨瀛大君)하였듯이 태종·세종의 깊은 신임을 받으면서 태종 18년에 知司諫院事에서 同副承旨에 발탁된 이래 우부승지(태종 18.11), 경기도관찰사(세종 2.3), 중군동지총제(4.12), 병조참판 (5.3), 좌군동지총제(6.12), 호·병·이·형·이·호·병조참판(7.12~13.7), 병판(13.7~18), 참찬(18.12), 우참찬(19.10~23), 우찬성(23.9), 우찬성겸판이조사(24)를 역임하였다.

重吉萬次씨 등의 '중종 5년설'에 있어서는 그 근거로 제시한 사료, 삼포왜란에 대한 대비책의 요청을 근거로 제시하였는데 동기의『조선왕조실록』에는 비변사의 설치시기가 명확히 언급되지 않았다. 위의 B2-ⓐ, ⓑ 외에 동기의 비변사 활동이 전혀 기록되지 않은 등의 한계가 있기는 하지만 이를 긍정할 수 있다고 생각된다. 단지 그 설치배경과 관련하여 중종 21년에 臺諫의 비변사를 혁파할 것을 청하자 3공이 그 불가함을 논하는 중에

B3 凡我國受敵三面 凡宰相或知西北方事 而不知南方事 或知南方事 而不知西北方事 若遇倉卒之變 然後所知邊司宰相議之 必不能應變也 豫設備邊司 則平時思度變事 必能有所措置 而亦可應變於倉卒 (하략)[18]

이라고 하였음과 같이 중종 5년에는 재상으로서 남·북의 변사에 두루 능통한 인물이 없고 긴급한 변사에 신속히 대처할 수 없는 결점을 보완하면서 변사에 효과적으로 대처하기 위해서 성립되었다고 하였음도 아울러 검토되면서 보완되어야 할 것이다.

申奭鎬의 '중종 12년설'에 있어서는 조선후기에 비변사의 설치연대를 기록한『지봉유설』,『반계수록』,『만기요람』,『증보문헌비고』의 '명종 10년설'과 重吉萬次가 주장한 '중종 5년설'은 일고의 여지도 없는 것으로 부정하였다. 후자의 근거로 제시한 중종 5년 8월 기사(B2 ⓐ)는 명종조에『중종실록』의 편찬시 史官이 政府·六曹·知邊司宰相이 모여서 변사를 처리한 것을 비변사와 동일시하여 붙여 기술한 잘못된 것으로 파악하였다.[19] 또 이보다 앞선 동년 4월의 기사(B2 ⓐ)도 도체찰사를 임명하여 삼포왜란을 처리한 사실은 인용하면서도 '備邊司從事官'의 기사는 무시하는 등 부정하였다.[20] 씨의 '명종

---

18)『중종실록』권57, 21년 6월 갑자.

19) 신석호, 앞 논문, 60~61쪽.

20) 동상 조.

10년설'에 대한 견해는 긍정된다. 그러나 비변사를 최초로 언급한 중종 5년 4월과 8월의 기사는 ① 중종 12년까지는 비변사의 활동을 보이는 기록이 전무하고, ② 중종 5년 4월의 기사는 도체찰사 등 종사관이나 防禦使의 종사관으로, ③ 5년 8월의 기사는 씨의 주장대로 명종 때의 사관이 삽입한 것으로 해석될 가능성도 많은 등[21] 긍정할 수도 있겠다. 그러나 '중종 12년설'은 '중종 5년설'에서 논증된 것과 비변사를 최초로 언급한 중종 5년 4월의 『중종실록』기사, 중종 5년 8월 이전에 비변사가 존재하였음을 언급한 중종 5년 8월과 중종 17년의 『중종실록』기사, 중종 5년에는 삼포왜란이 발생하였을 뿐만 아니라 당시에 同事에 대처하고 지휘하여야 할 의정부·병조 대신이 군정에 미숙하였음 등과 관련되어 기존의 의정부·병조 체계와는 별도의 기관이 요청된 등에서 긍정하기 어렵다. 굳이 중종 12년과 비변사를 연관시킨다면 重吉萬次가 언급하였듯이 그 이전의 비변사에 비하여 기능·구성원이 강화되고 확대된 것으로 보아야 할 것이다.[22]

　麻生武龜의 '명종 10년설'에 대해서는 중종 5년에 설치된 비변사가 변사의 緩急 등과 관련되어 置廢가 반복되었고, 그 기능과 구성원이 점진적으로 강화되고 확대되는 방향으로 변천되면서 계승되었다가 이때에 이르러 상설의 정1품아문으로 정식관제화 된 가운데 관제적인 견지에서 주장된 것이었다. 씨의 이러한 견해는 상설의 정1품아문이 된 시기를 기준할 때는 이의가 없겠으나, 변사를 관장한 비변사가 출현한 시기로 볼 때는 인정하기 어렵다고 하겠다.

　그리고 중종 5년에 설치된 비변사의 관아적 성격과 관련하여 重吉萬次는

---

21) 『중종실록』 권45, 17년 8월 신사에 비변사 당상 고형산·안윤덕이 3공의 비변사 겸대를 청하면서 '備邊司所爲之事 皆軍國重事 是以初設備邊司 而令三公視之(중종 12년) 其後再設時 三公不與焉(중종 13년)'이라고 하였음도 '중종 12년설'의 연장선상에서 파악한 것이라고 하겠다.
22) 重吉萬次, 앞 논문, 60~61쪽.

앞 논문, 58쪽에서 『증보문헌비고』 권216, 직관고 3과 『연려실기술』 별집 권6, 직관고 등의 기사를 인용하여 "창설 당시의 비변사는 3품아문이었다"[23] 고 하였다. 창설 당시의 비변사 아문의 지위를 시사하는 것은 앞 B2-ⓐ의 '備邊司從事官 請以秩高文臣差之何如'가 유일한데, 이 기사를 통해서는 비변사 가 몇 품의 아문이었는가를 알 수 없다. 또 아문의 격은 해당 아문에 소속된 최고위 녹관의 職秩에 따라 결정되고 정1품아문인 의정부의 최고위 낭관인 舍人의 직질이 정4품이고 육조 정랑은 정5품이며, 설치초의 비변사는 영속성 이 결여된 등 관아의 지위가 미약하였다. 이에서 비변사낭관은 위에서 제시된 '秩高文臣差之'를 염두에 두더라도 사인의 품계에는 미치지 못하였다고 하겠 다. 만약 사인보다 상위의 품계, 3품자로 임명했다면 비변사 낭관 보다는 도체찰사의 종사관으로 파악하여야 할 것이다.[24] 따라서 비변사 종사관은 겸관일 가능성이 많겠고, 설령 녹관으로 임명한다고 보아 이 녹관의 품계에 따라 아문의 격이 결정된다면 비변사는 정3품아문일 수는 없고, 정4품 이하 아문으로 파악하여야 할 것이다. 또 '중종 12년설'을 주장한 신석호는 앞 논문, 88쪽에서 내용의 제시없이 "낭청은 정3품 通訓大夫 이하의 문무 당하관 으로 임명하였다"고 하였는데, 이 경우도 위의 분석과 같이 정4품 이상의 낭청은 상정하기 어렵다. 그 외에 麻生武龜·홍혁기 등은 각각 병조의 1屬司 나[25] 의정부의 1속사로[26] 파악하였다. 이 경우도 비변사의 '司'의 명칭이

---

23) 구체적인 전거는 제시하지 않았지만 영조 11년조의 '命弘文館 書王禹偁待漏院記 揭賓廳 及備局 使之觀省 臣謹按備邊司設本意 今不可考 而臣嘗聞之 明宗朝因倭人寇邊 始置本司 議備禦之策 以武臣堂上專管 爲三品衙門'을 참고로 한 듯하다.

24) 도체찰사 종사관에 임명된 인물의 관품을 보면 그 지휘자의 관계, 시기에 따라 다소의 차이는 있지만 세종 1년 대마도 정벌을 統領한 3도도통사 영의정 柳廷顯의 종사관이 舍人 吳先敬과 軍資監正(정3) 郭存中이었다(『세종실록』 권4, 1년 5월 갑자). 세조 6년 강원함길도 도체찰사 申叔舟의 종사관이 直提學(정3) 康孝文이었고(『세조실 록』 권19, 6년 3월 경자), 세조 13년 李施愛亂 평정을 통령한 龜城君 李浚의 종사관이 사인 李恕長과 정랑 金順命·金瓘이었으며(『세조실록』 권42, 13년 5월 임오), 성종 11년 서정도원수 尹弼商의 종사관이 許混(정3)과 曹淑沂(정4)였다(『성종실록』 권113, 11년 1월 을유).

56

병조의 속사인 '武選·乘輿·武備司'의 '司' 명칭과 동일한 외에는 비변사를 병조나 의정부의 속사로 볼 근거가 없다. 또 낭청의 상위직에 겸관이기는 하나 3공이나 종1품 이하가 편제된 만큼 낭관으로만 편제된 무선사 등과는 관련시키기 어렵다고 하겠다.

이로 볼 때 정하명 등이 비변사의 설치시기를 중종 5년으로 파악하면서도 "비변사의 설치시기를 언급한 『조선왕조실록』의 사료적 한계, 어떠한 단계의 비변사를 대상으로 했느냐에 따라서 연대가 다를 수 있다"[27]고 지적하였음과 같이 명확하고 단정적인 연대의 파악은 어렵다. 그러나 ① 중종 5년의 비변사 기사, ② 정광필의 중종 17년 비변사 연혁에 대한 기사, ③ 중종 21년의 비변사 설치 배경기사, ④ 삼포왜란의 발생, ⑤ 당시까지 운영된 '知邊司宰相制' 등을 종합할 때 명종 10년에 정식 관아가 되고 임진왜란 이후에 의정부를 제치고 최고의 국정·군사기관이 된 비변사는 중종 5년에 설치되었다고 생각된다.

다음으로 비변사의 성립배경을 살펴본다. 비변사가 성립된 배경은 앞에서 언급하였음과 같이 '세종 15년 전후설', '중종 5년설', '중종 12년설'의 주장자 모두—논자에 따라 조금씩 차이는 있지만—대개 '당시의 긴박한 국방문제'를 들었고, 특히 '중종 5년설'의 주장자는 三浦倭亂에 대한 대응책과 '知邊司宰相制'의 운영을 그 이유로 들었다.[28] 물론 이들을 배경으로 하여 중종 5년에 비변사가 설치되었음은 의심의 여지가 없다. 그러나 앞 B3 자료, 조선 개국~중종 5년 이전, 특히 세종대 이후에 대소 남북변사가 많이 있었는데,[29]

---

25) 麻生武龜, 앞 논문, 122쪽 ; 홍혁기, 앞 논문, 247쪽.

26) 『증보문헌비고』 권216, 직관고 3 備邊司, (숙종3년)李端夏箚曰 備局本是政府一屬司 而反爲政府 (하략).

27) 정하명, 앞 논문, 340~345쪽 ; 重吉萬次, 앞 논문, 50~55쪽.

28) 重吉萬次, 앞 논문, 53쪽 ; 麻生武龜, 앞 논문, 122쪽 ; 이재호, 앞 논문, 28쪽 ; 홍혁기, 앞 논문, 249쪽 ; 오종록, 앞 논문, 494쪽.

29) 重吉萬次, 앞 논문, 80~81쪽 ; 이현종, 앞 논문, 62~63쪽 참조.

이때 그 처리를 지휘하고 논의한 세종·세조·성종의 자질과 경륜이 탁월하였음은 물론 변사가 발생하였을 때에 의정부·병조에 재직한 대신은 병사에 諳鍊하였고,[30] '지변사재상'으로 하여금 변사를 논의하게 하기는 하나 동 회의의 중심이 된 것은 의정부·병조 대신이었다.[31] 이에 미루어 서언의 ①~⑧ 논자가 언급한 '지변사재상제'의 운영과 '삼포왜란'의 발생은 물론 당시에 국정을 총괄하고 군정을 전장한 의정부·병조 대신의 병사에 대한 조예와 관련되어 결정적으로는 당시의 왕-의정부-병조(의정부서사기), 왕-의정부·병조(의정부서사기나 육조직계기) 및 왕-병조(육조직계기)의 군정체계와는 판이한 '왕-비변사'의 군정체계 운영의 필요성 제기에서 성립 된 것이 아닌가 한다. 즉 중종 5년에 의정부·병조 대신의 군정에 대한 조예의 부족이 동년에 발생한 삼포왜란을 기하여 당시까지 주요 변사를 논의하고 결정하던 '지변사재상제'의 전통과 복합적으로 관련되면서 변사를 집중적으로 다루는 비변사의 성립으로 귀결되었다고 하겠다.

지금까지 설명된 비변사의 설치시기(근거) 및 그 성립배경을 재정리하면

---

30) 세종 15년 전후에 의정부·병조 대신에는 앞 주 16)에서 살핀바와 같이 황희·맹사성·최 윤덕·최사강·황보인이 있었다. 그 이후 변사가 긴박한 시기에 재직한 의정과 병조판 서를 보면 다음과 같이 대개 병사에 암련하거나 경륜이 탁월하였다(『조선왕조실록』에 서 발췌).
세종 20년대(북방경영) : 허조·신개·하연·황보인(의정), 한확·정연·안숭선(병판).
세조 5~6년(여진관계) : 정창손·강맹경·신숙주·권람(의), 한명회·김사우(병).
세조 13년(李施愛亂) : 황수신·심회·최항·조석문(의), 김국광·이극배·박중선(병).
성종 6년(兀狄哈침구) : 신숙주·한명회·성봉조(의), 이극배(병).
성종 10년(여진정벌) : 정창손·심회·김국광·윤필상(의), 이극배(병).
성종 22년(여진정벌) : 윤필상·홍응·노사신(의), 이극배·이숭원(병).
연산군 3년(왜적침구) : 신승선·어세겸·한치형(의), 노공필(병).
연산군 5년(야인입구) : 한치형·성준(의), 이계동(병).

31) 지변사재상은 시기에 따라 참여한 인물이나 관직의 범위가 다르기는 하나 대개 의정부·병조 대신, 남·북도의 관찰사나 절도사를 역임한 인물로 구성되었고, 이 중에서도 소속 관아의 직장·관계, 국왕의 신임, 개인적 자질 등이 가장 우월한 의정부· 병조 대신이 중심이 되었다(지변사재상에 대해서는 정하명, 앞 논문, 331~335쪽 ; 이 재호, 앞 논문, 26~27쪽 참조).

다음의 표와 같다.

<표 2-1> 학자별 비변사 설치시기(근거) 및 성립배경 일람표

학자별		설치시기(근거)	설치배경
重吉萬次	중종5년경	①『중종실록』 권11, 5년 4월 계사, ② 위 책 권12, 5년 8월 경인, ③ 위 책 권45, 17년 6월 을미.	① 삼포왜란
麻生武龜	중종5년 명종10년	위 ①, ④『궁궐지』, ⑤『명종실록』 권20, 11년 4월 신묘.	위 ①, 을묘왜변②
신석호	중종12	⑤『중종실록』 권28, 12년 6월 경술·계축·신미.	③ 여진준동
정하명	중종5	위 ①·③	위 ①
이현종	세종15경	⑥『세종실록』 권110, 27년 10월 임인.	④ 세종 10년대 북방변사
이재호	중종5	위 ①·②·③	위 ①
홍혁기	중종5	위 ①	위 ①
오종록	중종5	위 ①·②	위 ①, ⑤ 知邊司宰相
한충희 (본서)	중종5	위 ①②③, ⑦『중종실록』 권57, 26년 6월 갑자.	위 ①·②·③, ⑥ 의정부·병조 대신의 병사미숙.

2) 備邊司의 變遷

중종 5년에 설립되어 三浦倭亂 등 남북방의 변사를 논의·지휘한 비변사는 이후 1592년(선조 25) 임진왜란을 계기로 의정부를 제치고 최고의 정치·군사기관이 되기까지 변사유무 등과 관련되어 몇 차례에 걸쳐 폐지, 복설이 반복되면서 점진적으로 그 기능·구성원이 강화되고 확대되는 방향으로 변천되면서 운영되었다. 이러한 비변사의 변천에 대하여는 이미 重吉萬次·정하명 등에 의하여 구체적으로 논급되었지만 여기에서는 이들의 연구와 비변사를 기술한 관계사료를 종합하고, 뒤「3 비변사의 조직」과「4 비변사의 기능」에서 논급될 내용과의 중복을 피하면서 비변사의 설치·폐지와 그 배경을 정리한다.

중종 5년 4월에 설치된 비변사는 동년 8월에는 그 존치가 확인되나[32]

---

32)『중종실록』 권11, 5년 8월 갑인(앞 B2-ⓑ).

중종 7년 1월에는 폐지되었음이 확인됨에서[33] 중종 5년 8월~7년 1월의 어느 시기에 폐지되었다고 하겠다. 그런대 폐지된 시기에 있어서 이후의 비변사 복설 모두가 아래에서 논급됨과 같이 긴박한 변사에서 연유되었고, 비변사 창치의 중요한 토대가 된 왜란이 5년 8월에 거의 진압되었던 데서 삼포왜란이 일단락된 시기로부터 멀지 않은 시기에 폐지되었을 것이라고 생각된다.[34]

중종 12년 5월에 전년의 야인준동과 전라도 해도의 왜구출몰,[35] 특히 야인의 준동과 관련되어 동년 4월에 설치한 築城司를[36] 혁파하고 備邊司로 개칭하면서 비변사가 복설되었다.[37] 이때에 비변사가 복설된 배경은『조선 왕조실록』에

> B5-ⓐ『중종실록』권26, 12년 4월 무진 領議政鄭光弼等啓 西北兩界邊釁已兆 若中原徵兵征討 則不得已而從之矣 若野人入我西鄙 則不得已而禦之矣 (중략) 擇一二大臣 能諳軍旅者 專主其事 (중략) 傳曰 (중략) 依所啓差出 使之分掌措置 可也 ⓑ 동상서, 신미 三公遣檢詳啓曰 西北兩道遣體察使巡察使差出 分掌軍務 之事當矣 然西北人心愚惑 前者宰相之人專主而治之 則訛言乃興 搖亂一道 今不 可各別差遣也 以築城司之稱 而幸有不虞之變 自上意斟酌 下遣何如 傳曰 西北方 之民頑愚自惑以動訛言 則不可各別稱號也 以築城司凡稱 而都體察使巡察使 各

---

33)『중종실록』권15, 7년 1월 신사.
34) 이 점은 重吉萬次, 앞 논문, 59쪽에서도 언급되었다.
35)『중종실록』권24, 11년 4월 무진.
36)『중종실록』권27, 12년 4월 신미.
37)『중종실록』권28, 12년 6월 경술·계축·신미 ;『명종실록』권20, 11년 1월 을해 및 주 36). 축성사를 혁파하고 그 명호를 비변사로 개칭·계승하였으며, 동시에 "3공이 겸하던 축성사도체찰사와 재상이 겸하던 순찰사를 備邊司都提調와 提調로 개칭하였다 (『중종실록』권28, 12년 6월 경술·계축·신미)"고 한 것과 같이 중종 12년 이전에 폐지되었다가 이때 다시 설치되었다. 그 문맥에 미루어 축성사가 기존의 비변사로 흡수되면서 비변사기구가 강화된 것으로 생각된다.

二員差下事 其奉承傳 ⓒ 동상서, 경자 臺諫啓前事 憲府啓曰 近以邊事屬一政丞
乃以築城都體察使稱號 使總治焉 (중략) 且名之曰築城司 今非有是事 而有是名
大臣之建白 不光明正大 當去此名與此可也. (하략)

라고 하였음과 같이 서북방의 군무지휘를 위하여 요청된 도체찰사·순찰사의
파견과 관련되어 도체찰사·순찰사의 명칭으로 각각 파견할 시는 이를 오해한
북방인의 소란이 야기됨과 관련하여 축성사의 명칭으로 변통하여 운영하려
고 하다가 대간으로부터 "축성사의 명칭과 수행하는 일이 괴리되니 축성사의
명칭과 도체찰사 등의 명칭을 개정해야 한다"는 상계에 따라 있게 된 것이었
다.

　중종 15년 이전에 비변사는 다시 폐지되었다.[38] 그 구체적인 시기는
불명하나 重吉萬次가 앞 논문, 61~62쪽에서 언급하였음과 같이 중종 11년에
議政府署事制가 부활됨에 따라 의정부가 중심이 된 국정이 운영되면서 비변사
는 변경의 방어에 대해 의견을 제사함에 그치는 등 그 기능이 위축되었다.
비변사를 주도한 영의정 정광필이 중종 14년에 己卯士禍와 관련되어 南袞·沈
貞 등에 몰려 실세하면서 領中樞府事에 체직되었다. 또 중종 13년 이후는
변경이 안정된 이유로 13~14년경에 폐지된 것으로 추측된다.[39]

　중종 15년에 비변사는 다시 설치되었다.[40] 복설된 당일의『중종실록』에서
는 그 사유를 언급하지 않았지만 중종 15년 2월 이후에 閭延·茂昌에 거주하는
야인의 구축을 둘러싸고 북변의 정세가 긴박하였음에[41] 미루어 內地에
거주하는 야인의 구축과 관련된 변사에서 기인되었을 것이라고 추측된다.
그리고 이에 수반되어 비변사 기능이 종래의 '변방과 군정관장'에서 경중의

38)『중종실록』권39, 15년 5월 기해.
39) 重吉萬次도 앞 논문, 77쪽 주14)에서 이 시기로 추측하였다.
40)『중종실록』권39, 15년 5월 기해.
41)『중종실록』권38, 15년 2월 신미 ; 권39, 15년 4월 병인.

군정에도 간여하는 것으로 확대되었다. 또 중종 17년에는 동년에 일어난 倭變의 조치와 관련하여 영의정을 역임하고 영중추부사에 재직중인 정광필과 무신재상 崔漢洪이 제조로 추가되고, 정광필이 비변사를 지휘하게 되었다.[42]

중종 36년 이전에 비변사는 다시 폐지되었다.[43] 그 정확한 시기와 배경은 알 수 없다. 그러나 중종 25년 2월까지는 비변사의 활동이 확인되나[44] 이후 중종 36년 12월까지는 그 활동이 확인되지 않았다.[45] 중종 21년에 대간이 변경의 안정을 계기로 비변사의 혁파를 강력하게 주장하였고,[46] 중종 23년 1월에 야인이 滿浦에 침입하여 僉使 沈思遜을 살해함에서 야기된 혼란을 수습한 후에는 변방이 안정되었다.[47] 이에 비변사는 중종 25년 2월~36년 12월의 어느 시기에 폐지된 것으로 추측된다.

중종 36년에 비변사는 蕃浦 倭亂을 계기로 다시 설치되었고,[48] 비변사는 이후 1865년(고종 2)에 완전히 폐지되기까지[49] 구성관직·기능이 증대·강화되고 상설의 정1품아문이 되는 변화를 겪으면서 계승되었다. 즉 구성관직은 복설 때에 3공이 도제조로 참여하면서 비변사를 監領, 명종 11년에 3공의 참여폐지,[50] 선조 25년에 3공이 다시 참여하는 등으로[51] 변천되면서 운영되

---

42) 『중종실록』 권45, 17년 6월 병신·갑신.

43) 『명종실록』 권20, 11년 1월 을해.

44) 『중종실록』 권67, 25년 2월 신미.

45) 『중종실록』 권97, 36년 11월 기묘.

46) 『중종실록』 권57, 21년 6월 계축.

47) 『중종실록』 권60, 23년 1월 무자.

48) 『명종실록』 권20, 11년 1월 을해.

49) 그러나 고종 1년 2월에 의정부의 기능을 복구함에 따라 비변사는 그 기능의 대부분을 의정부에 이관하면서 크게 약화되었다(의정부에 이관된 비변사 기능은 『고종실록』 권1, 1년 2월 11일조 참조).

50) 명종 5년 8월까지는 3공의 도제조 겸대가 확인되었고, 명종 11년 1월에 영의정 沈連源이 "三公掌軍國重事 雖不稱(비변사)都提調之號 若有大事 自然隨參 臣請勿稱都提調(『명종실록』 권20, 11년 1월 을해)"라고 상계하여 허락받고 있고, 명종 12년에는 왜인의 치죄를 두고 좌의정 尙震과 비변사가 대립하였으며(『명종실록』 권22, 12년 4월 갑진), 명종 11~선조 24년까지 비변사 등이 참여한 대소 변사논의 참가자를

었다. 비변사 기능은 1592년(선조 25)에 왜란극복과 관련하여 종래까지의
'변사·경중군정 관장'에서 '정치·외교·군사·경제 등 모든 국정 관장'[52] 등[53]
으로 강화되었다. 관제상으로는 1555년(명종 10)에 乙卯倭變의 발발과 함께
정1품 상설기관이 되었다.[54]

이를 볼 때 중종 5년에 설립된 비변사는 이후 정1품 상설아문으로서
의정부를 제치고 최고의 국정기관이 되는 선조 25년까지에 걸쳐 야인·왜구의
준동과 침입으로 인한 변사제기 및 남북의 변방안정 등과 관련되어 중종
5~7년경 폐지, 중종 12년 복치, 중종 12~15년경 폐지, 중종 15년 복설,
중종 15~17년경 폐지, 중종 17년 복설, 중종 25년경~36년경 폐지, 중종
36년경 복설 등으로 변천되면서 운영되었다.[55] 비변사 기능은 초창시에는
변방군정관장에 한정되었으나 중종 15년에 경중의 군정도 관장하는 것으로
확대되었고, 선조 25년 이후에는 다시 정치·군사·외교·재정 등 모든 국정을
관장하는 것으로 확대되었다. 요컨대 비변사는 邊境이 안정되었을 때에는
폐지되거나 기능이 유명무실하였고, 변사·변란 등이 발생하거나 폭주하였을

'의정부·비변사 등'이나 '3공·비변사 등' 또는 '대신·비변사 등'으로 구분하여 기록한
것 등에서 추측하였다.

51) 동기의 『조선왕조실록』, 『비변사등록』 참조.

52) 이재호, 앞 논문, 32~34쪽. 구체적으로 논공행상, 군율시행, 의병격려. 정절포상,
군량수송, 둔전설치, 훈련도감설치, 수령임명, 請兵, 犒軍, 奏請, 형률집행, 과거, 납속사
목, 공물진상, 의장복색, 산천제사, 시신매장 등을 적기하였다.

53) 인조반정 이후는 군사기구로서 정부적인 기구로 대체 확립되면서 최고 국정기관으로
서의 기능을 보유·행사하였고, 숙종 39년에는 8도 句管堂上 8명의 증치와 함께 8도까지
도 관장하였다(이재호, 앞 논문, 35~36쪽).

54) 『증보문헌비고』 등의 사료에 "명종 10년에 비변사가 창치되었다"고 하였고, 명종
11년에 司憲府가 비변사 당상관의 삭감을 청하는 중 "備邊司雖是一品衙門(『명종실록』
권20, 11년 4월 신묘)이라고 한 것에 미루어 명종 10년에 정식관아가 되면서 1품아문으
로 규정된 것으로 생각된다.

55) 중종 5년 이후의 주요 변사로는 야인의 甲山·昌城 등 침구(중종 7년 7월), 여연·무창거
주 야인 구축(15.12), 의주성 축조(15.11), 楸子島 왜변(17.5), 廢四郡거주야인 구축
(19.1~2), 만포진첨사 심사손 피살(23.1), 蛇梁津 왜변(39.4), 加德津축성(39.9), 達梁浦
왜변(명종 10.5) 등이 있다(동기의 『조선왕조실록』에서 발췌).

때에 이를 신속하면서도 효과적으로 대처하기 위하여 설치되고 기능이 강화되었다. 그리고 임진왜란을 계기로 정치·군사·경제 등 모든 국정을 관장하였고, 그에 수반되어 都提調－提調－副提調－郎廳의 조직이 구비되었다고 하겠다.

지금까지 살펴본 비변사제의 변천을 재정리하면 다음의 표와 같다.

〈표 2-2〉 비변사 치·폐와 그 근거 및 배경 일람표

연대	치·폐(근거)		설치배경	비고
중종5년	창치			
중종5~7 경	폐지	비변사 활동 미확인	① 삼포왜란 진압, ② 변경안정	
중종12	복설	⑤『중종실록』권28, 12년 6월 경술·계축·신미	① 여진준동, ② 명실이 괴리된 축성사의 개칭	
중종12~15경	폐	비변사 활동 미확인	① 민생안정, ② 의정부 기능 강화, ③ 鄭光弼 영향력 확대	
중종15	복	『중종실록』권39, 15년 5월 기해	야인구축 등 변사 긴박	
중종15~17경	폐	비변사 활동 미확인	변경안정	
중종17	복	『중종실록』권45, 17년 6월 병신	왜란(추자도 등지)	
중종20~36경	폐	비변사 활동 미확인	변경안정	
중종36	복	『중종실록』권95, 36, 6월 병자	위 ①, ⑤ 知邊司宰相	
명종10	계속	『명종실록』권20, 11년 4월 신묘	제포왜변	상설 정1품아문
선조25	계속	『선조실록』25년조	임진왜란	최고 국정기관

3. 備邊司의 組織

성립기 비변사의 조직과 운영이 어떠하였는가는『조선왕조실록』등 사료의 한계로 인해 자세한 내용을 알기 어렵다. 그러나『조선왕조실록』등을 자세히 검토하여 보면 단편적이기는 하나 그 조직의 편린을 찾을 수 있고, 그를 토대로 重吉萬次·申奭鎬 등이 앞 논문에서 논급한 바 있다. 또 임진왜란 이후의 시기에는 그 조직이 명확하고,[56] 그 운영상도 자세히 파악되었다.[57]

여기에서는 이들을 종합하면서 살펴본다.

비변사가 창치된 중종 5년으로부터 중종 7년까지 비변사의 조직과 운영을 보면 조직은 정승이 都提調를 겸하였고(앞 B2 ⓒ), 邊事에 諳鍊한 문무재상을 택하여 提調에 제수하였으며(B2 ⓑ), 秩高文臣을 從事官에 제수하였음이(B2 ⓐ) 확인되었다. 이에서 비변사는 '도제조(3공)-제조(인원 불명)-종사관(인원불명) 체계'로 구성되었다고 하겠다.[58] 도제조, 제조, 종사관의 비변사 운영을 둘러싼 업무분장은 위의 3공의 도제조겸대, 변사에 암련한 재상의 제조겸대, 문신의 종사관 제수 및 이후의 비변사 구성원의 업무분장 등에 미루어 도제조-제조, 종사관은 각각 비변사 직장을 監掌, 主管, 實務를 담당하였을 것이라고 추측된다. 이러한 업무분장은 이후 비변사가 운영된 시기를 통해 계승되었다.

중종 12~15년 이전에는 築城司의 都體察使·巡察使·從事官이 비변사의 도제조·제조·낭청으로 개칭되었고, 3공이 도제조로서 비변사를 감령하였으며, 安潤德(개성유수)·柳聃年(우참찬)이 제조로서 專主하고 낭관에 朴世憙(이조

---

56) 이재호, 앞 논문, 39쪽 〈비변사기구도표〉 및 『續大典』 권1, 이전 경관직 군영아문 비변사조, 서언의 A1-ⓑ 자료 참조. 이재호는 위의 표에서 명종조에는 '都提調-提調-有司堂上-郎廳'의 체계였고, 선조 25년과 숙종 39년에 副提調와 8道句管堂上이 신치되면서는 '도제조-제조-부제조-유사당상-8도구관당상-낭청'의 체계로 정비되었다고 하였다.

57) 오종록은 「비변사의 조직과 직임」(1990, 『조선정치사』 하), 510~529쪽에서 1800~1863년의 비변사 도제조 이하 제 구성원의 기능을 구체적으로 분석하였다. 씨에 의하면 도제조·제조 등의 과다한 수와 관련되어 현직 의정인 1~2명의 도제조와 4명의 유사당상이 비변사를 주도하였다고 하였다.

58) 비변사의 정1~종2품 겸직자의 호칭에 있어서 도제조, 제조, 당상이 혼용되기도 하나 도제조·제조는 겸직자의 관품에 따라 구분되어 사용되었고, 당상은 도제조·제조의 품계가 당상인 것과 관련되어 이 두직의 통칭으로 사용되기도 하고, 제조에 국한되어 사용되기도 하였다. 그런데 동기의 『조선왕조실록』을 보면 중종 12년 이전은 불명하나 제조는 중종 16·17년에만 확인되었고, 당상은 중종 15·17·18·23년, 명종 10·11·13년, 선조 20년에 각각 확인됨에서 중종 16~17년에는 제조로, 중종 17년 이후는 당상으로 각각 호칭하였던 것으로 생각된다. 그러나 여기에서는 『續大典』 비변사조에 의거하여 도제조, 제조로 구분하여 사용하였다.

좌랑)가 재직하였음이 확인되었다.59) 이에서 비변사는 '도제조(3공)-제조 (2, 2품)-낭청(정6)의 체계'로 구성되었음을 알 수 있다.

중종 15~17년 이전에는 중종 15년에 병조참판 金錫哲이 "전자에 비변사도 제조는 정승으로 제수되었으나 지금은 韓亨允(한성판윤)·黃衡(공조판서)과 臣이 제수되었는데 신(등)은 실로 (邊事에) 諳鍊하지 못하니 무릇 (邊)事는 의정부와 同議할 것을 청합니다"60)라고 한 것에서 한형윤·황형·김석철이 도제조로서 비변사사를 주관하였다고 하겠다. 그런데 이때 김석철 등의 직임에 있어서 위의 문맥상으로는 김석철 등은 도제조였다고 볼 수 있겠고, 실제로 重吉萬次는 앞 논문, 62쪽에서 原文에 따라 도제조로 파악하였다. 그러나 도제조는 정1품관이, 제조는 종1~종2품관이 각각 겸대하는 관직이었 고,61) 위에서 언급된 김석철 등의 관계가 정2·종2품인 등에서 제조로 파악해 야 한다고 생각된다. 그리고 낭청의 존재는 불명하나 이 시기를 전후한 낭청의 존재에 미루어 1명 이상이 존재하였을 것이라고 추측된다. 따라서 이 시기의 비변사는 '제조(3, 2품)-낭청(?)체제'로 구성되었다고 하겠다.

중종 17~17년 6월에는 17년 6월에 병조의 상계를 계기로 왜변의 효율적인 진압을 위하여 領中樞府事 鄭光弼과 무신재상 崔漢洪이 당상으로 加置되었 고,62) 高荊山(형판)·沈貞(좌참찬)·安潤德(공판)·韓亨允(지중추) 등이 제조였 음이 확인되었음에서63) 동기의 제조에는 고형산 등 4명(이상)이 있었다고 하겠다.

---

59) 『중종실록』 권28, 12년 6월 경술·계축.
60) 『중종실록』 권39, 15년 5월 기해.
61) 『경국대전』 권1, 이전 경관직 승문원조(割註).
62) 『중종실록』 권45, 17년 6월 갑오·병신. 이때 최한홍의 정확한 관계·관직을 알 수는 없지만 중종 16~17년에 慶尙右道兵馬節度使鷄林君을 역임하였고, 17년 11월에 정2품직 인 訓練院知事에 擬望되었음에서 정2~종2품으로 경외의 무직과 계림군에 재직하였다 고 생각된다.
63) 『중종실록』 권45, 17년 8월 신사.

중종 17년 6월~8월에는 위의 서술과 중종 17년 8월에 1개월 전에 대간의 "비변사 기능의 강화로 (비변사 기능이) 의정부·병조 기능에 저촉됨은 물론 병조의 군정기능을 유명무실하게 하니 비변사를 혁파하라"[64]고 한 상소에 따라 비변사를 혁파하지는 않았지만 동년 6월에 가설한 당상을 혁거하였음에서[65] 정광필·고형산·심정·안윤덕·한형윤·최한홍 등이 제조였음을 알 수 있다. 그런데 동기의『중종실록』에서는 정광필 등을 모두 제조로 기술하였지만 정광필은 영의정을 거쳐 영중추부사에 재직하고 있었고, 그를 두고 "1품 재상으로서 비변사를 지휘하고 호령하였다"[66]라고 하였음과 도제조가 정1품관의 겸직이었음에서 제조로서보다는 도제조로서 파악해야 한다고 생각된다. 그리고 낭청에 대해서는 언급되지 않았지만 이때 제조의 규모에 미루어 직전의 수에 비해 증가되었을 것이라고 추측된다. 따라서 이 시기의 비변사는 '도제조(1, 정1)－제조(5인 이상)－낭청(1인 이상) 체제'로 구성되었다고 하겠다.

중종 17년 8월~25년에는 17년 8월에 위에서 살핀 바와 같이 17년 6월 증원된 정광필·최한홍이 감원되었고, 아래 〈표 2-3〉에서와 같은 인물이 제조와 낭관에 재직하였음에서 5~8명 이상의 제조와 1명이 낭청으로 구성되었음을 알 수 있다. 즉 제조는 17년 8월~18년경에는 고형산 등 5명 이상(모두 정2)이, 중종 19년경에는 고형산 등 8명 이상(정2, 종2)이, 중종 23년경에는 안윤덕 등 8명 이상(모두 정2)이[67] 각각 제조를 겸대하면서 비변사사를 주관하였음을 알 수 있다. 그리고 비변사 겸대기간과 본직을 볼 때 고형산·안윤덕·한형윤·김석철 등은 중종 17~19년이나 25년까지 계속 겸대하였다.

64)『중종실록』권45, 17년 7월 신미.
65)『중종실록』권45, 17년 8월 신사.
66)『중종실록』권45, 17년 8월 을유.
67) 최한홍은 관계가 불명하나 앞의 주 62)와 중종 19~20년에 대개 정2품관으로 제수된 함길남도병마절도사의 재역임 등에서 정2품관으로 파악한다.

이에서 한번 제조가 되면 본직에 관계없이 계속하여 겸대하였다고 하겠다. 또 본직의 대부분이 6조의 판서였음에서 판서가 비변사 운영을 주관한 것으로 추측된다. 그리고 군정의 주관부서인 병조와 비변사와의 관계는 중종 19년에 병판인 류담년이 제조로 참여하기도 하나 그 외에는 병판으로 제조를 겸대한 자가 없었음에서 병판이 반드시 제조를 겸대한 것은 아님을 알 수 있다.

낭청은 중종 18년경에 沈思遜의 1인만이 확인된다. 이때 그의 본직이 홍문관교리였고, 동직을 전후한 역관이 지평과 홍문관부응교였음에서 정5품관으로서 낭관을 겸하였음을 알 수 있다. 또 낭관은 중종 18년에 비변사가 "본사 낭관인 홍문관교리 심사손을 평안도에 보내어 절도사와 함께 (여연·무창군에 거주하는 야인의 구축사를) 의논하게 함으로써 兵事의 비밀을 저들(야인)이 미리 알지 못하게 함이 어떠하겠습니까"[68]라고 상계하여 허락된 것에서 비변사의 실무를 관장함은 물론 외방에 파견되어 該司事를 처리하였음을 알 수 있다. 이러한 낭관의 외방차견은 사사의 업무처리를 고려할 때 적어도 2인 이상의 낭관이 상정된다고 하겠다. 또 심사손의 본직이 시종관인 홍문관관이었음은 『속대전』에 규정된 시종관의 郎官啓差가 중종 18년 이전부터 실시되었음을 시사하는 것이라고 하겠다. 그 외의 시기에 있어서는 낭관의 인원·본직이 불명하나 위 심사손의 예에 미루어 시종이 낭관을 겸임하였고, 1명 이상의 낭관이 있었다고 하겠다.

이를 볼 때 중종 17년 8월~25년의 비변사는 '제조(5~8명 이상, 정·종2품)−낭청(1명 이상, 1은 시종관겸, 5품 내외)체계'로 구성되었다고 하겠다. 지금까지 살핀 중종 17년 8월~25년 2월경까지 비변사제조 겸직자와 그 본직을 정리하면 다음의 표와 같다.

---

68) 『중종실록』 권49, 18년 9월 무자.

〈표 2-3〉 중종 17년 8월~25년 2월 비변사 겸직자 일람표

연대	제조(본직)	낭청(본직)
중종 17.8~18경	高荊山(호판), 沈貞(좌참찬), 安潤德(공판), 韓亨允(지중), 金克福(호판).	沈思遜(홍문교리)
중종 19경	고형산(호판), 안윤덕(공판), 柳聃年(병판), 한형윤(판윤), 金錫哲(한성좌윤), 沈順徑(역 좌윤), 李之芳(역 평안병사), 李思鈞(형참판)	
중종 23경	안윤덕(좌참찬), 한형윤(형판), 김석철(동중), 이지방(동중), 許磁(예판), 韓效元(호판), 崔漢洪(鷄林君), 曹潤孫(공판).	
중종 25.2경	안윤덕(좌참찬), 한형윤(지중), 김극복(좌참찬), 申公濟(호판), 黃琛(좌윤).	

중종 36년 6월, 12월에는 李芑(한성판윤)·禹孟善(지중)·金安國(병판) 등이 제조로서 비변사를 주관하였다.[69]

중종 36년 12월~선조 25년 이전에는 뒤의 표와 같은 인물이 도제조·제조·낭청을 겸직하였음이 확인되었다. 이에서 시기적으로 다소의 차이는 있겠지만 중종 36~명종 11년에는 '도제조(3공)-제조(5~10, 종1~종2)-낭청(5명이상, 참상관?)'으로 조직되었다. 명종 11~선조 25년에는 '제조(?)-낭청(4~5명으로 감소)'으로 조직되었고, 선조 25년 이후는 '도제조(3공, 원임 3공)-제조(판서 등 무정수)-부제조-유사당상-낭청'으로 조직되었다고 하겠다.

그런데 선조 11년에 낭청인 申翌은 명종 14년에 咸平縣監에 재직하고 있었음이 확인되었음에서[70] 『속대전』권1, 경관직 비변사조에 "참외관인 무신낭청은 15개월의 근무기간이 차면 6품에 승진시킨다"는 규정이 명종 11년 이전에 제정되었고, 또 참상관 승진과 함께 변방요해처의 수령으로 진출하였음을 보여주는 것이라고 하겠다. 그런데 명종 11~선조 24년의 도제조에 있어서는 앞 주 50)의 명종 11년조와 비변사 등이 함께 논의한 정사의 참가자 기록, 동기에 의정을 역임한 인물의 겸직에 비변사도제조가

---

69) 重吉萬次, 앞 논문, 69쪽.

70) 『명종실록』 권25, 14년 6월 무신.

71) 重吉萬次, 앞 논문, 69쪽 ;『조선왕조실록』 등에서 종합.

제2장 朝鮮 中宗 5~宣祖 24년(성립기)의 備邊司에 대하여　69

<표 2-4> 중종 36년 12월~선조 24년 비변사 겸직자 일람표[71]

연대	도제조	제조	낭청
중종 36.12	3공(尹殷輔, 洪彦弼, 尹仁鏡)	柳灌(좌참찬), 李彦迪(우참찬), 成世昌(이판), 金安國(병판), 權橃(예판), 金麟孫(공판), 李芑(판윤), 黃琛(역공판), 禹孟善(지중), 張彦良(동지중추)	
중종 39.9	3공(동상)	성세창(우찬성), 丁玉亨(병판), 曹潤孫(지중), 尹熙平(정2), 우맹선(지중)	
명종 5.8	3공(李芑, 沈連源, 尙震)	李徽(지중), 장언량(역판윤), 金舜皐(동중), 李名珪(지중), 이광식(종2판결사)	
명종 11.	폐지?		
선조 11.	폐지?		申翌(선전관), 辛繼元(부장) 등 5명 이상
선조 12.4	폐지?		4~5인으로 감소
선조 25.	3공		

전혀 확인되지 않음[72] 등을 통하여 3공의 비변사 참여가 폐지된 것으로 파악하였다. 그러나 이재호는 비변사가 명종 10년에 정1품 상설아문이 된 것과 관련하여 명종 10~선조 24년에 시·원임 의정 중 1인이 도제조를 겸대하였을 것임을 시사하였고,[73] 명종 10년 이후에는 비변사가 정1품아문의 지위를 누렸음에서 비록 동기의『조선왕조실록』에서는 도제조가 확인되지 않는다 하여도 완전히 폐지되었다고 보기는 어렵다고 하였다. 그리고 위에서 살펴본 제조겸대자의 본직을 볼 때 중종 17년 이후에 호판(중종 17), 호·병판(중종 19), 호·형·예판(중종 23), 이·병·예판(중종 36) 등이 제조를 겸대하였음이 확인되었다. 그러나 이·호·예·병·형판이 일시에 제조를 겸대하였음은 확인되지 않았고, 또 이·병판 등도 변사에 대한 암련과 관련되어 제조를 겸대하였던 것이지 당연직으로 겸대한 것은 아니었다. 이점에서 명종 6년 이후~선조 24년에는 제조를 겸대한 구체적인 관직이 확인되지 않기 때문에 예겸직과 관련시키기는 어렵겠지만『속대전』에 규정된 이·호·예·병판의

---

72)『조선왕조실록』,『國朝人物考』등 참조. 동기에 의정을 역임한 인물에는 沈連源·尙震·尹元衡·尹漑·安玹·李浚慶·沈通源·李箕·權轍·洪暹·朴淳·盧守愼·李鐸·閔箕·姜士尙·鄭之衍·李貴榮·鄭惟吉·柳埈·李山海·鄭彦信·鄭澈·沈守慶·柳成龍·李陽元 등이 있었다.

73) 이재호, 앞 논문, 39쪽 비변사기구 도표.

예겸시기는 빨라도 명종 6년 이후였음을[74] 입증하는 것이라고 하겠다.

그 외에 중종~명종대에 비변사낭청을 두고 오종록은 앞 논문, 494쪽에서 "3의정 또는 그에 준하는 관직자가 도제조로서 지변사재상의 상부조직을 이루면서 비변사에 참여하고, 지변사재상 아래에 낭관인 舍人 등 실무조직이 갖추어졌다"라고 하면서 '사인'을 제시하였다. 이 사인은 그 전거를 볼 때 의정부사인이 비변사 낭청을 겸대한 것으로 이해된다.[75] 그렇지만 동 기사 및 동기에는 의정부서사제가 실시된 만큼 의정부가 비변사의 公事를 보고받 거나 전달받아 이를 국왕에게 啓聞하는 행정체계가 상정되고. 또 명종 10년 이전의 비변사 낭관은 앞의 68쪽에서와 같이 사인이 겸대하였다고 보기 어렵다. 따라서 사인은 비변사 낭청으로서보다는 의정부 낭청으로서 의정부 (3공)의 뜻을 받들어 비변사공사를 국왕에게 상계한 것으로 파악하여야 할 듯하다.

덧붙여 선조 25~영조 22년(1746, 『속대전』)의 도제조·제조의 기능발휘를 보면 앞에서 살핀 바와 같이 그 인원이 시·원임의정(도제조), 20여 명의 다수(제조)였기에 비변사의 효율적인 운영, 당파와 관련되어 시임 의정인 1~2명의 도제조가 2~4명의 유사당상이 비변사운영을 주도하였다.[76] 지금까 지 살핀 비변사의 조직을 정리하면 다음의 표와 같다.

---

74) 『만기요람』 군정편 1, 비변사조에는 "明宗乙卯置備邊司 一名籌司 掌總領中外軍國機務 都提調以時原任議政例兼 提調以宰臣知邊事者兼差 無定額 又以吏戶禮兵四曹判書 及江華 留守例兼 有司堂上三員 以提調之知軍務者啓差 郎廳十二員 三員文臣 一員兵曹武備司郎廳 兼 八員武臣"이라고 하면서 명종 10년에 도제조와 이·호·예·병판 등의 제조예겸이 시작되었다고 하였다. 이때 4조판서의 제조예겸은 확인할 수 없지만 도제조에 있어서 는 위에서 살핀바와 같이 명종 11년에는 3공의 도제조예겸이 폐지된 만큼 위의 기사는 당시의 실상을 정확히 기재하였다고 보기 어렵다. 그리고 이재호도 앞 논문, 39쪽에서 위 『만기요람』의 기사를 근거로 도제조와 4조판서의 예겸제가 명종 10년에 시작된 것으로 파악하였다.

75) 『중종실록』 권49, 18년 9월 을유 舍人尹止復 將備邊司公事 啓曰 (하략).

76) 오종록, 앞 논문, 512, 522쪽 참조.

〈표 2-5〉 중종 5~선조 25년 비변사 조직 일람표

연대	조직(구성원수)
중종5-7	도제조(3, 3공)-제조(?)-종사관(?)
중종12~15경	도제조(3, 3공)-제조(2, 정·종2)-낭청(1 이상, 참상)
중종15~17.6	제조(3~4, 정·종2)-낭청(?)
중종17.6~8	도제조(1, 정1)-제조(5, 정2)-낭청(?)
중종17.8~25.2	제조(5~8, 정·종2)-낭청(1 이상, 참상)
중종36.6~12	제조(3, 정2)-낭청(?)
중종36.12~명종11경	도제조(3, 3공)-제조(5~10, 종1~종2)-낭청(5이상, 참상)
명종11~선조25경	도제조(?), 제조(?)-낭청(4~5, 참상)
선조25이후	도제조(무정수, 시·원임의정)-제조(?)-부제조(1, 정3당상)-유사당상(3~4, 제조겸)-8도구관당상(8, 유사당상겸)-낭청(12, 참상·참하)

4. 備邊司의 機能

중종 5~선조 25년 비변사의 법제적인 기능은 앞 2.에서 단편적으로 언급되었음과 같이 중종 5~15년에는 남·북·서북방의 변사를 논의·지휘하였고, 중종 15년 이후는 변경의 군정은 물론 경중의 군무에도 간여하였고, 왜란 이후는 정치·군사·경제·외교 등 모든 국정을 관장하는 것이었다. 그러면 이 시기 비변사의 실제기능은 어떠하였겠는가. 이에 대하여는 이미 重岾萬次·정하명 등에 의하여 논급되었지만 이에 구애되지 않고 이들의 연구와 동기의 『조선왕조실록』에 기록된 비변사 관계기사를 종합하면서 기능의 실체를 살펴본다.

먼저 비변사가 수행한 정치활동-受命·啓聞·擬議活動을 비변사의 조직·기능 등과 관련된 중종 12~25년, 36~39년, 인종 1년, 명종 즉위~9년, 10~21년, 선조 6~8년, 16~24년의 시기별로 살펴본다. 수명활동은 다음의 표에서와 같이 중종 5~선조 24년에 확인된 비변사 총 활동건수에서 점하는 비중이 미미(20/290)하기 때문에 큰 의미는 없지만, 명종대에는 15건으로 12%를 점하였다. 계문활동은 성립기의 전시기를 통하여 의의활동에는 미치지 못하

지만 의의활동과 함께 비변사 활동의 중심이 되었다. 중종대는 30건 27%, 명종대는 37건 29%, 선조대는 19건 40%인 등 비변사의 운영과 함께 점진적으로 그 비중이 증가하였다. 의의활동은 비변사가 운영된 모든 시기를 통하여 중심이 되었다. 중종대는 81건 72%, 명종대는 75건 59%, 선조대는 26건 54%인 등 계문활동의 경향과는 반대로 점진적으로 그 비중이 감소하였다.

〈표 2-6〉 중종 5~선조 25년 비변사 정치활동 일람표[77]

		중종			인종	명종			선조			합계
		12~25	36~39	계	1	즉~9	10~22	계	6~8	16~24	계	
수명	수	2		2		3	12	15		3	3	20
	%	2		2		9	13	12		7	6	9
계문	수	27	3	30		7	30	37	3	16	19	86
	%	30	14	27		21	32	29	43	39	40	30
의의	수	62	19	81	2	23	52	75	4	22	26	184
	%	68	86	72	100	70	55	59	57	54	54	61
계	수	91	22	113	2	33	94	127	7	41	48	290
	%	100	100	100	100	100	100	100	100	100	100	100

또 비변사가 상설 정1품아문이 된 명종 10년을 기준으로 한 중종 5~명종 9년과 명종 10~선조 24년의 시기로 구분하여 보면 수명·계문·의의활동의 빈도가 각각 5건 3%-15건 11%, 37건 25%-49건 35%, 106건 72%-78건 55%였다. 즉 비변사의 지위가 상승된 명종 10년 이후가 그 이전에 비하여 비록 의의활동이 압도하거나 중심이 되고는 있지만, 보다 적극적인 정사참여 형태인 계문활동의 비중이 크게 증가한 반면에 의의활동의 비중은 감소되고 있음을 알 수 있다.

수명·계문·의의활동, 특히 적극적이고 능동적인 정치참여 형태인 계문·의의활동의 위에서와 같은 비중과 활동경향은 의정부·육조의 경우에 "국정을 주도하면서 그 기능이 강력하였을 때에는 계문활동의 비중이 증가하면서

77) 『조선왕조실록』에서 종합.

중심이 된 반면에 의의활동의 비중은 감소하고, 그 기능이 미약한 때에는 비록 계문활동이 중심이 되고는 있으나 그 비중이 감소한 반면에 의의활동의 비중이 증가하였다"[78]고 분석되었고, 비변사도 "성립초기에는 치·폐가 빈삭하고 그 아문의 지위가 미약하고 불안정하였으나 명종 10년 이후는 정1품 상설아문이 되는 등 그 지위가 크게 강화되었다"(앞 2)고 하였듯이 정치활동 경향은 그 관아의 기능과 직결되었다. 따라서 비변사의 기능은 시간의 경과와 함께 아문의 지위가 격상되고 지속적으로 운영되게 되면서 그 기능이 점진적으로 강화되었다고 하겠다.

두 번째로 비변사가 단독으로나 의정부·병조와 공동으로 전개한 활동분야와 그 비중을 본다. 비변사는 남·북의 변사와 관련된 ① 야인정벌,[79] ② 침구한 왜·야인 토벌,[80] ③ 築城·設鎭·移鎭 등사를[81] 논의·지휘하였다. 왜·야인의 방어와 관련하여 ④ 관찰사·변방 수령의 제수와 개수,[82] 순찰사와 조방장의 파견,[83] 파직무신과 가용무재자의 제수,[84] ⑤ 승도의 부역,[85] 양곡의 비축,[86] 전망인 구휼,[87] ⑥ 왜·야인과의 수교,[88] 대몽외교,[89] 왜·야인 위무,[90] ⑦ 習戰,[91] 군기보수와 점고[92] 등사를 논의 감독하였으며, 왜·야인의

78) 졸고, 1981, 「朝鮮初期 議政府硏究(상)」, 『韓國史硏究』 31, 112~116쪽.
79) 『중종실록』 권63, 23년 10월 경신.
80) 『중종실록』 권60, 23년 2월 계묘 ; 『명종실록』 권18, 10년 5월 기유.
81) 『중종실록』 권103, 39년 5월 무오 ; 『명종실록』 권9. 4년 1월 갑술 ; 『중종실록』 권53, 23년 2월 신축.
82) 『명종실록』 권24, 13년 2월 경인 ; 『중종실록』 권45, 17년 6월 갑오.
83) 『명종실록』 권18, 10년 1월 병오 ; 『선조실록』 권7. 6년 6월 을축.
84) 『명종실록』 권27, 16년 12월 계유.
85) 『중종실록』 권50, 19년 2월 병신.
86) 『명종실록』 권20, 11년 2월 무오.
87) 『중종실록』 권104, 39년 9월 을사.
88) 『선조실록』 권23, 22년 8월 기묘.
89) 『명종실록』 권25, 14년 5월 기묘.
90) 『중종실록』 권101, 38년 7월 임술.

〈표 2-7〉 중종 5~선조 25년 비변사 활동분야 일람표[93]

	중종			인종	명종			선조			합계
	12~25	36~39	계	1	즉~9	10~22	계	6~8	16~24	계	
비왜	4	1	5		4	21	25		2	2	32
비야인	26	4	30		4	5	9	2	10	12	51
토왜	5	2	7		6	15	21	1		1	29
토야인	5	1	6		5	3	8		3	4	18
축성·설진 등	2	5	7		1	4	5				12
군기제작·보수·점고		2	2		7		7				9
감사·병사·수령인사	2	1	3		1	5	6		8	8	17
장수·무재 등 인사	8	1	9		2	5	7	1	5	6	22
논공행상					11		11	1		1	12
왜·야인 수교	7	4	11	2	2	3	5		2	2	20
왜·야인 치죄	15		15			2	2		2	2	19
변장·수령 등 치죄	5		5		1	2	3	1	6	7	15
기타*	12	1	13		3	15	18		3	3	34
합계	91	22	113	2	33	94	127	7	41	48	290

* 중종 12~15년-비변사관계 4건, 양계 군량비축·비변사혁파사·양계민 위무·전망인 구휼·사신호
송·병판의망사·각1건, 중종 36~39-몽고서계 번역사 1건, 명종 즉위~9-중국인 환송·승도부역·
조왜피살인 휼전사 각1건, 명종 10~22-승도부역 4, 출사제 2, 유장양성·제도평사 감군·토적장
병 위무·전망인휼전·제주복구·수군소복·중국인 구휼의례·6진인 진구사 각1건, 선조 16~24
-서얼부방허통·토적장졸 위무·월경 중국인 처리사 각1건.

정벌·토벌과 관련된 ⑧ 논공행상을 행하였다.[94] 그 외에도 군정과 관련하여
⑨ 왜·야인과 범법군사 치죄,[95] ⑩ 동철취련[96] 등사를 수행하였다.

그리고 위에서 적기한 각 활동분야의 빈도를 보면 위의 표와 같이 전체적으
로는 備野人이 51건 18%로 가장 빈도가 높고 備倭(32건/11%), 討倭(29/10),
장수·무재자 등 인사(22/8), 왜·야인 수교(20/7), 왜·야인 치죄(19/7), 討野人
(18/6), 감사·병사·수령인사(17/6), 변장·수령 등 치죄(15/5), 논공행상

---

91) 『명종실록』 권7, 3년 4월 을유.
92) 『명종실록』 권23, 12년 8월 갑오 ; 『중종실록』 권102, 39년 4월 정유 ; 『중종실록』
   권60, 23년 2월 갑진.
93) 『조선왕조실록』에서 종합.
94) 『명종실록』 권10, 5년 8월 무인.
95) 『중종실록』 권56, 21년 3월 경술 ; 『중종실록』 권60, 23년 2월 무진.
96) 『명종실록』 권30, 19년 10월 을해.

(12/4), 축성·설진 등(12/4)의 순서였다.

시기적으로는 그 빈도가 미미한 인종대·선조 6~8년을 제외하고 보면 중종대에는 12~25년에는 야인방어가 26건 25%로 가장 빈도가 높고 왜·야인 치죄(15건 17%), 장수 등 인사(8/9), 왜·야인 외교(7/8), 왜·야인 토벌(각 5/6)의 순서였고, 36~39년에는 축성 등(5/23), 야인방어·왜와 야인 외교(각 4/18)의 순서였다. 명종대에는 즉위~9년에는 논공행상이 11건 33%로 가장 높고 군기제작 등(7/21), 왜인 토벌(6/18), 야인 토벌(5/15), 왜·야인 방어(각 4/12)의 순서였고, 10~22년에는 왜인 방어가 21건 22%로 가장 높고 왜인 토벌(15/16), 야인방어·감사 등 인사(각 5/5)의 순서였다. 선조 16~24년에는 야인방어가 10건 24%로 가장 높고 감사 등 인사(8/20), 변장 등 치죄(6/15), 장수 등 인사(5/12)의 순서였다.

또 위에서의 이러한 활동경향을 전 시기를 통틀어 왜·야인과 직·간접으로 관련된 변사로 종합하면 왜·야인 방어, 왜·야인 토벌, 왜·야인 치죄, 변장 등 치죄 등(기타의 전망인 휼전·출사제·토적장병 위무·제주복구·수군소복 등 포함) 직접으로 변사와 관련된 활동이 186건 64%를 점하였다. 축성 등, 감사 등 인사, 군기제작, 왜·야인 외교 등(기타의 양계 군량비축·양계민 위무·승도부역·유장양성·평사감군·6진민 진구·서얼부방허통·월경 중국인 인사 등 포함) 간접적으로 변사와 관련된 활동이 93건 32%인 등 96%인 279건이 직·간접으로 남북의 변사와 관련되었다. 그 외에 위에서 제외된 11건에 있어서도 의례(왕비 모 사망 때의 철조 여부)의 1건만이 변사와는 무관하였고, 그 외는 비변사관계(4건), 비변사혁파사·사신호송·병판의망·몽고서계 번역·중국인 환송·중국인 구휼(각1건)의 10건은 변사나 비변사의 운영과 관련되는 정사였다.

그런데 위에서와 같은 비변사 활동의 대부분은 국왕, 의정부·6조대신, 대간 등이 참여하거나 公知하는 가운데 공개리에 수명·계문·의의활동의 방법으로 수행되었지만 극히 일부의 정사는 명종 21년에 司諫院이

D1 臺諫耳目之官 凡國家大小之事 無不與之 以濟可否 而近日備邊司秘密公事 兩司
皆不得預聞 其得失利害 貌然不審 其所以至爲未便 軍國大事 機關甚重 豈有臺諫
不聞不之理乎 自今秘密公事 請令備邊司 ――通論于兩司 (答曰如啓)[97]

라고 상계하였음과 같이 비변사제조 등이 '秘密公事'라고 칭하며 대간 등에게
비밀로 하면서 처리하였다. 이러한 비밀공사는 비록 그 빈도에서 선조 25년
이후의 그것과는 비교가 되지 못하지만 중요한 비변사공사를 소수의 당상이
주도하는 계기가 되는 것이었다.[98]

이를 볼 때 비변사의 활동은 남북의 변사와 관련된 군사·인사·재정·외교
등을 중심으로 전개되고, 이점은 비변사의 창치·폐지·복설이 남·북방 왜·야
인과 관련된 변사에서 기인되었음에 미루어 당연한 결과라고 하겠다. 그리고
비변사의 이러한 활동경향은 重吉萬次가 앞 논문, 73쪽에서 "명종 9년에
비변사가 상례적으로 모이게 되면서는 변사 이외의 정무도 논의하였을
것이다"라고 시사하였음과는 달리 비변사 활동이 변사와 관련된 정사의
논의에 한정되고 있음을 알 수 있다.

5. 備邊司와 議政府·六曹(兵曹)

비변사가 전개한 위의 활동에 있어서 그 대부분을 점한 각종 군정활동은
국정을 통령하거나 군정을 분장한 의정부·병조 기능과 관련되었고, 관찰사·
변방수령 제수·개수, 순찰사파견, 파직무신·무재자 서용, 양곡사, 왜·야인

---

97) 『명종실록』 권32, 21년 1월 경술.
98) 선조 25년 이후의 비변사 비밀공사의 성행과 그 의의에 대해서는 오종록, 앞 「비변사의
   정치적 기능」, 537~539쪽 참조. 씨는 비밀공사는 유사당상을 중심으로 진행되는
   권력집단 내부의 절충과정이라고 하였다.

수교사, 치죄사, 동철취련 등사는 이·병조의 인사기능이나 호·예·형·공조의 일반 기능과 밀접히 관련되는 것이었다. 이에서 비변사의 기능은 주로는 의정부의 국정통령 기능과 병조의 군정기능을 제약하고 위축시켰고, 부분적으로는 이·호·예·형·공조의 기능과 병조의 인사기능을 제약하였다고 하겠다. 또 이와는 반대로 행정체계상 중종 5~11년과 중종 28년경~선조 24년에는 六曹直啓制가, 중종 11~28년경에는 議政府署事制가 각각 실시되면서 병조나 의정부가 비변사의 정사를 지휘·통령하였다. 중종 5~15년, 중종 17년 6월~8월, 중종 36년 12월~명종 11년경에는 3의정이 도제조로서 비변사를 監領한 만큼 병조·의정부, 3의정은 각각 비변사의 독자적 기능 발휘를 제약·위축시켰다고 하겠다.

  여기에서는 이와 관련하여 비변사와 의정부·병조를 중심으로 국정운영을 둘러싼 상호의 권력체계를 비변사 활동의 수행집단, 비변사 당상 수·겸대기간·역관경향·변사에 대한 조예, 그리고 의정부와 병조의 기능·행정체계·3의정과 병판의 비변사 당상겸대 등을 통하여 살펴본다. 먼저 앞의 〈표 2-5〉에서 살핀 비변사 활동을 그 수행자와 관련하여 재구성하면서 비변사와 의정부·병조의 권력관계를 구명한다. 성립기(중종 5~선조 24년)의 비변사 활동 수행자는 다음의 표에서와 같이 전 시기적으로는 비변사 단독으로 수행한 활동이 126건 43%였고, 비변사가 병조, 의정부, 의정부·병조, 의정부·육조 등과 공동으로 수행한 활동이 164건 57%였다. 따라서 비변사가 의정부 등과 공동으로 수행한 활동이 단독으로 수행한 활동 보다 많았음을 알 수 있다. 그러나 시기별로 보면 그 활동이 미약한 인종대를 제외할 때 중종 12~25년·36~39년과 명종 즉위~9년·10~22년에는 비변사가 의정부 등과 공동으로 수행한 활동이 단독으로 수행한 활동을 압도하였다(66건/71%〉26건/29%, 15/68〉7/32, 23/70〉10/30, 54/57〉40/43). 그러나 선조 6~8년·16~24년에는 오히려 단독으로 행한 활동이 공동으로 행한 활동을 압도하였다(4/57〉3/43, 37/90〉4/10). 그리고 비변사가 의정부 등과 공동 수행한 활동이 단독으로 수행한 활동을 압도한 경우에 있어서도 위의 분석과 같이 비변사가 공동으로 수행한 활동은 점차로 감소하고 단독으로 수행한 활동은 점차 증가하였다.

〈표 2-8〉 조선중기 비변사 활동유형 일람표99)

		수명			계문				의의						합계					
		비	비·병	계	비	비·병	비·의	계	비	비·병	의	비·병·의	비·기타*	계	비	비·병	의	비·병·의	비·기타	계
중종	12~25	2		2	22	5		27	4	24	5	21	8	62	26	29	5	21	6	91
	36~39				3			3	4	1	1	5	8	19	7	1	1	5	8	22
	계	2		2	25	5		30	8	25	6	26	16	81	33	30	6	26	14	113
인종1													2	2	2				2	2
명종	즉~9	2	1	3	5			5	3	1	4	13	4	25	10	2	4	13	4	33
	10~22	10	2	12	25		5	30	5	1	14	6	26	52	40	3	19	6	26	94
	계	12	3	15	30		5	35	8	2	18	19	30	77	50	5	23	19	30	127
선조	6~8				3			3	1			2	1	4	4			2	1	7
	16~24	3		3	16			16	18		1	2	1	22	37		1	2	1	41
	계	3		3	19			19	19		1	4	2	26	41		1	4	2	48
합계		17	3	20	74	5	5	84	35	27	25	49	50	196	126	35	30	49	50	290

* 비변사·의정부(3의정)·육조, 비·3의정·영중추·병조당상, 비·의·영중·육조·한성부당상, 비·의·이, 비·3의정·병·지변사무신, 의·병·비당상·형판·호판, 의·비당·병판·예판 공동참여 포괄.

수명·계문·의의활동별과 시기별로 보면 전 시기적으로는 의의가 196건 68%로 다수였고, 계문과 수명은 84건 29%와 20건 7%에 불과하였다. 그러나 이 활동도 시기별로 구분하여 보면 인종대를 제외할 때 수명－계문－의의가 각각 2(2%)－27(30%)－62(68%)(중종 12~25년), 0－3(14)－19(84)(중종 36~39), 3(9)－5(15)－25(76)(명종 즉위~9), 12(13)－30(32)－52(55)(명종 10~22), 0－3(43)－4(57)(선조 6~8), 3(7)－16(39)－22(54)(선조 16~24)이었으니 비록 의의가 중심이 되고는 있으나 점진적으로 계문이 증가하고 의의는 감소하였다.

비변사 활동의 수행집단과 수명·계문·의의 활동형태를 연관시켜 보면

---

99) 동기의 『조선왕조실록』에서 종합.

중종~명종대에는 비변사 단독활동 보다는 병조·의정부와 공동으로 수행한 활동이 압도하거나 중심이 되었고(83건/34%〈159/66〉, 선조대에는 거의가 비변사 단독활동이었다(41/85)7/15). 활동형태별로는 수명·계문은 전 시기에 걸쳐 비변사 단독활동－특히 선조대는 모두가 단독활동－이 압도하였고 (17/85)3/15, 74/88.10/12), 의의는 중종~명종대에는 공동활동이 압도하였으나(144/90) 선조대에는 단독활동이 압도하였다(19/73).

이를 볼 때 비변사는 중종~명종대에는 왕명에 의하여 병조·의정부 등과 함께 변사를 논의하였고, 선조대에는 단독으로 변사를 상계하거나 의의에 참여함이 일반적이었다고 하겠다. 이것은 비변사 활동이 중종~명종대에는 왕명에 의하여 병조·의정부와 함께나 이들의 제약을 받으면서 수행되었고, 선조대에는 병조·의정부의 제약을 받지 않고 독자적으로 변사 등 군정을 수행하였음을 시사하는 것이라고 하겠다.

다음으로 비변사제조나 비변사당상에 재직하면서 비변사를 운영한 인물들의 수·겸대기간·역관, 그리고 변사에 대한 조예를 통하여 비변사와 의정부·병조의 권력체계를 살펴본다. 비변사제조의 수는 앞 3에서 고찰하였음과 같이 변사의 중요성 여부와 관련되어 시기적으로 다소의 차이는 있지만 대개 정2품관이 중심이 된 종1~종2품관 5~10여명의 수가 유지되었다. 비변사제조의 겸대기간은 3의정이 예겸한 도제조를 제외한 도제조·제조를 보면 앞 3에서 고찰하였듯이 중종 5~선조 24년에 확인된 34명 중 겸대기간이 불명인 丁玉亨·李徹·尹熙平·李光軾·金舜皐를 제외한 29명의 경우에 安潤德·金錫哲·韓亨允·鄭光弼·崔漢洪·申公濟의 6명은 비변사가 혁거되기까지 1~11년에 걸쳐 제조직(정광필은 도제조)을 겸대하였다. 柳聃年·黃衡·高荊山 3명은 질병으로 사직하거나 졸하기까지 3년에 걸쳐 제조를 겸대하였다. 成世昌·李名珪는 우의정이 되면서 도제조를 예겸하거나 평안도관찰사로 출사하기까지 3~4년에 걸쳐 제조를 겸대하였다. 그 외에 沈順涇·李之芳·李思鈞은 4년, 黃琛·李芑·禹孟善·金安國·柳濯·李彦迪·權橃·金麟孫·張彦良의 9명은 3년, 張順

孫·沈貞·許磁·韓效元·曹潤孫의 5명은 2년, 金克福은 1년에 걸쳐 각각 제조를 겸대하였다.[100] 따라서 김극복 등 6명만이 2년 미만에 그쳤을 뿐 안윤덕 등 23명은 특별한 사유로 제조에서 해직되거나 제조직이 혁거될 때까지 3년 이상의 장기간에 걸쳐 계속 제조직을 겸대하면서 변사를 집중적으로 논의·결정하였다고 하겠다.

비변사제조가 되기까지의 관력과 제조시의 본직을 보면 뒤의 E1에서 시사되었음과 같이 비변사제조(당상)에는 남북의 변사에 두루 능통한 재상이 임명된 만큼 내·외 군직을 두루 역임하였을 것이라고 추측되었다. 실제로 제조나 당상이 되기까지의 역관을 보면 예겸의 3의정을[101] 제외한 정광필 등 34명의 경우 정광필(중종 17, 비변사당상)은 우참찬겸전라도도순찰사(중종5)·함길도관찰사(7~8)·3의정(8~14)을 역임하고 영중추부사(14~22)로서 비변사당상을 겸대하였다. 그 외의 33명도 다음의 표에 적기된 韓亨允 등의 역관에서와 같이 다소 차이는 있지만 모두 남·북방의 군직과 판서 등을 역임하거나 판서 등에 재직하면서 비변사당상을 겸대하였다.[102] 또 정광필 등의 제조 겸대시의 본직을 보면 3에서 언급되었음과 같이 영중추(1명)·우찬성(1)·좌참찬(5)·우참찬(2)·이판(1)·호판(5)·예판(2)·병판(4)·형판(1)·공판(5)·병참판(1)·형참판(1) 등 의정부와 6조의 참판 이상이 29명(10명은 중복)이고, 지중추(8)·동중(4)·한성판윤(4)·좌윤(2)·개성유수(1)·기타(8, 역공판·역판윤·역좌윤·행판결사·정2·무신재상·군·역병사 각1)가 27명(12명은 중복)인 등 의정부·6조 당상관과 중추부 등에 재직하는 수가 비슷하였다.

100) 동기의 『조선왕조실록』, 『국조인물고』 등에서 발췌.
101) 3의정은 金壽童(영)·柳順汀(좌)·成希顔(우, 중종 5~7), 鄭光弼(영)·金應箕(좌)·申用漑(우·좌)·安瑭(우·좌)·金詮(우·영)·南袞(좌)·李惟淸(우, 중종 12~15), 尹殷輔(영)·洪彦弼(좌·영)·尹仁鏡(우·좌·영)·李芑(우·좌·영)·柳灌(우·좌)·成世昌(우·좌)·鄭順朋(우)·黃憲(우·좌)·沈連源(우·좌·영)·尙震(우·좌)·尹漑(우, 중종 35~명종 11)이다(동기의 『조선왕조실록』, 『국조인물고』, 『전고대방』 등에서 발췌).
102) 安潤德 등 20명의 역관경향은 번거로움을 피하여 생략한다. 그러나 이들에 있어서도 한형윤 등의 관력과 큰 차이가 없다.

〈표 2-9〉 한형윤·황형·김석철·고형산 비변사당상겸대 전후 역관 일람표[103]

	비변사당상 겸대기간	남·북 군직 등 외관 역관	판서 등 경관 역관	기타
韓亨允	중종 15~23년경	경상관(중종8.5~9.11), 평안관 (12.4~8)	공판(중종21.8~12), 형판(22.2~24.5), 우참찬(19.2~ 6), 한성판윤(13~, 14.12~ 17.8, 19.6~21.8)	겸선전관 (성종 2~ 연산군9.2)
黃衡	중종15경	혜산진첨사(성종12.6~), 의주목사(연산군1.3~), 회령부사(연8.6 ~), 함경북절도사(중종1~, 10.2~12.5), 경상절(3, 5.6~6.2), 함경순변사(7~), 평안절(9~10.2)	공판(중종12.5~10, 14.11~ 15)	
金錫哲	중종15~?	평안절(연산군 12~중종 2), 경상절(중종 4.6~5), 제주목사(5.11 ~), 함경북절(~10.8)	병참판(중종 12.1~13.1, 15.1~), 호참판(~18.12)	
高荊山	중종 17~19경	함경북절(연산군 10~), 함경관(중종 2. 윤1~5.9)	형판(중종 5.10~6.4), 호판(~9.11,~11.1, 13, 15.1, 16.2 ~18.8), 병판(11.1~12.10, 15.1~16.1), 우찬성(16.1~12)	

　비변사당상 겸대자의 변사에 대한 諳鍊度를 보면 위 표의 변사에 관련된 인물의 관력과 앞 D1의 기사에 미루어 남·북방의 변사에 諳鍊하였을 것이라고 추측되었다. 실제로도 위에서의 분석과 같이 정광필은 중종 17년에 병조가 "重臣을 선임하여 변사를 맡기소서"[104]라고 한 청에 따라 의정부당상·비변사당상·6조판서 등이 논의하여 인물을 선임하고 겸하여 정승 1원으로 하여금 비변사당상을 겸대시킬 것이 제기되었을 때 좌의정 南袞 등이 "신등은 비록 지위가 3공이나 실로 변사를 알지 못함은 상께서 통찰하는 바입니다. 정광필은 비록 현재 3공에 있지는 아니하나 知邊事를 可히 맡길 수 있습니다"라고 하면서 정광필을 천거하여 실현되었다.[105] 韓亨允 등도 군정에 암련한 인물로 명망이 높았고,[106] 그 외의 인물도 다소의 차이는 있지만 병사 등

---

103) 『중종실록』, 『국조인물고』 등에서 종합.
104) 『중종실록』 권45, 17년 6월 갑오.
105) 동상조.
106) 동상조.

군정전반에 암련하였다.

그런데 의정부·병조 대신의 인원수·재직기간·비변사직 겸대기간·변사에 대한 조예를 보면 위에서 분석된 비변사당상의 그것과는 달리 병조는 그 구성원이 판서·참판 각1명에 불과하였고, 그나마 비변사가 운영된 중종 5~선조 24년을 통틀어 판서와 참판의 평균재직기간이 1.4년과 1.3년에 불과한[107] 등 업무수행의 일관성이 결여되었다. 또 변사에 대한 암련도에 있어서도 비변사당상을 겸대하였음이 확인된 56명 중에 병판과 병참판은 4명과 1명에 불과하였고, 비변사가 의정부·병조 등과 합동으로 변사를 논의할 때에도 대개는 병판만이 참여한[108] 등에서 추측되었음과 같이 대부분은 병사에 미숙하고 기능발휘가 미약하였다. 그리고 의정부에 있어서도 비변사를 설치한 한 요인이 정부대신의 병사에 대한 미숙이었고,[109] 위에서와 같이 중종 17년에 정광필의 비변사당상 제수시에 좌의정 남곤 등이 "변사를 알지 못한다"라고 하였듯이 병사에 미숙하였다. 명종 11년에 沈連源이 3의정의 비변사도제조 겸대를 폐지할 것을 청하여 허락받고 있는[110] 등도[111] 이를 방증한다고 하겠다. 이에 미루어 3의정은 재직자의 역관·자질에 따라 개인적인 차이는 있지만 대개 변사에 미숙하였고, 변사에 대한 기능발휘가 미약하였다고 추측되었다.

이를 볼 때 비변사당상은 그 수·겸대기간·변사에 대한 암련도에서 의정부·병조 대신 보다 우월하였고, 이에서 비변사가 수행한 변사 등 군정기능은

---

107) 중종 5~명종 22년의 58년간에 병판은 84명, 병참판은 87명이 각각 재직하였다(동기의 『조선왕조실록』에서 발췌).

108) 『중종실록』 권57, 21년 6월 계축, (전략) 近爲邊事 設備邊司 凡干邊事 實皆主之 兵曹判書雖 或參與 及爲枝葉 而參判以下堂上 專不與之.

109) 『중종실록』 권57, 21년 6월 갑자.

110) 『명종실록』 권20, 11년 6월 을해.

111) 『중종실록』 권45, 17년 8월 임오, (전략) 左議政南袞議 (중략) 備邊司雖設局已久 因兵曹之 啓 選擇重臣 使之措置軍機 則今以倭寇不現形 而遽革不便 不必三公兼之.

의정부의 지휘나 병조의 관장을 받도록 되었음에 구애되지 않고 변사 등 군정을 주도하면서 의정부의 군정통령의 기능과 병조의 군정관장 기능을 제약하고 위축시켰다고 하겠다.

세 번째로 의정부·병조의 군정에 대한 기능·비변사당상 겸대, 의정부서사 제·육조직계제의 행정체계를 통하여 비변사와 의정부·병조의 권력체계를 본다. 이미 수차에 걸쳐 언급하였음과 같이 의정부는 군정을 포함한 전 국정을 총령하였고, 병조는 군정 등 병정을 전장한 만큼 비변사의 변사 등 군정기능의 행사를 지휘하고 관장하였다고 하겠다. 그런데 앞의 〈표 2-8〉에서와 같이 비변사의 활동경향을 볼 때 邊事 등 군정수행을 둘러싼 비변사와 병조·의정부 등과의 관계는 선조대에는 비변사가 병조·의정부를 제치고 변사·변사와 관계된 군정을 전장하였고, 중종~명종대에는 병조·의 정부 등과 공동으로 수행하였다. 그러나 그 주관 관아를 구체적으로 보면 선조대는 물론 중종~명종대에 있어서도 ① 중종 17년에 홍문관 부제학 徐厚 등이 비변사의 대두로 인한 의정부·병조 기능의 부실화로 인한 개선책으로

> E1 今之政府卽古冢宰之任 今之兵曹卽古司馬之職也 國有戎事 政府議以處之 兵曹
> 舉以行之 亦足以無敗矣 今者國有邊警 政府不任其責 別設備邊司 而又置都提調
> 與政府相抗 兵曹反爲之退聽 則是軍國重事 委諸權設之司 而政府兵曹反不得以
> 專之也. (하략)[112]

라고 하면서 비변사의 혁파를 청하였으나 대신 등이

> E2 大抵戎事 兵曹皆實主之 但兵曹所掌不止防禦一事而已 恐未專一也 知邊司宰相
> 等同議施行 似爲不妨 況大事必問於政府 而兵曹判書爲備邊司堂上 則政府該曹

---

112) 『중종실록』 권45, 17년 7월 신미.

不可爲不與之也. (하략)113)

라고 하면서 반대하였기 때문에 실현되지 못하였다. ② 중종 17년 이후에도 위에서와 같은 맥락에서 빈번히 비변사의 혁파와 3의정의 비변사 겸대가 제기되었지만,114) 그 때마다 정부 대신과 국왕의 반대로 실현되지 못하였고, 오히려 변사의 증가에 따라 비변사 기능이 확대되면서 병조·의정부의 군정기능을 더욱 위축시키는 방향으로 이행되었다.115) ③ 명종 10년 이후에는 특히 비변사가 1품아문으로 그 지위가 격상되고 종래의 당상관에 추가하여 3의정이 당상을 예겸하면서는 3의정의 영향력이 가세되면서 비변사의 군정기능이 더욱 강화된 등과 같이 비변사가 의정부·병조의 간섭을 배제하고 변사를 주관하는 경향이 현저하였다. 이 중에서도 명종 10년에 비변사가 1품아문이 되고 3공이 당상을 예겸한 것은 비변사의 기능을 크게 강화시켜 선조 즉위 이래로 비변사가 의정부·병조를 제치고 군정을 전장하는 방향으로 이행되는 토대가 되었다.

3의정과 병조판서·참판은 앞 3에서 언급되었음과 같이 중종 5~7년·12~15년·17년 6월~8월, 중종 36~명종 11년, 중종 19~21년(柳聃年), 중종 36~38년경(金安國)·중종 39~?(丁玉亨, 이상 병판) 및 중종 15~17년(金錫哲, 병참판)의 시기에 각각 도제조나 제조로서 비변사사를 監領하거나 비변사의 논의에

---

113) 동상조.

114) 『중종실록』 권45, 17년 8월 임오 ; 『중종실록』 권57, 21년 6월 신축 ; 『중종실록』 권51, 23년 4월 경술 ; 『명종실록』 권16, 9년 2월 기묘.

115) 비변사가 병조나 의정부를 제치고 변사 등 군정을 주관한 몇 예를 보면 의정부나 병조가 동시에 附議된 변사를 단독으로 결정할 수 없으니 비변사와 함께 의논할 것을 청한 것(『중종실록』 권53, 20년 2월 신축, 병조), 병조가 상계한 정사를 비변사와 함께 의논하여 지시한 것(『중종실록』 권51, 23년 4월 경술), 병조를 제외시키고 3공·비변사만 논의한 것(『명종실록』 권16, 9년 6월 정해), 비변사와 3공의 의견이 대립된 것(『명종실록』 권22, 12년 6월 갑진), 3공·비변사·병조가 擬議한 것을 비변사가 보고한 것(『명종실록』 권28, 17년 11월 신묘) 등이 있다.

참여하였다. 그러나 이들의 비변사논의 때 발휘한 영향력은 3공은 앞의 분석과 같이 변사에 대한 미숙, 제조 중심의 비변사 운영에 따라 미약하였다. 병조 판서·참판에 있어서도 제조가 5~10명이고 겸대기간이 단기간인 것과 관련되어 기능발휘가 강력하지 못하였다. 그러나 유담년·김석철은 변사에 암련하였고, 김안국·정옥형 경우 김안국은 성리학에 정통한 당대의 대표적인 문신이기는 하나 경상도관찰사를 역임하였고, 정옥형도 『대전후속록』의 편찬에 참여한 저명한 문신이기는 하나 충청·전라도 관찰사를 역임한[116] 것에서 각각 경상도나 전라도의 변사에 다소 조예가 있었다고 추측됨에서 비변사논의 때에 어느 정도의 영향력을 발휘하였다고 하겠다.

중종 5~선조 24년에 비변사가 수행한 변사 등의 국정은 중종 5~11년·중종 28년경~선조 24년에는 六曹直啓制가 실시되면서 6조가 중심이 된 국정운영 체계의 운영과 함께 왕-병조-비변사의 행정체계, 중종 11~28년경에는 議政府署事制가 실시되면서 의정부가 중심이 된 국정운영과 함께 왕-의정부-병조-비변사나 왕-의정부-비변사의 행정체계로 각각 운영되었다고 추측되었다. 그런데 동기에 비변사가 수행한 변사 등 정사 수행시의 국정운영 체계를 보면 극소수만이 위에서와 같은 행정체계로 운영되었고,[117] 거의 대부분은 앞 〈표 2-8〉에서 시사되었듯이 왕-비변사, 왕-비변사·의정부·병조 등 또는 왕-비변사·의정부와 왕-비변사·병조의 행정체계로 운영되었다. 단지 일부에 있어서는 앞 주 115)에서 제시되었듯이 의정부나 병조가 동시에 附議된 변사를 단독으로 결정할 수 없으니 비변사와 함께 논의하자고 청하는가 하면, 병조가 상계한 공사를 비변사와 함께 논의하거나 병조를 제외시키고 3공·비변사만으로 논의하게 하였으며, 비변사와 3공이 변사결정을 두고 대립하는 등 비변사가 오히려 병조나 의정부를 제치고 변사

---

116) 『중종실록』에서 종합.
117) 『중종실록』 권45, 17년 9월 기유, 외.

등 정사를 주도하였다.

이상에서 중종 5~선조 24년의 변사 등 군정결정을 위한 법제적인 행정체계는 왕-의정부-병조-비변사(중종 11~28년경)나 왕-병조-비변사(중종 5~11년, 중종 28년경~선조 24)의 체계로 수행되도록 되었다. 그러나 실제로는 비변사의 성립과 운영배경이 왜·야인과 직·간접으로 관련된 대소 변사였고, 비변사 당상의 변사에 대한 조예와 그 수가 다수이면서 장기간 겸직하면서 변사를 집중적으로 논의·처리함에 따라 변사와 관련된 국정운영체계는 중종~명종대에는 비변사를 중심으로 한 왕-의정부·병조·비변사의 행정체계, 선조대에는 왕-비변사의 행정체계로 각각 운영되었다. 아울러 비변사는 이러한 행정체계와 구성원에서 1품아문이 된 명종 10년 이후는 물론, 그 이전에 있어서도 의정부·병조의 변사 등 군정기능을 크게 제약·축소시키면서 변사·변사와 관련된 정사를 주관하였고, 이를 토대로 임진왜란 이후에는 의정부를 제치고 국정의 최고 의결·정책기관으로 발전되었다.

요컨대 비변사는 중종 5~명종 9년에는 의정부·병조의 지휘나 관장을 받기는 하나 그 설치·운영동기가 변사의 집중적이고 효율적인 대처에서 기인되었고, 의정부·병조 대신의 변사에 대한 미숙함과 관련되어 독자적으로 혹은 이들과 함께 논의한 후 처리하였다. 명종 10~선조 24년, 특히 선조대에는 아문의 격이 1품아문으로 승격되고 상설기관화 됨을 토대로 의정부·병조의 간섭을 받지 않음은 물론 의정부·병조의 변사 등 군정에 대한 통령관장 기능을 무력화시키면서 변사와 관련된 모든 정사를 주관하였다. 그리하여 명종 10년 이후의 비변사는 사헌부가 "備邊司雖是一品衙門 而實非政府之比"[118]라고 하였음과 같이 의정부의 지위와 기능에는 미치지 못하지만 변사 등과 관련된 정사의 수행에 있어서는 병조를 제치고 의정부에 근접하는 지위와 기능을 누렸고, 이러한 지위·기능을 토대로 임진왜란 이후에는 의정

---

118) 『명종실록』 권20, 11년 4월 신묘.

부까지도 제치고 명실상부한 최고 국정기관이 되었다.

6. 결어

지금까지 비변사의 성립시기와 배경, 성립기(중종 5~선조 24년) 비변사의 변천과 조직 및 기능, 그리고 비변사와 의정부·육조 등의 국정운영을 둘러싼 권력체계 등을 검토하였다. 이를 요약하면서 결론을 지어보면 다음과 같다.

비변사는 중종 5년에 삼포왜란이 일어나자 그 토벌을 논의하고 지휘하여 야 할 의정부·병조 대신이 병사에 미숙하고, 세종대 이래로 知邊司宰相制가 운영되면서 남북방의 변사에 대처한 전통과 관련되어 왜변을 집중적이고도 효율적으로 진압하기 위한 관아설치의 필요에서 성립되었다.

중종 5년에 성립된 비변사는 그 후 상설의 정1품아문이 되는 명종 10년까지 긴급한 변사의 발생, 변경의 안정 등과 관련되어 중종대에 5~7년경 폐지, 12년 복설, 12~15년경 폐지, 15년 복설, 15~17년경 폐지, 17년 복설, 22년경 폐지, 36년 복설되는 등 10여 차례에 걸쳐 폐지와 복설이 반복되었고, 명종 10년의 기능·조직이 확대·강화되는 변화를 겪으면서 고종 2년까지 운영되었다.

비변사 조직은 중종 5년 성립시에는 도제조(3공)－제조(?)－종사관(?)의 체계였고, 이후 비변사의 기능·관아지위와 함께 제조와 낭청의 수는 차이가 있지만 중종 15~17년 5월·17년 8월~36년 12월과 명종 11~선조 24년에는 제조－낭청 체계, 중종 12~15년·17년 6월~8월·36년 12월~명종 11년에는 도제조－제조－낭청의 체계로 각각 변천되면서 운영되었다.

비변사 기능은 법제적으로는 중종 5년 성립시에는 외방의 변사, 중종 15년 이후는 외방변사와 경중군무를 관장하도록 각각 규정되었다. 실제기능 은 변사가 발생된 시기와 그 중요성에 따라 다소의 차이는 있지만 중종 5~선조 24년의 전 시기를 통하여 변사와 관련된 군사·인사·재정·외교·형정 등 여러 정사를 담당하였다. 아울러 비변사 정치활동을 보면 전체적으로는 의의활동이 중심이 되었으나 시기가 이행될수록 계문활동이 점차 증가하고 의의활동은 감소하는 등 비변사 기능이 점진적으로 강화되었다.

비변사와 의정부의 권력관계는 의정부가 국정을 통령한 만큼 비변사사를 지휘하거나 간여할 수 있었고, 또 제도적으로 3의정은 비변사도제조를 예겸하였고, 중종 11~28년경에는 議政府署事制가 실시되었기에 직접적으로 비변사를 지휘·제약하는 영향력을 발휘할 수 있었다. 그러나 실제로는 이러한 의정부의 비변사에 대한 지휘기능과는 달리 의정부대신은 대개 변사에 미숙하다는 이유로 비변사도제조 겸대나 변사논의를 기피하였다. 반면에 비변사제조는 그 수가 다수이면서 장기간에 걸쳐 겸직하기도 하였지만 남북의 군직을 두루 역임하고 변사에 암련하였기에 의정부의 지휘나 간섭을 받지 않고 변사와 관련된 여러 정사를 독자적이고도 강력히 수행하였다.

비변사와 병조의 권력체계는, 병조는 그 직장상 비변사나 비변사사에 간여할 수 있었고, 제도적으로 중종 5~11년·중종 28년경~선조 24년에는 육조직계제가 실시된 만큼 직접적으로 비변사를 지휘·감장할 수 있었다. 그러나 실제로는 병조대신은 대개 변사에 미숙하고 빈삭하게 교체된 반면에 비변사제조는 그 수가 다수이고 변사에 諳鍊한 인물이었기에 병조의 비변사에 대한 지휘·참여기능을 유명무실하게 함은 물론 병조의 병사와 관련된 군정기능을 제약·약화시키면서 변사와 관련된 여러 정사를 독자적이고도 강력히 수행하였다.

요컨대 성립기(중종 5~선조 25년)의 비변사는 남북의 변사에 집중적이고도 효율적으로 대처하기 위한 필요성에서 설치되었고, 다수의 변사에 암련한 인물이 장기간 제조를 겸대 및 그들이 중심이 되어 운영되었다. 이에 비변사는 비록 국가통치구조상 비변사나 비변사가 수행하는 정사는 의정부·병조의 지휘·감장을 받도록 되었지만 이를 극복하면서 변사와 관계된 여러 정사를 독자적으로 운영하는 등 의정부·병조의 변사와 관련된 국정통령기능과 병정기능을 제약하고 위축시켰다. 특히 명종 10년에 상설의 정1품아문이된 이후로부터 선조 24년에는 변사 등 군정기능의 행사에 있어 병조를제치고 의정부에 근접하는 지위를 확보하였고, 이를 토대로 선조 25년 임진왜란 이후에는 의정부를 제치고 최고의 국정기관으로 정립되었다.

지금까지의 검토 중에 사료의 한계로 인해 부득이 ① 비변사의 성립시기에관한 중종 5년설과 중종 12년설, ② 비변사가 성립된 중종 5~명종 10년까지의비변사 아문의 지위, ③ 명종 11~선조 24년 3의정의 비변사도제조 겸대여부등은 만족할 만한 결론을 도출하지 못하였다. 앞으로 자료를 면밀히 검토하면서 수정될 여지가 있다고 생각된다.[119]

---

[119] 본고의 탈고 후에 潘允洪 교수가 발표한 「朝鮮時代 備邊司硏究」(1990, 국민대학교 박사학위논문)를 접하였다. 부득이 본고에는 참고하지 못하였다.

제3장 朝鮮 中·後期(성종 16~고종 2년) 中央官衙 變遷研究

1. 서언

中央官衙는 서울의 각급 관인이 모여 공무를 보는 장소—官廳, 公廨—이고, 정치기구를 일컫는 말이다. 조선초기 중앙관아에는 국왕에게 직접으로 정사를 보고하고 지시를 받으면서 管掌事를 처리하는 議政府, 六曹 등 直啓衙門과 육조의 지휘를 받아 관장사를 집행하는 館閣과[1] 諸寺·監·司·倉·庫·署 등이[2] 있다.

조선초기 중앙관아에 대하여는 그 국정관장의 기능과 관련되어 1954년 末松保和가 「朝鮮議政府考」(『조선학보』 9)를 발표한 이래로 많은 연구가 있었다. 그 연구 성과를 보면 조선초기(태조 1~성종 16, 『經國大典』 반포)에 있어서는 議政府,[3] 六曹,[4] 承政院,[5] 集賢殿,[6] 成均館[7] 등 관아를[8] 주제로

---

1) 관각은 文翰을 관장하는 弘文館, 藝文館, 春秋館, 成均館, 承文院, 校書館이다.

2) 諸寺는 宗簿寺 등 9寺이고, 諸監은 軍資監 등 6監이고, 諸司는 內需司 등 6司이고, 諸倉은 豊儲·廣興倉이고, 諸庫는 義盈庫 등 4庫이며, 諸署는 平市署 등 17署이다. 그 외에도 忠翊·內侍府와 掌隷院과 尙瑞院 등 8院, 교육기관인 世子侍講院·宗學·四學, 諸陵·殿 등이 있다(『경국대전』 이·호·예·병·형·공전 모두, 구체적인 관아명은 뒤 〈표 3-5〉 참조).

3) 韓忠熙, 1980·1981, 「朝鮮初期 議政府硏究」(상·하), 『韓國史硏究』 31·32.

4) 한충희, 1981, 「朝鮮初期 六曹硏究-制度의 確立과 實際機能을 중심으로-」, 『大丘史學』 20·21 ; 1998, 『朝鮮初期 六曹와 統治體系』, 계명대학교출판부.

한 많은 연구가 있고, 또 모든 관아의 변천이 체계적이고도 종합적으로 정리되었다.9) 조선 중·후기(성종 16~고종 31)에 있어서도 국정운영의 중심 관아인 議政府,10) 備邊司,11) 宣惠廳,12) 5軍營과13) 內需司 등14) 많은 연구가

---

5) 金昌鉉, 1986, 「朝鮮初期 承政院에 관한 연구」, 『(한양대)韓國學論集』 10 ; 한충희, 1987, 「朝鮮初期 承政院연구」, 『한국사연구』 59.

6) 崔承熙, 1967·1968, 「集賢殿硏究」(상·하), 『歷史學報』 32·33.

7) 李成茂, 1967, 「鮮初의 成均館 硏究」, 『역사학보』 25·26.

8) 그 외의 주요 연구는 다음과 같다.
金成俊, 1964, 「宗親府考」, 『史學硏究』 18 ; 南智大, 1980, 「朝鮮初期 經筵制度」, 「(서울대)韓國史論』 6 ; 元永煥, 1990, 『漢城府硏究』, 강원대학교출판부 ; 李相寔, 1975, 「義禁府考」, 『(전남대)歷史學硏究』 6 ; 李存熙, 1984, 「朝鮮時代 留守府經營」, 『한국사연구』 47 ; 車文燮, 1960, 「鮮初의 內禁衛에 대하여」, 『사학연구』 18 ; 1973, 『朝鮮時代 軍事制度硏究』, 단국대학교출판부 ; 千寬宇, 1962, 「朝鮮初期 五衛의 形成」, 『역사학보』 17·18 ; 崔承熙, 1970, 「弘文館의 成立經緯」, 『한국사연구』 5 ; 韓忠熙, 1984, 「朝鮮初(太祖 2~太宗 1년) 義興三軍府硏究」, 『啓明史學』 5, 2007, 『朝鮮初期 官衙硏究』. 國學資料院.

9) 한충희, 2006, 『朝鮮初期의 政治制度와 政治』, 계명대학교출판부 ; 1994, 「중앙 정치구조」, 『한국사』 23, 국사편찬위원회 ; 2001, 「중앙 정치 기구의 정비」, 『세종문화사대계』 3, 세종대왕기념사업회.

10) 한충희, 2011, 「朝鮮 中·後期 議政府制의 變遷硏究」, 『韓國學論集』 45, 계명대학교 한국학연구원 ; 2011, 『朝鮮前期의 議政府와 政治』, 계명대학교출판부.

11) 한충희, 1992, 「朝鮮 中宗 5년~宣祖 24년(성립기)의 備邊司에 대하여」, 『西巖趙恒來教授華甲紀念 韓國史學論叢』, 논총간행위원회 ; 李在喆, 2001, 『朝鮮後期 備邊司硏究』, 集文堂 ; 潘允洪, 2003, 『朝鮮時代 備邊司硏究』, 景仁文化社.

12) 최주희, 2014, 「朝鮮後期 宣惠廳의 運營과 中央財政構造의 變化」, 고려대학교 박사학위논문.

13) 이겸주, 1976, 「壬辰倭亂과 軍事制度의 改編」, 『韓國軍制史』 근세조선후기편, 육군본부 ; 李泰鎭, 1977, 「中央五軍營制의 成立過程」, 『한국군제사』 근세조선후기편, 육군본부 ; 車文燮, 1981, 「朝鮮後期 中央軍制의 改編」, 『한국사론』 9, 국사편찬위원회 ; 吳宗祿, 1990, 「중앙군영의 변동과 정치적 기능」, 『조선정치사 1800~1863』 하, 청년사 ; 車文燮, 1973, 「宣祖朝의 訓鍊都監」, 『朝鮮時代軍制史』, 단국대학교출판부 ; 1976·1979, 「守禦廳硏究」(상·하), 『동양학연구』 6·9, 단국대동양학연구소 ; 1998, 「중앙 군영제도의 발달」, 『한국사』 30, 국사편찬위원회 ; 崔孝軾, 1983, 「御營廳硏究」, 『한국사연구』 40 ; 1985, 「摠戎廳硏究」, 『논문집』 4, 동국대 ; 1996, 『朝鮮後期 軍事史硏究』, 新書苑 ; 金鍾洙, 2003, 『朝鮮後期 中央軍制硏究-訓鍊都監의 設立과 社會變動-』, 혜안.

14) 韓春順, 1999, 「明宗代 王室의 內需司 運用」, 『(경희대학교)人文學硏究』 ; 이인복, 2019, 「朝鮮中期 內需司의 運營과 公私論爭」, 『歷史教育論集』, 역사교육학회 ; 김종수, 2016,

---

있었다. 그러나 조선 중·후기 중앙관아의 변천을 종합적으로 정리한 연구는 없다. 여기에 본 연구의 필요성이 있다.

본 장에서는 조선 중·후기의 중앙관아를 대상으로 한 지금까지의 연구성과를 수렴하고 『朝鮮王朝實錄』, 『備邊司謄錄』, 『增補文獻備考』(職官考), 『續大典』, 『大典通編』 등을 검토하면서 『經國大典』에 규정된 중앙관아를 기점으로 하여 이후 1865년(고종 2)에[15] 편찬된 『대전회통』에 법제화되기까지의 중앙관아 변천을 고찰하고자 한다. 먼저 이 시기에 중앙관아가 변천하게 된 배경을 곁들이면서 중앙관아의 변천상을 直啓衙門, 六曹屬衙門, 軍營衙門,[16] 臨時衙門 으로 구분하면서 살피고, 이어서 이러한 관아의 변천이 동기의 정치운영과 어떻게 관련되었는가를 살피기로 한다.

이러한 연구를 통하여 조선 중·후기(1485, 성종 16, 『경국대전』 반포~1865, 고종 2, 『대전회통』 반포) 중앙관아의 변천상이 규명되고, 나아가 이 시기의 정치제도와 정치운영을 천착하는 한 토대가 될 것으로 생각한다.

「朝鮮의 王軍과 都體察使府」, 『軍史』 98, 국방부 군사편찬연구소 ; 박범석, 2016, 「壯勇 營의 編制와 財政運營」, 『한국사론』 62, 서울대 국사학과 ; 박범, 2019, 「正祖中半 壯勇營의 軍營化過程」, 『史林』 70, 수선사학회 ; 洪順敏, 2016, 「承政院의 職制와 空間規 模」, 『奎章閣』 49, 서울대 규장각 한국학연구원 ; 한충희, 2019, 「朝鮮時代 陵官制研究」, 『東西人文學』 59, 계명대학교 동서인문학연구소.

15) 조선의 시기구분을 보면 학자에 따라 다소의 차이는 있지만 국사편찬위원회의 『(신편) 한국사』에 의하면 조선시기는 크게 초기(태조 1~성종 25), 중기(연산군 1~선조 24), 후기(선조 25~고종 12, 1875), 말기(고종 13, 1876~1910)로 구분된다. 본 장에서는 이를 참고하고, 또 고종 2년(『대전회통』 반포) 이후의 관제변화는 아직 검토를 마치지 못하였기에 편의상 1865년(고종 2)을 하한으로 하여 정리한다.

16) 군영아문은 訓練都監, 禁衛營, 御營廳, 守禦廳, 摠戎廳, 經理廳, 扈衛廳, 禁軍廳, 捕盜廳, 管理營, 鎭撫營이다(『속대전』· 『대전통편』 권4 병전 군영아문). 『경국대전』에는 모든 중앙관아가 그 행정체계와 관련되어 직계아문과 육조속아문으로 적기되었지만 『속대 전』부터는 왜란 이후에 설치된 훈련도감 등을 병전에 기재하기는 하나 병조속아문인 五衛 등과는 별도로 군영아문으로 분류하여 기재하였다. 이에 따라 훈련도감 등을 군영아문으로 분류하여 파악한다. 그러나 그 관아의 기능·관직과 행정체계를 볼 때 5군영 등은 직계아문으로 보아도 좋을 듯하다.

2. 直啓衙門의 變遷

조선의 직계아문은 1405년(태종 5)에 태종이 왕권을 강화하고 국정을 소수의 堂上官－堂上衙門을 중심으로 운영하려는 의도로 당시에 운영된 모든 중앙관아를, 그 관장사를 직접 국왕에게 보고하고 지시를 받아 처리하게 하는 直啓衙門과 6조－吏, 戶, 禮, 兵, 刑, 工曹－에 分屬(소속)시켜 該曹(屬曹, 仰曹)의 지휘를 받아 관장사를 처리하게 하는 六曹屬衙門으로 구분하면서 비롯되었다.[17] 성립 때의 직계아문에는 의정부, 이·호·예·병·형·공조(이하 6조), 漢城府, 司憲府, 開城留守府, 承政院, 司諫院, 3軍都摠制府가 있었다. 이 직계아문은 그 후 태종, 세종, 세조대 등에 걸쳐 관제개변에 따라 義禁府·中樞府·敦寧府·5衛都摠府·內禁衛 등 10여 아문이 새로이 직계아문이 되면서[18] 『경국대전』에는 종친부, 의정부, 충훈부, 의빈부, 돈령부, 중추부, 의금부, 6조, 한성부, 5위도총부, 사헌부, 개성부, 겸사복, 내금위, 승정원, 사간원, 경연의 22아문으로 법제화되었다.

본 장에서는 『경국대전』에 법제화된 의정부 등 22아문이 이후 1865년(고종 2, 『대전회통』 반포)까지 어떻게 변천되면서 운영되었는가를 신설아문, 승격아문, 혁거아문으로 구분하여 살펴본다.

1) 新設衙門

조선 중·후기 직계아문의 신설은 1492년(성종 23) 국왕호위를 강화하기 위하여 羽林衛를 설치하면서 비롯되었고,[19] 이어 1555년(명종 10), 이전

---

17) 『태종실록』 권9, 5년 1월 임자, 3월 정유.
18) 이들 아문이 직계아문이 되기까지의 변천은 한충희, 2006, 『조선초기의 정치제도와 정치』, 계명대학교출판부, 232~255쪽 〈표 6-10〉 참조.
19) 성종 23년에 설치되어 연산군 10년에 폐지되었다가 중종 1년에 복구되었고, 이후

1510년(중종 5)에 三浦倭亂의 진압과 관련된 군정을 통령하기 위하여 임시기 구로 설치되었다가 이후 廢·置가 반복되면서 운영되었던 備邊司를 乙卯倭變 을 기하여 상설의 정1품아문으로 규정하면서 비롯되었다.[20] 이 비변사는 1592년(선조 25) 임진왜란이 발발하자 의정부에 대신하여 최고 정치·군사 기구가 된 후 1865년(고종 2) 의정부에 합병되면서 혁거되기까지 계속되었 다.[21]

1625년(인조 3)에 도성수비를 강화하기 위하여 종2품 외관인 江華府尹府가 정2품 경관의 江華留守府로 승격되면서 직계아문이 되었고,[22] 이후 淸에 강화성의 함락·도성방어 등과 관련되어 1537년(인조 15) 도호부로 강격되 었다가 효종초에 유수부로 승격되었다.[23] 1661년(현종 3)에 당시까지 각도

폐, 치가 반복되면서 운영되다가 현종 7년 내금위·겸사복과 함께 금군청으로 통합되면 서 혁거되었다(『성종실록』권264, 23년 4월 을사 ;『연산군일기』권55, 10년 8월 계묘 ;『중종실록』권1, 1년 9월 기묘 ;『현종개수실록』권11, 5년 8월 계미). 우림위가 정식의 아문인가 임시아문인가는 명확하지 못하다. 그러나 『대전통편』권4, 병전에 겸사복장·내금위장에 이어 등재되어 있고 이어 "不載於原典 只見於續典小註 與兼司僕內 禁衛竝稱內將 同屬禁軍廳"이라 하였고, 우림위는 겸사복·내금위와 함께 현종 9년에 금군청으로 개편되면서 혁거되며, 또 羽林衛將은 兼司僕將·內禁衛將과 함께 금군청에 소속된 정3품직이 되었다. 즉 우림위는 겸사복·내금위와 동급의 친위군이었다. 이에 서 우림위는 겸사복·내금위와 같은 무반 종2품 직계아문으로 설치되었다고 추측하여 무반 종2품 직계아문으로 파악한다.
20) 그 置·廢와 기능은 다음과 같다(한충희, 1992,「조선 중종 5년~선조 24년(성립기)의 비변사에 대하여」,『서암조항래교수화갑기념 한국사학논총』, 205쪽〈표 2〉에서 발 췌).
중종 5~7년경 : 삼포왜란 진압, 변경방비.
중종 36~명종 10 : 제포왜변 진압 등 변경방비.
중종 12~15년경 : 북방여진 준동 방비.
명종 10년 : 을묘왜변 관련 군정 통령, 정1품 상설아문.
중종 15~17년경 : 야인구축등 변경방비, 아문.
중종 17~36년 이전 : 추자도왜변 진압.
21)『고순종실록』고종 2년 3월 28일조.
22)『강화부읍지』건치연혁 ;『속대전』권1, 이전 경관직.
23)『인조실록』권35, 15년 2월 정해 ; 이존희, 앞의「조선시대 유수부경영」, 37쪽. 이존희 는 승격된 시기를 명확히 제시하지는 않고 효종초라고 하였는데, 효종 1~3년에

의 堤堰과 修理를 修葺하기 위하여 임시로 운영되었던 제언사가 상설의 정1품 직계아문이 되었고, 그 후 혁거되었다가 1679년(숙종 5)에 복설되어 후대로 계승되었다.[24] 1683년(숙종 9)에 도성방어를 위해 廣州府尹府가 정2품 留守府로 승격되면서 직계아문이 되었고,[25] 그후 2차에 걸쳐 부윤부, 유수부로 변천된 후 1795년(정조 19)에 외관 종2품아문인 廣州府尹府가 정2품 유수부로 승격되면서 직계아문이 되어 후대로 계승되었다.[26] 1760년 (영조 36)에 대동미를 총관하는 宣惠廳과 도성의 하수구를 준설하던 濬川司가 각각 정1품 직계아문이 되었다.[27] 1776년(정조 즉위)에 정조의 개혁정치를 뒷받침하기 위해 설치된 奎章閣이 종2품 직계아문이 되어 후대로 계승되었으며,[28] 1793년(정조 17)에 외관 종3품아문인 水原都護府가 정조의 수원천도 도모와 관련되어 정2품 華城留守府로 개칭·승격되면서 직계아문이 되어 후대로 계승되었다.[29]

2) 革去衙門

1666년(현종 7)에 국왕 친위부대인 兼司僕과 內禁衛가 禁軍의 통합에 따라 羽林衛와 함께 禁軍廳으로 통합·개편되면서 혁거되었고,[30] 1865년(고종 2)에

강화성 방어를 강화하기 위한 鎭堡가 집중적으로 설치되었음에서 효종 3년경으로 추정된다.

24) 『현종실록』 권5, 3년 1월 을유·2월 갑오 ; 『숙종실록』 5년 1월 기해 ; 권29, 7년 5월 병자 ; 『증보문헌비고』 권216, 직관고 3.

25) 『숙종실록』 권14, 9년 1월 경오 ; 『광주부읍지』 건치연혁.

26) 『영조실록』 권71, 26년 5월 신미 ; 35년 11월 갑인 ; 『정조실록』 권43, 19년 8월 병진 ; 『광주부읍지』 건치연혁 ; 『대전회통』 권1, 경관직.

27) 『증보문헌비고』 권222, 직관고 9 ; 『대전회통』 권1, 이전 경관직.

28) 『증보문헌비고』 권220, 직관고 7.

29) 『수원부읍지』 건치연혁 ; 『대전회통』 권1, 경관직 ; 『정조실록』 권37, 17년 1월 병오.

30) 『속대전』 권4, 병전 군영아문 금군청.

비변사와 제언사가 1592년(선조 25) 이래로 비변사 중심으로 운영되던 국정 운영체제를 다시 의정부 중심체제로 복구한 정치체제 개편으로 의정부에 병합되면서 혁거되었다.[31]

이리하여 조선 중·후기의 직계아문은 1485년(성종 16)『경국대전』에 종친부·의정부·중추부 등 22아문이 비변사·선혜청·화성유수부·금군청·규장각 등 9아문이 신치되고, 비변사·내금위 등 4아문이 혁거되면서 22(성종 16~선조 24), 20(선조 25~정조 8), 24(정조 9~고종 1), 22(고종 2,『대전회통』)아문으로 변천되면서 운영되었다.

지금까지 살펴본 1485년(성종 16,『경국대전』반포)으로부터 1865년(고종 2,『대전회통』반포)까지의 직계아문 변천을 표로 정리하여 제시하면 다음과 같다.

〈표 3-1〉 조선 중·후기 직계아문 변천 일람표[32]

『경국대전』	성종16~선조24	선조25~정조8	정조9~고종1	『대전회통』	비고
宗親府	→	→	→	宗親府	정1품아문
議政府	→	→	→	議政府	
忠勳府	→	→	→	忠勳府	
儀賓府	→	→	→	儀賓府	
敦寧府	→	→	→	敦寧府	
備邊司	중종5 설치(임시아문)~7, 12~15, 17~25경, 38→	명종10 상설, 정1품아문→	→	고종2 혁 (속 議政府)	
宣惠廳		광해군즉위 설치→ 영조36 정1품아문→	→	宣惠廳	
堤堰司	성종16 이후 설치(임시아문)→ 중종18 이후 혁	현종3 복치→ ? 혁→숙종5 복→	→	고종2 혁 (속 議政府)	
濬川司		영조36 설치(동반아문)→	→	濬川司 (서반아문)	
中樞府	→	→	→	中樞府	

---

31) 『고종실록』고종 1년 6월 15일·2년 3월 28일조 ;『증보문헌비고』권216, 직관고 3 비변사.

義禁府	연산군10 密威廳→ 중종1 義禁府→	→	→	義禁府	종1품아문
六曹(吏·戶·禮·兵·刑·工曹)	→	→	→	六曹(이·호·예·병·형·공조)	정2품아문
漢城府	→	→	→	漢城府	
水原都護府(외관)	→	→	정조17 華城留守府→	華城留守府	
廣州牧(외관)	→	선조10 府尹府(외관)→ 인조1 留守府→ 8 부윤부→ 숙종9 유수부→ 16 부윤부→ 영조26 유수부→ 35 부윤부→	정조19 留守府→	廣州留守府	
五衛都摠府	→	→	→	五衛都摠府	
奎章閣			정조즉 설치→	奎章閣	종2품아문
司憲府	→	→	→	司憲府	
開城府	→	→	→	開城府	
江華都護府(외관)	→	광해군10 府尹府(외관)→ 인조5 留守府→ 15 도호부→ 효종초 유수부→	→	江華留守府	
承政院	→	→	→	承政院	정3품(당상)아문
司諫院	연산군10 혁→ 중종1 복→	→	→	司諫院	
經筵	→	→	→	經筵	
兼司僕	→	현7 禁軍廳(군영아문)→ 영조31 龍虎營→	→	龍虎營(軍營衙門)	
內禁衛	연산군11 衝鐵衛→ 중종1 內禁衛→	현7 禁軍廳(군영아문)→ 영조31 龍虎營→			
羽林衛	성종23 설치(직계아문)→ 연산10 혁→ 중종1 복→	현7 禁軍廳(군영아문)→ 영조31 龍虎營→			

---

32) 『경국대전』·『전록통고』·『속대전』·『대전통편』·『대전회통』이·병전, 『조선왕조실록』성종 14~고종 1년조, 『증보문헌비고』직관고에서 종합. 관아별 서열은 편의상 관아의 지위, 동반관아, 서번관아의 순서로 정리하였다.

3. 六曹屬衙門의 變遷

조선의 六曹屬衙門은 1405년(태종 5)에 태종이 왕권을 강화하고 국정을 소수의 당상관－당상아문을 중심으로 운영하려는 의도로 당시에 운영된 모든 중앙관아를 그 관장사를 직접으로 국왕에게 보고하고 지시를 받아 처리하게 하는 議政府 등 십수 直啓衙門과 宗簿寺 등 90여 아문을 이, 호, 예, 병, 형, 공조에 분속시켜 해조의 지휘를 받아 관장사를 처리하게 하는 六曹屬衙門으로 구분하면서 비롯되었다.[33]

성립 때의 90여 육조속아문이 그 후 태종, 세종, 세조대 등에 걸친 관제개변에 따라 忠翊府 등 10여 아문이 새로이 육조속아문이 되고 承寧府 등 30여 아문과 敬順府 등 10여 아문이 설치되었다가 혁거되면서[34]『경국대전』에는 이조에 忠翊府 등 7아문, 호조에 內資寺 등 17(이상)아문, 예조에 弘文館 등 30(이상)아문, 병조에 5衛 등 6(이상)아문, 형조에 掌隷院·典獄署의 2아문, 공조에 尙衣院 등 8아문 등 66(이상)아문으로 법제화되었다.[35]

---

33) 각 조에 소속된 90여 속아문은 다음과 같다(()는 속아문수. 한충희, 2006,『조선초기 정치제도와 정치』, 계명대학교출판부, 309~315쪽〈표 7－9〉에서 전재).
　이조(12)：恭安府, 仁寧府, 敬承府, 尙瑞司, 宗簿寺, 茶房, 司饔房, 藥房, 司膳署, 內侍府, 內直院, 掖庭署.
　호조(15)：內資寺, 內贍寺, 司膳署, 典農寺, 軍資監, 濟用監, 豊儲倉, 廣興倉, 供正庫, 京市署, 義盈庫, 長興庫, 養賢庫, 各道倉庫, 5部(동·서·남·북·중부).
　예조(37)：藝文館, 春秋館, 成均館, 經筵, 文書應奉司, 通禮門, 校書館, 禮賓寺, 雅樂署, 掌樂署, 書雲觀, 典醫監, 司譯院, 書筵, 昭格殿, 宗廟署, 司瞻署, 濟生院, 社稷壇, 氷庫, 典廐署, 分禮賓寺, 司饔所, 惠民局, 圖畫院, 膳官署, 道流房, 東·西大悲院, 4部(중·남·동·서) 儒學, 架閣庫, 福興庫, 種藥色, 大淸觀, 慣習都鑑, 僧錄司, 各道學校, 醫學.
　병조(12)：中軍, 左軍, 右軍, 10衛, 訓練觀, 義勇巡禁司, 司僕寺, 軍器監, 忠順扈衛司, 別侍衛, 鷹揚衛, 引駕房.
　형조(4)：刑曹都官, 典獄署, 律學, 各道刑獄.
　공조(8)：尙衣院, 膳工監, 司宰監, 供造署, 都染署, 沉藏庫, 景福宮提擧司, 上林園.
34) 변천된 관아와 그 변천과정은 한충희, 위 책, 309~315쪽〈표 7－9〉참조.
35) 한충희, 2006,『조선초기의 정치제도와 정치』, 계명대학교출판부, 309~315쪽,〈표 7-9〉에서 종합.

이 육조속아문이 이후 1865년(고종 2)까지 다음의 표에서 제시되었음과 같이 관아기능의 약화·재정궁핍 등으로 인한 관직 혁거·삭감, 업무증대, 기능유사아문에로의 합병, 세손의 교육·호위, 관제조정 등과 관련되어 30여 아문이 강격·승격·혁거·설치되는 변화를 겪으면서 운영되었다.

〈표 3-2〉 조선 중·후기 육조속아문 변천 배경 일람표[36]

	관직혁거(관아기능약화·재정궁핍)	업무증대	유사기능 관아로의 합병	기타	비고 (아문수)
신치 아문				세손강서원(세손교육), 세손익위사(세손호위)	2
혁거 아문			충익사, 종부시, 내섬시, 풍저창, 전함사, 교서관, 사축서, 도화서, 귀후서, 장예원, 수성금화사, 전연사	종학(운영부실)	13
승격 아문		5부, 세자시강원		제궁·제전·제릉(관제조정)	2(제궁등 제외)
강격 아문	내자시, 사도시, 제용감, 사재감, 의영고, 장흥고, 사포서, 예문관, 예빈시				9
합계	9아문	2	12	3(제궁 등 제외)	26(제궁등 제외)

본 장에서는 『경국대전』에 법제화돤 육조속아문이 이후 1865년(고종 2, 『대전회통』 반포)까지 어떻게 변천되면서 운영되었는가를 신설아문, 승격아문, 혁거아문으로 구분하여 살펴본다.

1) 昇格衙門

조선 중·후기에 승격된 육조속아문은 1648년(인조 24)에 世子侍講院에 세자의 講學을 강화하기 위하여 종3품의 輔德 위에 정3품직인 贊善이 설치됨

---

36) 뒤의 100~105쪽에서 종합.

에 따라 종3품아문에서 정3품아문으로 승격되었다. 1742년(영조 18)에 5부가 주부(종6)가 도사(종5)로 개칭·승격됨에 따라 종6품아문에서 종5품아문으로 승격되었다.[37)]

2) 降格衙門

조선 중·후기 육조속아문은 육조의 屬衙門事 관장, 군비증가·흉년으로 인한 재정궁핍,[38)] 능관이 중심이 된 참하관의 인사적체[39)] 등과 관련된 속아문의 장관·차관인 正·副正 등의 혁거에 따라 10여 아문이 정3품아문에서 종3품 이하 아문으로 강격되었다[( )는 강격아문].

성종 16~선조 24년에는 종2품아문인 忠翊府가 忠翊司로 개칭되면서 정4품아문으로 강격되었고,[40)] 정6품아문인 掌苑署가 掌苑이 혁거되면서 종6품아문으로 강격되었다가 1506년(중종 1)에 다시 장원이 설치되면서 정6품아문으로 환원되었다.[41)]

선조 25~정조 8년에는 선공감(정3→종3), 사도시·사재감(정3→ 종4), 제용감·교서관(정3→종5), 내자시·내섬시·예빈시(정3→종6), 의영고·장흥고·사포서·빙고·조지서(종5→종6)가 각각 정3품과 종5품 아문에서 종3~종6품 아문으로 강격되었다.[42)] 1717년(숙종 43)에 군기시가 정·부정의 혁거에

---

37) 『영조실록』 권56, 18년 10월 무술.
38) 『연산군일기』 권19, 9년 3월 경진 ;『중종실록』 권14, 6년 10월 정축 ;『명종실록』 권18, 10년 6월 정축 ;『선조실록』 권17, 16년 6월 정미 ;『선조실록』 권42, 26년 9월 계축 ;『인조실록』 권34, 15년 3월 정미 외.
39) 한충희, 2020, 「조선시대(1392, 태조 1~1785, 정조 9) 능관제연구」,『(계명대)동서인문학』 59, 155~156쪽.
40) 『연산군일기』 권61, 12년 1월 병신.
41) 『연산군일기』 권61, 12년 1월 병신 ;『증보문헌비고』 권223, 직관고 10.
42) 정3품아문에서 종3품아문으로 강격된 경우는 정3품직인 正이 혁거되고 종3품직인 副正이 장관이 되면서였으나, 정3품아문에서 종5품 이하 아문으로 강격된 경우는

따라 종4품아문으로 강격되었다가 1831년(순조 31) 이전에 정이 복치됨에
따라 정3품아문으로 환원되었다.[43]

3) 新置衙門

1649년(인조 27) 왕세손의 강학과 호위를 위해 정3품아문인 世孫講書院(예
조속아문)과 종6품아문인 世孫衛從司(병조속아문)가 설치되었고,[44] 1746년
(영조 22) 이전에 정3품아문인 宣傳官廳·종6품아문인 守門將廳(병조속아문)
이 설치되었다.[45]

4) 革去衙門

조선 중·후기 육조속아문은 그 관직이 재정궁핍과 관련되어 삭감되기도
하였지만 그 기능과 관련되어 屬曹(속아문이 소속된 조)나 기능이 유사한
속아문으로 통합되면서 혁거되었다(혁거연도는 뒤 〈표 3-5〉 참조).

성종 16~선조 24년에는 종학이 재정궁핍과 유명무실로 1505년(연산군
11)에 혁거되었고, 이후 복치·혁거가 반복되다가 1746년(영조 22) 이전에
혁거되면서 소멸되었다.[46] 사축서가 1506년(연산군 12)에 혁거되었다가

예컨대 예빈시가 명종 10년에 副正(종3)·提檢(4품)·僉正(종4)·判官(종5)이 혁거되
고 경종 1년에 正이 혁거되면서 종6품아문이 되었듯이 대개의 경우는 먼저 종3~종5품
관이 혁거되고 뒤에 정3~종5품관이 혁거되었다(『명종실록』 권18, 10년 6월 정축 ; 『증
보문헌비고』 권222, 직관고 9).

43) 『증보문헌비고』 권226, 직관고 13 군기시 ; 『순조실록』 권32, 31년 12월 무자.
44) 『증보문헌비고』 권225, 직관고 12 세손위종사.
45) 『증보문헌비고』 권226, 직관고 13 ; 『속대전』 권4, 병전 경관직.
46) 『연산군일기』 권60, 11년 11월 임이 ; 『중종실록』 권1, 1년 9월 기묘 ; 권14, 6년
7월 신유 ; 권26, 11년 9월 갑진 ; 권80, 30년 7월 무자 ; 『숙종실록』 권5, 2년 1월
정미 ; 『속대전』 권1, 이전 경관직 사축서, 외.

동년 중종의 즉위와 함께 복치되었고,[47] 다시 1595년(선조 28)에 전생서에 합병되면서 혁거된 후 복치·혁거가 반복되다가 1767년(영조 43)에 호조에 합병되면서 소멸되었다.[48] 소격서가 1506년(연산군 12)에 혁거되었고, 이후 복치와 혁거가 거듭되다가 1746년(영조 22) 이전에 혁거되면서 소멸되었다.[49] 충익사가 1555년(명종 10)에 충훈부에 합병되면서 혁거되었고,[50] 1616년(광해군 8)에 복치되었다가 1678년(숙종 4) 병조에 합병되면서 소멸되었다.[51]

선조 25~정조 8년에는 종부시가 1637년(인조 15)에 종친부에 병합되면서 혁거되었고, 1727년(영조 3) 이전에 복치되었다가 1864년(고종 1)에 다시 종친부에 병합되면서 소멸되었다.[52] 또 사섬시가 제용감,[53] 풍저창이 장흥고,[54] 전함사가 공조,[55] 교서관이 규장각,[56] 활인서와 귀후서(처음에는 예조)가 호조,[57] 장예원이 형조,[58] 수성금화사가 병조,[59] 와서가 공조에[60]

---

47) 『연산군일기』 권61, 12년 1월 병술 ; 『중종실록』 권1, 1년 9월 기묘.
48) 『선조실록』 권62, 28년 4월 갑자 ; 『인조실록』 권34, 15년 3월 정미 ; 『효종실록』 권20, 9년 12월 기묘 ; 『증보문헌비고』 권223, 직관고 10 사축서(영조 43년조).
49) 『연산군일기』 권61, 12년 1월 병신 ; 『중종실록』 권1, 1년 9월 기묘 ; 권34, 13년 9월 경자 ; 권46, 17년 12월 을유·정해 ; 『명종실록』 권18, 10년 2월 정축 ; 『인조실록』 권23, 8년 3월 기유 ; 『증보문헌비고』 권223, 직관고 10, 소격서 ; 『속대전』 권1, 이전 경관직 소격서.
50) 『명종실록』 권18, 10년 6월 기묘.
51) 『광해군일기』 권12, 8년 4월 병진 ; 『숙종실록』 권7, 4년 9월 을미.
52) 『인조실록』 권34, 15년 ; 『영조실록』 권11, 3년 2월 병인 ; 『고순종실록』 권1, 고종 1년 4월 11일.
53) 『인조실록』 권34, 15년 3월 정미. 이후 인조 23년에 종6품아문으로 복설되었다가 숙종 30년에 재차 혁거되면서 소멸되었다(『인조실록』 권46, 23년 1월 임진 ; 『숙종실록』 권40, 30년 8월 임신).
54) 『인조실록』 권34, 15년 3월 정미.
55) 『증보문헌비고』 권224, 직관고 11 전함사.
56) 『증보문헌비고』 권220, 직관고 7 정조 6년조.
57) 『중종실록』 권34, 13년 9월 경자 ; 『명종실록』 권18, 16년 5월 기묘 ; 『증보문헌비고』 권223, 직관고 10 정조 1년조.
58) 『영조실록』 권39, 10년 9월 계유.
59) 『증보문헌비고』 권224, 직관고 11. 수성과 금화기능으로 나뉘어 수성은 병조에 귀속되

각각 병합되면서 혁거되었다.

정조 9~고종 1년에는 내섬시가 의영고, 도화서가 예조, 귀후서가 호조로 각각 병합되면서[61] 혁거되었다.

또 조선 중·후기를 통하여 내자시 등 10여 아문이 폐·복치되거나 폐·복치를 반복하면서 운영되었다.[62]

그 외에도 정3품아문인 관상감이 1506년(연산군 12)에 司曆署로 개칭되고 종5품아문으로 강격되었다가 1506년(중종 1)에 정3품 관상감으로 환원되었고,[63] 장악원이 1505년(연산군 11)에 聯芳院으로 개칭되었다가 1506년에 장악원으로 복칭되었다.[64] 또 종5품아문인 장원서가 1505년에 종6품아문으로 강격, 1506년에 정6품아문으로 승격, 1746년(영조 22) 이전에 종6품아문으로 강격되는 변화를 각각 겪으면서 운영되었다.[65]

이리하여 조선 중·후기의 육조속아문은 다음의 표와 같이 성종 16~선조 24년에는 강격 2(승격·신치·혁거는 없었고[연산군대에 강격·혁거되었다가 중종대에 복구된 아문 제외]), 선조 25~정조 8년에는 승격 2·강격 13·신치

나 금화는 한성부에 귀속되었다.
60) 『선조실록』 권62, 28년 4월 갑자.
61) 『대전회통』 권1, 이전 경관직.
62) 그 아문은 다음과 같다.
『조선왕조실록』 연산군 1~영조 22년조에서 종합. ( )는 혁거시기

내자시(인조15~현종1년 이전)	조지서(연산군12~중종1, 선조16~27이전)
홍문관(연산군1~중종1)	내자시(인조15~현종4 이전)
종묘서(중종11~20)	의영고(선조27~광해군 즉위)
혜민서(인조15~곧)	양현고(선조26~영조22 이전)
4학(연산군10~중종1)	활인서(선조26~영조22 이전)
전설사(선조6~16이전)	와서(선조28~, 선조 36~영조22 이전)

63) 『연산군일기』 권61, 12년 1월 병신 ; 권63, 12년 7월 정유 ;『중종실록』 권1, 1년 9월 기묘.
64) 『연산군일기』 권57, 11년 3월 정해 ; 권58, 11년 5월 경술 ;『중종실록』 권1, 1년 9월 기유.
65) 『연산군일기』 권57, 11년 3월 정해 ;『중종실록』 권1, 1년 9월 기유 ;『속대전』 권1, 이전 경관직 장원서.

<표 3-3> 속조별 속아문 변천 열람표[66]

	『경국대전』	성종16~ 선조24	선조25~ 정조8	정조9~ 고종1	『대전회통』	비고
이조	7	7	7~6	6~5	5	
호	17 이상	17	17~14	14~13	13	
예	27 이상*	27	27~23	23	23	*諸殿, 宮, 陵 제외
병	6 이상	6	6~9	9	9	
형	2	2	2~1	1	1	
공	7	7	7~5	5	5	
합계	66이상	66	66~58	58~56	56	

4·혁거 12, 정조 9~고종 1년에는 혁거 2(승격·강격·신치는 없음)이 되는 변천을 겪으면서 운영되었다.

또 속아문수는 위의 표와 같이 66 이상(『경국대전』)[67]→ 66(성종 16~선조 24)→ 66~58(선조 25~정조 8)→ 58~56(정조 9~고종 1)으로 변천되면서 운영되었다.[68] 속아문의 지위는 다음의 표와 같이 종2품아문은 3(『경국대전』)→ 2(성종 16~선조 24)→ 2(선조 25~정조 8)→ 2(정조 9~고종 1), 정3품 당상아문은 2(『경국대전』)→ 2(성종 16~선조 24)→ 2~1(선조 25~정조 8)→ 1(정조 9~고종 1), 정3품아문은 27(『경국대전』)→ 27(성종 16~선조 24)→ 27~20(선조 25~정조 8)→ 20~19(정조 9~고종 1), 종6품아문은 12 이상(『경국대전』)→ 12(성종 16~선조 24)→ 22~18(선조 25~정조 8)→ 18~17(정조 9~고종 1) 아문으로 변천되면서 운영되었다(종3~정6품아문의 수는 주 31) 참조).

지금까지 고찰한 육조속아문의 변천을 정리하여 덧붙이면 다음의 표와 같다.

---

66) 앞 100~103쪽에서 종합.
67) 4학·5부·5위는 1아문으로 계산, 그 각각을 고려하면 80여 아문이 된다(제궁·능·전 제외, 이후의 시기도 같다).
68) 그 변천상을 정리하면 다음의 표와 같다(<표 3-4>에서 종합).

<表 3-4> 육조속아문 지위별·시기별 변천 일람표(諸殿, 宮, 陵 제외)[69]

	『경국대전』	성종16~선조24	선조25~정조8	정조9~고종1	『대전회통』	비고
종2품아문	3이상*	3~2	2	2	2	* 忠翊府, 內侍府, 五衛
정3품 당상아문	2*	2	2~1	1	1	* 弘文館, 掌隸院
정3	27	27	27~20	20~19	19	
종3	1	1	3~2	2	2	
정4	5	6~5	5~1	1	1	
종4	2	2	4~2	2	2	
정5	2	2	2	2	2	
종5	8	8	11~7	7	7	
정6	3	3	3~1	1	1	
종6	12이상	12	22~18	18~17	17	
합계	66이상	66~63	67~54	54~52	52	

<표 3-5> 조선 중·후기 육조속아문 변천 일람표[70]

『경국대전』	성종16~선조24	선조25~정조8	정조9~고종1	『대전회통』	비고
忠翊府	연산군12 忠翊司(정4아문)→				이조속아문, 정3품아문
內侍府	→	→	→	내시부	
尙瑞院	→			상서원	
宗簿寺	→ 인조15 혁(속충훈부)→? 복 →		→	고종1 혁(속종친부)	
司饔院	→	→	→	사용원	
	연산군12 忠翊司→ 명종10 혁(속충훈부)→	→ 광해군8 복→ 혁(숙종4, 속병조71))			정4
內需司	→	→	→	내수사	정5
掖庭署	→	→	→	액정서	잡직아문
內資寺	→	인조15 혁→ 곧 복(현종4 이전)→? 종6품아문			호조속아문, 정3품아문
內贍寺	→	인조15 종6품아문			
司䆃寺	→	숙종28 종4품아문			
司瞻寺	→	? 혁→ 인조13 복→ 15 혁(속濟用監)→ 23 복(종6아문)→ 숙종30 혁			
軍資監	→	→	→	군자감	
濟用監	→	숙종1 종5품아문			

---

69) 뒤 <표 3-5>에서 종합.

司宰監	→	영조22이전 종4품아문			
豊儲倉	→	인조15 혁(속장흥고)			정4
廣興倉	→	→	→	광흥창	
典艦司[72]	→	중종31~정조9이전 혁 (속공조)			
		司䆃寺→	→	사도시	종4
		司宰監→	→	사재감	
		濟用監→	→	제용감	종5
平市署	→	→	→	평시서	
司醖署	→	→	→	사온서	
		영조18 五部(東·西·南·北 ·中部)→	→	오부(동·서· 남·북·중부)	
義盈庫	→	선조7이후 혁→ 광해군 즉위 복→ 영조22이전 종 6품아문			
長興庫	→	인조15~영조22이전 종6 품아문			
司圃署	연산군12 혁→ 숙 종30이전 복→	영조22이전 종6품아문			
養賢庫	→	선조26 혁→ 영조22이전 복→	→	양현고	
		內資寺→	→	내자시	종6
		內贍寺→	→ 정조 24혁 (속의영고)		
		義盈庫→	→	의영고	
		長興庫→	→	장흥고	
		司圃署→	→	사포서	
五部(東·西· 南·北·中部)	→	영조18 종5품아문			
弘文館	연산군11 혁→ 중 종1 복→	→	→	홍문관	예조속아문, 정3품아문
		世子侍講院→	→	세자시강원	
		世孫講書院→	→	세손강서원	
藝文館	→	정조9이전 종3품아문			
成均館	→	→	→	성균관	
春秋館	→	→	→	춘추관	
承文院	→	→	→	승문원	
通禮院	→	→	→	통례원	
奉常寺	→	→	→	봉상시	
校書館	→	광해군2 서적교인도감 → ? 校書館→ ? 종5품아 문→ 정조6 혁(규장각)			

內醫院	→	→	→	내의원	
禮賓寺	→	경종1 종6품아문			
掌樂院	연산군11 聯芳院→ 중종1 掌樂院→	→	→	장악원	
觀象監	연산군2 사력서 (종5아문)→ 중종1 觀象監→	→	→	관상감	
典醫監	→	→	→	전의감	
司譯院	→	→	→	사역원	
世子侍講院	→	인조24 정3품아문			종3
			藝文館→	예문관	
宗學	연산군11 혁→ 중종6 복→ 6 혁→ 11 복→? 혁→ 30 복→? 혁→	→ 숙종2 복→ 영조22이전 혁			정4
昭格署	연산군12 혁→ 중종1 복→ 13 혁→ 17 복→	→ 영조22이전 혁			종5
宗廟署	중종11 혁→ 20 복→	→	→	종묘서	
社稷署	→	→	→	사직서	
		校書館→ 정조6 혁(속규장각)			
氷庫	→	영조22이전 종6품아문			
		禮賓寺→	→	예빈시	종6
		氷庫→	→	빙고	
典牲署	→	→	→	전생서	
司畜署	연산군12 혁→ 중종1 복→ 인조15 혁(속 전생서)	? 복→ 선조28 혁(속전생서)→ 효종9 복→ 영조43 혁(속 호조)			
惠民署	인조15 혁(속전의감)→ 곧 복→	→	→	혜민서	
圖畵署	→	정조9이전 혁			
活人署	→	선조26 혁(속 예조)→ 영조22이전 복→	→	활인서	
歸厚署	→	선조26 혁(속 예조)→ 영조22이전 복→ 정조1 혁(속 호조)			
四學(東·西·南·北·中學)	연산군10 東·西·南學 혁→ 중종1 복→	현종2 5학(치 북학), 곧 4학(혁북학)→	→	4학(동·남·북·중학)	
諸殿·陵73)	→	→	→	제전	

五衛(義興·龍驤·虎賁·忠佐·忠武衛)	→	→	→	5위(의흥·용양·호분·충좌·충무위)	병조속아문, 정3품아문
訓練院	→	→	→	훈련원	
司僕寺	→	→	→	사복시	
軍器寺	→	→ 종4품아문→	순조3이전 정3품아문 →	군기시	
		宣傳官廳→	→	선전관청	
典設司	선조6 혁→? 복→ 선조16 종6품아문				정4
世子翊衛司	→	→	→	세자익위사	정5
	典設司→	→	→	전설사	종6
		世孫衛從司→	→	세손위종사	
	성종16 이전 守門將	守門將廳 →	→	수문장청	
掌隸院	→	영조40 혁(속 형조)			형조속아문, 정3
典獄署	→	→	→	전옥서	종6
尚衣院	→	→	→	상의원	공조속아문, 정3품아문
膳工監	→	숙종1 이전 종3품아문			
		膳工監→	→	선공감	종3
修城禁火司	→	인조15 혁	→		정4
典涓司	→	영조22이전 혁			종4
掌苑署	연산군12 종6품아문→ 중종1 정6품아문→	영조22이전 종6품아문			정6
造紙署	연산군12 혁→?(중종1)복→ 선조16 혁→	선조27이전 복→	→	조지서	
		掌苑署→	→	장원서	
瓦署	→	선조28 혁(속 공조)→? 복→ 36이전 혁→ 영조22이전 복→	→	와서	

---

70) 『조선왕조실록』 성종 16~철종 14년 ; 『고순종실록』 고종 1년 ; 『증보문헌비고』 권 220~226, 직관고 7~14 ; 『경국대전』·『전록통고』·『속대전』·『대전통편』·『대전회통』 권1 이전·권4 병전 경관직조 등에서 종합.

71) 숙종 6 속충훈부, 숙종 15 속병조, 숙종 27년 이후 속충훈부(『숙종실록』 6~27년조, 『속대전』·『대전통편』 권1, 이전 충훈부조).

72) 전함사의 속조에 있어서 태조 5년 3월 6조속아문제 성립 때에는 호조속아문이었다.

이를 볼 때 조선 중·후기 육조속아문은 조선초에 비해 아문수가 크게 감소되었고, 육조속아문의 중심이 된 정3품아문이 크게 감소된 반면에 최하위 아문인 종6품아문은 그 수가 크게 증가되는 특징을 보이면서 운영되었다고 하겠다. 지금까지 살펴본 1485년(성종 16, 『경국대전』 반포)으로부터 1865년(고종 2, 『대전회통』 반포)까지의 육조속아문 변천과 변천배경을 표로 정리하여 제시하면 앞의 〈표 3-2〉, 〈표 3-5〉와 같다.

4. 軍營衙門의 設置와 變遷

군영아문은 1592년(선조 25) 이후 설치된 군사아문을 총칭하는 용어이다. 이 군영아문이 언제부터 군사아문의 총칭으로 사용되었는가는 기록의 불비로 명확히 알 수 없다. 그러나 군영아문의 용어가 『속대전』에 규정되고,

---

그런데 『경국대전』 호전과 병전 모두에 전설사가 기재된 반면에 전함사는 누락되어 있고, 이전 경관직조에는 전설사와 전함사가 각기 정4품아문에 기재되어있다. 또 『속대전』·『대전통편』·『대전회통』에는 이 내용이 그대로 전재되어 있다. 이를 볼 때 호전과 병전에 기재된 전설사 중 하나는 전함사가 되어야 맞겠고, 양 사의 기능과 육조속아문 성립 때의 속아문 분류에 미루어 『경국대전』 등에 기재된 전설사는 전함사가 오기되었다고 생각된다. 이에 따라 호조속아문으로 기재된 전설사는 전함사로 고쳐 파악한다.

73) 『경국대전』부터 『대전회통』에 이르기까지의 제전·능의 변천은 다음 표와 같다[『경국대전』·『속대전』·『대전통편』·『대전회통』, 한충희, 2019, 「朝鮮時代 陵官制研究」, 『동서인문학』 59, 계명대학교 동서인문학연구소 종합, (　)관아의 격과 아문수)]

	제전	제능	비고
『경국대전』	文昭·延恩殿(종9-2)	健元陵 등 20릉(종9-20)	
성종 16~영조 22 (『속대전』)	永禧殿 등 5전(종5-1, 종8-2, 종9-2)	건원릉 등 40릉(종5-8, 종7-5, 종8-9, 종9-18)	
영조 23~정조 9 (『대전통편』)	영희전 등 8전(종5-3, 종8-2, 겸관-2*)	건원릉 등 42릉(종5-24, 종7-6, 종8-9, 종9-3)	* 萬寧·長生殿
정조 10~고종 2 (『대전회통』)	영희전 등 6전(종5-7[1겸*], 종8-1,종9-2,낭청3[겸**])	건원릉 등 47릉(종5-29, 종7-9, 종8-5, 종9-4)	*華寧, 長生殿
합계	2~8전	20~47릉	

110

그 아문을 직계아문·육조속아문과는 별도로 군영아문으로 분류하여 적기하고 있다. 그런데 訓練都監 등 5군문아문이 5軍營으로 통칭되었고,[74] 5군영 중 가장 늦게 설치된 禁衛營이 1682년(숙종 8)에 설치되었다. 이점에서 군영아문은 훈련도감이 설치된 1592년으로부터 금위영이 설치된 1682년의 어느 시기에 직계아문이나 육조속아문과 구분하여 군영아문으로 규정한 것으로 추측되고, 이것이 계승되다가 1746년(영조 22)에 반포된『속대전』에 법제화된 것으로 생각된다. 여기에서는 조선후기 군영아문의 변천을 설치아문과 혁거아문으로 구분하여 살펴본다.

1) 設置衙門

조선후기 군영아문은 1494년(성종 25) 한성부 5부(동·서·중·남·북부)에 각각 설치된 포도청을[75] 1560년(명종 15)에 수도의 치안을 강화하기 위해 종2품 직계아문인 左·右捕盜廳으로 승격·정비하면서 비롯되었고,[76] 1592년 (선조 25) 임진왜란이 발발하자 왜군의 조총병에 대처하기 위해 明 戚繼光의 『紀效新書』에 의거한 浙江兵法을 익히고자 射手·砲手·殺手의 3수병을 훈련시키고자 訓練都監을 설치하면서 본격화 되었다.[77] 이어 1623년(인조 1) 扈衛

---

74) 5군영은 훈련도감(선조 26), 어영청·총융청·수어청(인조 2), 금위영(숙종 8)이다 (( )는 설치년).
75)『성종실록』권290, 25년 5월 임자.
76)『명종실록』권26, 15년 8월 계축 國家設左右捕盜廳 置左右大將. 그러나 이 이전인 성종 12년에「捕盜事目」을 반포하여 左, 右邊 捕盜將 각 1명이 卒伍를 거느리고 각각 서울 東·南·中部와 京畿左道, 서울 西·北部와 京畿右道를 관장하도록 규정하였다(그 이전에도 포도장이 운영이 확인,『성종실록』권127, 12년 3월 무술·권40, 5년 3월 병신). 이후『중종실록』등에 그 운영이 자주 확인되고 있다(『중종실록』권26, 11년 10월 을묘, 외). 이 점에서 성종대부터 간헐적으로 운영되다가 명종 15년에 상설의 직계아문이 되었고, 이것이 영조 22년에 반포된『속대전』에 법제화 된 것으로 생각된다.
77)『선조실록』권36, 26년 8월 경자·계묘(그 설립 전후 과정은 金鍾洙, 2003,『朝鮮後期

廳,78) 1624년(인조 2) 御營廳,79) 摠戎廳,80) 1626년(인조 4)에 守禦廳이 설치되었으며,81) 1682년(숙종 8) 禁衛營이 설치되었다.82)

다시 1700년(숙종 26)에 鎭撫營,83) 1711년(숙종 37)에 管理營,84) 1712년(숙종 38)에 經理廳,85) 1666년(현종 7)에 禁軍廳(1755년, 영조 31에 용호영으로 개칭),86) 1793년(정조 17)에 왕 9년에 설치된 壯勇衛가 摠戎廳과 합해지면서 壯勇營으로 개편되었다.87)

中央軍制研究-訓練都監의 設立과 社會變動』, 혜안, 71~96쪽 참조).

78) 『인조실록』 권2, 1년 7월 무신·9월 기사·10월 임진 ; 『만기요람』 군정편 호위청 설치연혁. 설치시에는 3廳이었다가 1778년(정조 2)에 1청으로 통합되었다(『정조실록』 권5, 2년 2월 을미).

79) 『인조실록』 권4, 2년 12월 정묘 ; 『비변사등록』 3책, 인조 2년 1월 12일(그 설립 전후과정은 崔孝軾, 1983, 「御營廳 研究」, 『韓國史研究』 40, 한국사연구회, 74~77쪽 참조).

80) 『인조실록』 권6, 2년 7월 계유·경진(그 설립 전후과정은 최효식, 1985, 「摠戎廳 研究」, 『(동국대경주캠퍼스)論文集』 4, 462~466쪽 참조). 그 후 1671년(현종 12)에 摠戎營으로 개칭되었고, 2년 뒤에 환원되었다가 1793년(정조 17)에 壯勇營으로 개편되면서 소멸되었다(『정조실록』 권37, 17년 1월 12일).

81) 『속대전』 권4, 병전 군영아문 수어청조. 차문섭은(1979, 「守禦廳研究」 상, 『東洋學研究』 6, 단국대 동양학연구소, 70~72쪽) 인조 9~10년에 본격적인 편제가 정비되었다고 하였다.

82) 『숙종실록』 권13, 8년 3월 갑자 ; 『만기요람』 군정편 금위영 설치연혁. 기존의 訓鍊別隊와 精抄廳이 통합되면서 설치되었고, 왕 29년 1월에 혁거되었다가 익월에 복치되었다.

83) 『대전통편』 권4, 병전 군영아문 진무영조.

84) 『대전통편』 권4, 병전 군영아문 관리영조.

85) 『속대전』 권4, 병전 군영아문 경리청조.

86) 『만기요람』 군정편 용호영 설치연혁.

87) 『日省錄』 정조 9년 7월 2일 ; 『정조실록』 권37, 17년 1월 12일 ; 권42, 19년 5월 25일조(그 설치와 개편 전후관계는 박범, 2019, 「정조중반 장용영의 군영화과정」, 『史林』 70, 수선사학회, 128~147쪽 참조).

2) 降格·革去衙門

1813년(순조 13) 종2품아문이던 총리영이 정3품 당하아문으로 강격되었고,[88] 1747년(영조 23) 경리청이 총융청에 합병되면서 혁거되었다.[89]

이리하여 1560년(명종 15) 포도청의 설치로 시작되고 1592년(선조 25) 훈련도감의 설치로 본격화된 조선후기의 군영아문은 그 수가 성종 16~선조 24년에는 포도청 1개 아문에 불과하다가 그 후 5군영 등의 설치와 함께 크게 증가하면서 10(선조 25~정조 8)→ 11~9(정조 9~고종 1)→ 9(고종 2, 『대전회통』)아문으로 변천되면서 운영되었다.

지금까지 살펴본 1485년(성종 16,『경국대전』반포)으로부터 1865년(고종 2,『대전회통』반포)까지의 육조속아문 변천을 표로 정리하여 제시하면 다음의 〈표 3-6〉과 같다.

〈표 3-6〉 조선후기 군영아문 변천 일람표[90]

성종16~선조24	선조25~정조8	정조9~고종1	『대전회통』	비고
	선조26 訓練都監(종2)→	→	訓練都監	종2품아문
	숙종8 禁衛營(종2)→	→	禁衛營	
	인조2 御營廳(종2)→	→	御營廳	
	인조2 摠戎廳(종2)→	정조17 壯勇營→ 순조2 總理營		
	숙종 17 무예청→	정조9 壯勇衛→ 17 壯勇營		
	숙종36 經理廳→ 38 經理營(정3상)→ 영조23 혁 (속 摠戎廳)			
	인조1 扈衛廳[91]→	→	扈衛廳	
	현종7 禁軍廳→영조31 龍虎營→	→	龍虎營	
중종이전 左, 右捕盜廳→명종15 상설·직계아문→	→	→	左, 右 捕盜廳	

---

88)『비변사등록』193책, 순조 2년 9월 23일.
89)『영조실록』권65, 23년 5월 을미.

		순조 2 總理營→ 13 정3아문		
	인조4 守禦廳→	정조10 혁		
	숙종26 鎭撫營→	→	鎭撫營	
	숙종37 管理營→	→	管理營	
성종23 羽林衛→연산 10 혁→ 중종1 복→	현종7 혁(속 禁軍廳)			정3품아문
중종7 定虜衛→	광해군시 혁			
		순조 13 總理營→	總理營	

5. 臨時衙門의 運營

조선 중·후기에 운영된 임시아문은 조선초기의 제도가 그대로 계승·답습되면서 운영되었다.

國葬 4都監 등 10여 都監과 校正廳 등 10여 廳, 詳定所 등은 조선 중·후기를 통해서 特定事를 집중적으로 처리하거나 懸案事가 있을 때 설치되어 그 일이 마무리되면 혁파되는 치, 폐를 반복하면서 운영되었다.[92]

또 奉陵都監과 糧餉廳은 조선후기에 봉릉사나 긴급히 군수를 조달할 필요가 있을 때 운영되었고, 樂學都監, 備戎司, 防禦廳, 訓練院隊 등 30여 都監·司·廳·衛·所·隊 등은 1~2년의 단기간으로부터 수십 년에 걸쳐 운영되면서 그 각각에

---

90) 『조선왕조실록』명종 15~순조 13, 『증보문헌비고』권226, 직관고 13, 『만기요람』 군정편, 『속대전』·『대전통편』·『대전회통』권4, 병전 경관직 군영아문조에서 종합.

91) 관아의 격은 의례히 최고 정직의 관품에 의하여 결정된다. 호위청의 관직을 보면 3청에 각각 時·原任議政이나 國舅가 겸하는 정1품 大將 1명, 정3품 別將 1명 이하가 있기에 관직을 볼 때는 정3품관아이다. 그러나 『속대전』등에는 관아의 위치가 종2품아문인 경리청과 금군청 사이에 기재되어 있다. 이점에서 종2품아문으로 간주하여 파악한다.

92) 그 아문은 다음과 같다(아문의 운영기간과 관장사는 본서 〈표 3-7〉참조).
   도감 : 빈전, 재, 국장, 조묘(산릉), 책봉(봉숭), 가례(길례), 부묘, 공신(녹훈). 실록, 영접도감.
   청 : 교정(감교), 찬집, 입거, 이정, 전운, 군적, 진휼, 호패청.
   소 : 상정소.

부여된 현안사를 처리하였다. 그 중에서도 撫軍司는 임란시에 세자 광해군의 군민지휘를 위해 分備邊司가 개칭되면서 성립된 分朝格인 行營이었고,[93] 宿衛所는 정조 즉위초에 급박한 국왕·궁궐 호위를 위해 설치되어 洪國榮의 실각 때까지 운영되었는데,[94] 정조의 위임을 받아 정치·군사를 총관한 都承旨 兼禁衛大將(곧 규장각·비변사 제조도 겸임)인 홍국영이 대장으로서 왕측근· 궁궐·호위와 도성수비를 전장함은 물론 5군영까지 지휘하였다.[95] 또 大同廳, 均役廳 등은 조선후기에 지위가 높고 기능이 강력한 備邊司, 宣惠廳 등 直啓衙門 으로 계승되거나 흡수되었다.[96] 이점에서 무군사·숙위소와 대동청 등은 여타의 임시아문에 비해 그 비중이 높았다고 하겠다.

이리하여 조선 중·후기에 치·폐가 반복되면서 단기간에 중대사나 현안사 를 담당한 여러 도감·사·청·소·위 등 임시아문은 30여(성종 16~선조 24)→ 40여(선조 25~정조 8)→ 20여(정조 9~고종 1)아문으로[97] 변천되면서 운영되 었다.

지금까지 살펴본 1485년(성종 16,『경국대전』반포)으로부터 1865년(고종 2,『대전회통』반포)까지 운영된 임시아문과 그 운영기간을 표로 정리하면 〈표 3-7〉과 같다.

---

93) 『선조실록』권45, 26년 윤11월 병신 ; 권46, 26년 12월 경술·신해 ; 권49, 27년 3월 무술.
94) 『정종기사』권5, 1년 11월·권7, 3년 9월(구체적인 내용은 박광용, 1997,「정조대 탕평정책과 왕정체제의 강화」,『한국사』32, 국사편찬위원회, 47쪽 참조).
95) 박광용, 위 논문, 97쪽.
96) 그 변천은 뒤 〈표 3-7〉참조.
97) 뒤 〈표 3-7〉에서 종합.

<표 3-7> 조선 중·후기 임시아문 운영 일람표98)

아문	운영기간(관장사)	아문	운영기간(관장사)
國葬4都監99)	조선 중·후기(국장제사)	常平廳(倉)	?~선조41(물가조절)100)
冊封(封崇, 冊寶)都監	조선 중·후기(책봉, 봉숭사)	大同廳	선조41~효종3 혁(속 선혜청, 대동미포관장)101)
嘉禮(吉禮)都監	조선 중·후기(가례, 길례사)	均役廳	영조25~29혁(속 선혜청, 군포관장)102)
奉陵都監	조선후기(봉릉시)	推鞫廳	조선 중·후기(각종 역옥 등 추국)
祔廟都監	조선 중·후기(부묘시)	釐正廳	조선 중·후기(전정, 군정 등 이정)
功臣(錄勳)都監	조선 중·후기(공신책록시)	精抄廳	현종9~숙종1, 숙종7~8(위속)103)
實錄都監(廳)	조선 중·후기(실록편찬시)	轉運廳	조선 중·후기(전운사)
迎接都監	조선 중·후기(명사영접시)	賑恤廳	조선 중·후기(진휼사)
軍籍(改修)都監(廳)	조선 중·후기(군적개수시)	號牌廳	조선 중·후기(호패사)
樂學都監	?~중종6(악학관장)	能麽兒廳	인조7~?혁, 효종6~영조4, 영조30이전~정조20이후(군사교련)104)
營建都監	광해8~105)(각종건축공사)공역	權武廳	효종·현종대(무사훈련권장)
別造都監	인조2이전~?(병기제조)	施惠廳	연산군12~중종1(구료)
正供都監	선조3~5(공물상정)	武藝廳	숙종17~정조9(무예장권)106)
軍門都監	선조30~32(명 提督 麻貴 접대)107)	別軍職廳	효종1~, 정조12~(효종 심양수행 8장사, 그 후손 소속위)108)
備戎司	연산군6~10(야인방어)	治腫廳	왜란직후(종기치료)
築城司	중종12~(변방방비)	糧餉廳	왜란이후(군수조달)
撫軍司	선조26.12~(世子군정지휘)	詳定所	조선 중·후기(공안, 전제 등 상정)
保民司	영조40~51(구료)	宿衛所	정조1~3(국왕측근호위)109)
舟橋司	정조17~(浮橋건설사)	忠壯衛	선조25~?(위속)
校正(勘校)廳	조선 중·후기(경전, 사서, 법전 등 교정)	掃敵衛	조선후기(預差내금위)
防禦廳	중종5~6(삼포왜란진압지휘)	親騎衛	숙종2~정조5이후(마병 위속)110)
別造廳	인조9~?(회기제조, 화약 연취)	別騎隊訓練別隊	효종3~숙종10이후(마병 위속)111) 현종10~숙종8(위속)112)
撰集廳	조선 중·후기(어제, 경전, 사서, 법전 등 찬집)	廣惠署, 進惠署, 受惠室, 保艶司, 保和庫	연산군말기
入居廳	조선 중·후기(북방지입거사)		

98) 『조선왕조실록』 성종 16~철종 14년조 ; 『정종기사』 1~3년조 ; 『증보문헌비고』 권 226, 직관고 13 ; 『만기요람』 군정편 등에서 종합.

99) 4도감은 국왕훙서로부터 능의 조성까지 업무를 분장한 殯殿, 齋, 國葬, 造墓都監이다.

100) 중종 14년 이전 혁, 20~41년, 인조 11~?(『중종실록』 권35, 14년 4월 무자 ; 권55, 20년 9월 을유 ; 『인조실록』 권49, 26년 9월 정유, 외).

6. 中央官衙의 變遷과 政治運營

조선 중·후기에 변천된 중앙관아 중 直啓衙門과 軍營衙門을 보면 뒤의
〈표 3-8〉과 같이 備邊司·宣惠廳·訓練都監·捕盜廳의 4아문은 명종 15~광해군
즉위년에 설치되었고, 堤堰司·濬川司·江華留守府와 御營廳 등 6군영 9아문은
인조 1~영조 30년에 설치되었으며, 奎章閣·經理廳·水原留守府·廣州留守府의
4아문은 정조 즉위년 이후에 설치되었다. 그 운영기간을 보면 守禦廳·摠戎廳
은 정조대에 혁거되었고, 그 외 모두는 고종 2년(이후)까지 존속되었다.

---

101) 각도에 설치된 대동청은 다음과 같다( )는 선혜청 병합년)].
경기대동청(선조 41~41), 강원대동청(인조 2~효종 3), 호서대동청(효종 3~3), 호남대
동청(효종 9, 선혜청속사), 영남대동청(숙종 3, 선혜청속사), 호서대동청(숙종 34,
선혜청속사).

102) 『영조실록』권71, 26년 7월 신해.

103) 『현종실록』권15, 9년 12월 신묘 ; 『숙종실록』권3, 1년 4월 무인 ; 권12, 7년 7월
갑술.

104) 『인조실록』권20, 7년 1월 임술 ; 『효종실록』권15, 6년 8월 무오 ; 『영조실록』권80,
30년 10월 무신 ; 『정조실록』권45, 20년 12월 갑자, 외.

105) 광해군 8년 이전 繕修圖鑑, 營建廳, 인조 11 修理所.

106) 『정조실록』권20, 9년 7월 기유 ; 권37, 17년 1월 임인.

107) 선조 31년 2월에 이 도감에 속한 접반사인 이조판서 張雲翼이 명 提督 麻貴를 접대하였
음이 확인되었고(『선조실록』권109, 31년 2월 경신), 마귀 제독은 선조 30년 5월~31년
4월까지 조명연합군을 지휘하면서 정유재란을 종결지었다(마호영, 『동정제독 이천
마귀 조선구원실기』. 도서출판 태양, 53~244쪽). 이에서 군문도감의 운영기간은
마귀 제독의 활동과 관련하여 추정하였다.

108) 『증보문헌비고』권226, 직관고 13.

109) 정조 1년에 정조의 최측근 친위군으로 설치되었고, 홍국영은 도승지로서 숙위소대장
을 겸하면서 정치·군사를 전단하는 위세를 부렸고, 2년 뒤에 홍국영의 실각과 함께
혁파되었다[『승정원일기』145책, 정조 3년 10월 8일 ; 『정조실록』권22, 10년 12월
정미 (전략) 曾於宿衛所－洪國榮以禁衛大將內入直時 稱宿衛所－(하략)].

110) 『숙종실록』권4, 2년 6월 ; 권39, 30년 5월 임자 ; 권46, 36년 11월 기해 ; 『정조실록』
권11, 5년 4월 갑진, 외.

111) 『현종개수실록』권10, 4년 11월 무인 ; 『숙종실록』권15상, 10년 3월, 외.

112) 『현종실록』권16, 10년 2월 무진 ; 『숙종실록』권13상, 8년 3월 경자, 외.

이 중 군권의 주축이 된 금위·어영·수어·호위청은 인조 1~4년에 집중적으로 설치되었다.

조선후기에 설치되어 운영된 직계아문과 군영아문은 그 모두가 관아의 지위가 높고 기능이 중요한 아문이었지만 특히 비변사는 의정부를 제치고 육조를 지휘하면서 정치·군사를 총령하였고,113) 선혜청은 호조를 제치고 최고의 재정기관이 되었고,114) 어영청 등 5군영이 중심이 된 군영아문은 五衛都摠府·5衛를 무력화시키고 왕실호위와 도성내·외의 방어를 전장하였으며,115) 강화·수원·광주유수부는 수도외곽의 방어를 전장하였다.116) 이 중에서도 5군영 등과 유수부는 군권은 물론 막대한 재정을 운영하였기에 집권당파가 이 기구를 장악에 최우선을 둘 정도였다.117)

그리고 다음 〈표 3-8〉에 제시되듯이 비변사·5군영 등이 설치되어 운영된 시기의 정치·경제·군사 등 모든 국정은 동인(선조 17~광해군 14)→ 서인(인조 즉위~현종 15)→ 남인(숙종 즉위~5)→ 서인(숙종 6~14)→ 남인(숙종 15~19)→ 노론·소론(숙종 20~26)→ 노론(숙종 27~47)→ 소론(경종 1~4)→ 노론·소론(영조 1~37)→ 노론(영조 38~)이 주도하였다.118)

---

113) 오종록, 1990, 「비변사의 정치적 기능」, 『조선정치사』 하, 청년사, 534~567쪽 ; 이재철, 2001, 『朝鮮後期 備邊司硏究』, 集文堂(144~168쪽) 참조.

114) 선혜청이 설치된 후 호조의 전세수입은 10만석 내외인 반면에 선혜청의 수입은 25만석 내외였듯이 선혜청이 호조를 제치고 최고의 재정기관이 되었다(호조와 선혜청의 재정기구에서의 위치는 최주희, 2014, 「조선후기 선혜청의 운영과 중앙재정구조의 변화」, 고려대 박사학위논문, 109~154쪽 참조).

115) 차문섭, 1998, 「중앙 군영제도의 발달」, 『한국사』, 국사편찬위원회, 243~277쪽.

116) 이존희, 1984, 「조선왕조의 유수부 경영」, 『한국사연구』 47, 한국사연구회, 54~57쪽.

117) 홍순민, 1998, 「붕당정치의 동요와 환국의 빈발」, 『한국사』 30, 국사편찬위원회, 156쪽 ; 이존희, 위 논문, 49~52쪽. 5군영 등은 독자적으로 군역가를 징수하였고, 막대한 둔전을 경영하였고, 화폐를 발행하였으며, 점포경영 등을 영위하였다. 유수부도 관내에서 전세, 삼수미, 대동미, 선세, 어염세, 행상세 등을 징수하여 경비로 사용하였다.

118) 이영춘, 1998, 「붕당정치의 전개」, 『한국사』 30, 94~119쪽 ; 홍순민, 앞 논문, 153~176쪽 등에서 종합.

〈표 3-8〉 조선후기 신설아문 운영기의 정치주도세력119)

관아	東人(선조 17~광해군 14)	西人(인조 즉위~현종 15)	南人 (숙종 1~5)	서인 (숙종 6~14)	남인 (숙종 15~19)	老論·少論 (숙종 20~26)
		인조반정 (광해14)	甲寅換局 (즉)120)	庚申換局 (6)121)	己巳換局 (15)122)	甲戌換局 (20)123)
備邊司	명종15→	→	→	→	→	→
宣惠廳	광해즉→	→	→	→	→	→
堤堰司		현종3→	→	→	→	→
江華留守府		인조3→	→	→	→	→
訓練都監	선조26→	→	→	→	→	→
禁衛營				숙종6→	→	→
御營廳		인조2→	→	→	→	→
守禦廳		인조4→	→	→	→	→
摠戎廳		인조2→	→	→	→	→
扈衛廳		인조1→	→	→	→	→
龍虎營		현종7→	→	→	→	→
左·右捕盜廳	명종15→	→	→	→	→	→

관아	노론 (숙종27~47)	소론 (경종1~경종4)	노론·소론 (영조 즉위~37)	노론 (영조38~ *)	비고 (주도기간)
	張禧嬪獄事 (27)124)	辛壬士禍 (1)125)	蕩平策(즉)126)	思悼世子被禍(38 이후,127) 순조1년 이후는 세도정치*)	*安東金氏-순조1~34, 철종1~14, 豊壤趙氏- 헌종 1~15128)
비변사	→	→	→	→ 고종2	
선혜청	→	→	→	→	
제언사	→	→	→	→ 고종2	
濬川司	→	→	영조30→	→ 고종2	
奎章閣				정조즉→	
강화유수부	→	→	→	→	
水原留守府				정조17→	
廣州留守府				정조19→	
훈련도감	→	→	→	→	
금위영	→	→	→	→	
어영청	→	→	→	→	
수어청	→	→	→	→ 정조10	
총융청	→	→	→	→ 정조17	
經理廳				순조2→	
扈衛廳	→	→	→	→	
용호영	→	→	→	→	
포도청	→	→	→	→	

한편 비변사·5군영 등에 설치된 관직을 보면 다음 〈표 3-9〉와 같이 3유수부
·수어청·총융청·포도청을 제외한 비변사·선혜청·5군영 등 10개 정치·경제·
군사의 중추가 된 아문의 최고위 관직, 즉 정1~종2품직은 3의정, 이조 등
5조판서(공조제외), 개성·강화유수, 훈련·금위·어영대장과 전직의정, 정1~
종2품 관직자의 겸직이었다. 덧붙여 비변사 등의 정1~종2품직을 겸대한
관직자 대부분은 정치를 주도한 당파의 元老와 重進들이었다.[129]

---

119) 위 〈표 3-1·6〉, 李銀順, 1988, 『朝鮮後期黨爭史研究』, 일조각, 67~124쪽 ; 홍순민, 1998,
「붕당정치의 동요와 환국의 빈발」, 『한국사』 30, 국사편찬위원회, 153~176쪽 ; 우인
수, 2015, 「영남 남인의 형성」, 『조선후기 영남 남인 연구』, 경인문화사, 4~11쪽 ; 이희
환, 2015, 『조선정치사』, 도서출판 혜안, 66~387쪽 등에서 종합.

120) 효종이 승하하자 모후인 인조계비 莊烈王后의 상복을 둘러싼 논쟁에서 남인의 주장이
관철되면서 서인이 실각하고 남인이 집권한 사건.

121) 숙종이 남인(濁南)의 권력편중을 견제하면서 왕권을 강화하기 위하여 福善君 枏과
영의정 許積의 서자 許堅등의 역모고발을 계기로 남인이 실각하고 서인이 집권한
사건.

122) 淑媛 張氏가 낳은 왕자 昀의 원자책립을 두고 이를 반대한 서인이 실각하고 남인이
집권한 사건.

123) 閔黯·張希載 등의 불법사로 仁顯王后 閔氏가 복위되고 왕비 장씨가 禧嬪으로 강봉되면
서 남인이 실각하고 서인이 집권한 사건.

124) 희빈장씨가 인현왕후를 저주하여 죽게 하였다는 혐의로 사사되면서 소론이 실각하고
노론이 집권한 사건.

125) 경종 1년 집정대신의 왕제 昤의 왕세제 책봉에 이어 대리청정 주장을 계기로 노론이
실각하고 소론이 집권한 사건.

126) 영조가 朋黨을 불식시키고 인사를 고루 등용하여 정치를 안정시키고 왕권을 강화하려
는 정책으로 소론이 등용되면서 노론과 소론이 균형을 이루게 된 정책.

127) 사도제자 愃이 정신착란으로 인한 난행으로 사사된 사건을 계기로 권력을 분점한
소론이 몰락하고 노론이 정치를 주도하게 된 사건.

128) 왕의 외척이 선대 국왕의 유촉을 받아 어린 국왕의 위임을 받아 국정을 총관한
정치형태. 안동김씨의 세도를 연 金祖淳은 순조의 국구이고, 풍양조씨의 세도를
연 趙萬永은 헌종의 국구이다.

129) 1800(순조 즉위)~1863년(철종 14)의 64년간에 걸쳐 노론 집권을 뒷받침한 안동김씨·
풍양조씨 등 15가문이 점유하였던 관직이 각각 당상관은 202/675명(30%), 비변사당상
은 285/114(40%), 비변사 운영당상 이상 의정은 94/201(47%)였다(홍순민, 1990, 「정치
집단의 성격」, 『조선정치사 1800~1863』 상, 청년사, 241쪽 〈표 1〉). 이에 미루어

〈표 3-9〉 조선 중·후기 중요 신설아문 기능과 관직 일람표[130)]

	기능	정1~정3당상관	정3품 이하	비고(출전)
備邊司	摠領中外軍國機務	都提調(정1, 전·현직 의정겸), 提調(종2이상, 이·호·예·형·병판, 양도유수, 대제학 등*[1131)] 겸), 부제조1(정3겸)	郞廳 12(종6)	『속대전』
宣惠廳	掌出納大同米·布·錢	도제조3(정1, 3의정겸), 제조2(2품이상겸, 1 호판)	낭청4(종6)	『속대전』
堤堰司	句管修筋各道堤堰修理	도제조3(정1, 3의정겸), 제조2(비변사당상겸)	낭청1(비변사낭청겸)	『속대전』
濬川司	掌疎濬都城內川渠	도제조3(정1, 3의정겸), 제조6(종2이상, 병판, 한성판윤, 훈련·금위·어영대장, 비국당상1겸), 都廳1(정3당상, 어영청천총겸)	낭청3(정7)	『대전통편』
江華 留守府	掌治江都	留守2(종2, 1경기관겸)	經歷1(종4)	『대전통편』
水原 留守府	掌治華城	유수2(종2, 1경기관겸)	判官1(종5)	『대전회통』
廣州 留守府	掌治南(漢山)城	유수2(종2, 1경기관겸)	판관1(종5)	『대전회통』
奎章閣	掌奉列朝御製御筆璿譜世譜誥命當宁御眞御製御筆	提學2(정1~종2겸), 直提學2(종2~정3당상겸)	直閣1(정3~종6)	『대전통편』
訓練都監	掌軍士試才練藝武經習讀之事	도제조1(정1, 겸), 제조2(정2, 호·병판겸), 大將1·中軍1(종2),	別將2·千摠2·別局將3(정3), 종4품이하 생략(이하 동)	『속대전』
禁衛營	掌守御宮城	도제조1(정1겸), 대장1(병판겸)	별장1·천총4(정3),	『속대전』
御營廳	掌守御都城	도제조1(정1겸), 제조1(정2, 병판겸), 대장1·中軍1(종2)	별장2·천총2(정3)	『속대전』
守禦廳	掌南漢山城	使1·中軍1(종2)	천총2(정3)	『속대전』
摠戎廳	句管水原城事務	사1·중군1(종2)	천총2(정3)	『속대전』
經理廳	句管北漢山城事務	도제조1(정1, 영의정겸), 제조1(종2, 비변사당상겸)	管城將1(정3)	『속대전』
扈衛廳(3청)	掌扈衛	대장각1(정1, 전·현직의정, 국구중겸)	별장 각1(정3)	『속대전』
左·右 捕盜廳	掌緝捕盜賊奸細分更夜巡	각 대장1(종2)	각 從事官3(종6)	『속대전』
管理營	掌大興山城	사1(종2, 개성유수겸)	中軍1(정3)	『속대전』
鎭撫營	掌江華城	사1(종2, 강화유수겸)	中軍1·鎭營將5(정3)	『속대전』
龍虎營	掌陪扈入直	別將2(종2), 將7(정3, 겸사복2·내금위3·우림위장2), 군관16(정3)		『대전통편』

1800년 이전에도 당파의 속성이 권력독점인 등에서 크게 다를 바가 없다고 본다.
130) 『증보문헌비고』 직관고, 『만기요람』 군정편, 『속대전』·『대전통편』·『대전회통』 권1·권4 경관직조에서 종합.

〈표 3-10〉 조선 중·후기 정1~종2품 정직(관) 겸대관직132)

	직계아문	군영아문	육조속아문(『대전회통』)	비고(계)
領議政	都提調(備邊司, 宣惠廳, 堤堰司, 濬川司), 經筵領事	經理廳都提調	領事(弘文·藝文·春秋館, 觀象監), 世子侍講院師	10
左議政	도제조(비, 선, 제, 준)		世子侍講院傅(또는 우의정), 春秋館監事	5~6
右議政	도제조(비, 선, 제, 준)		춘추관감사	5~6
前職 3議政	비변사도제조			1
전·현직 議政		扈衛3廳大將(각1)		1
정1품		訓練都監·禁衛營·御營廳都提調(각1)	都提調[奉常寺·司饔院·內醫院·軍器寺·軍資監·司譯院·宗廟署·社稷署·景慕宮(각1)	12
종1~종2	奎章閣提學(2), 宣惠廳提調(1), 五衛都摠管·副摠管(합10)		知事(경연3·성균관1·춘추관2·훈련관1), 同知事(경연3·성균관2·춘추관2), 大提學·提學(홍문·예문관 각1), 世孫講書院師·傅(각1), 提調[司饔院(4), 尙衣院 등 8아문 각2), 奉常寺 등 21아문 각1)]	74
吏曹判書	備邊司堂上			1
戶曹判書	비변사당상, 선혜청제조, 훈련도감제조	훈련도감제조	禮賓寺提調(또는 참판)	3`4
禮曹判書	비변사당상		圖畵署提調	2
兵曹判書	비변사당상, 준천사제조	훈련도감제조, 금위·어영대장		4
刑曹判書	비변사당상			1
京畿 觀察使	留守(江華, 水原, 廣州)			3
開城留守	비변사당상	管理營使		2
江華留守	비변사당상	鎭撫營使		2
備邊司 堂上	제언사·준천사제조(각1),	經理廳提調(1)		3
訓練大將	비변사당상, 준천사제조			2
禁衛大將	비변사당상, 준천사제조			2
御營大將	비변사당상, 준천사제조,			2

이렇듯 조선후기에 신설되어 운영된 직계아문과 군영아문의 정1~종2품관직, 즉 최고위 관직은 그 대부분이 겸직이었는데 그 겸직 관직을 구체적으로

---

131) 『대전통편』에는 이 관직에 훈련·금위·어영대장, 개성·강화유수가 추가되었다.
132) 『속대전』·『대전통편』·『대전회통』에서 종합[( )는 인원].

보면 다음의 표와 같이 영·좌·우의정은 최고의 정치·군사기구인 비변사와 최고의 재정기관인 선혜청 등 5~10여에 이르는 정1품아문과 홍문관 등 문한기구의 최고위 직을 겸대하였고, 병조판서는 비변사당상·준천사제조와 훈련도감 등 3군영 대장을 겸하였고, 최고의 개성·강화유수와 훈련·금위·어영대장은 비변사당상과 준천사제조 등을 겸대하였다. 또 전직 의정과 현직 정1~종2품 관직자도 호위청·훈련도감·금위영·어영청의 제조와 수십에 달하는 육조속아문의 도제조·제조 등을 겸대하였다.[133]

조선초기에는 겸직제는 국왕의 의도 하에 의정부·육조 등의 당상관으로 하여금 육조속아문의 都提調·提調 등을 겸직시킴으로써 경비를 절감하고 소수의 당상관을 통제하면서 원활하게 국정을 운영하고 강력한 왕권을 행사하려는 의도에서 실시되었고, 상당한 효과를 거두었다.[134] 그러나 조선 중·후기에는 그 겸직의 범위가 육조속아문에서 최고 정치·경제·군사아문과 군영대장의 문반직에까지 확대되었고, 또 왕권이 약화되고 정치가 동인·서인·노론 등에 의해 주도되었다.[135] 이에서 조선초기와는 달리 겸직제가 설치된 직계·군영아문과 함께 당파에 의해 점유되고 주도되면서 약화된 왕권을 고착시키고 당파가 중심이 된 정치·군사운영의 토대가 되었다고

---

133) 영의정 이하 각급 관직의 겸직은 다음과 같다(〈표 3-10〉에서 종합).

영의정 : 비변사도제조 등 10직	병조판서 : 비변사당상 등 4
좌의정 : 비변사도제조 등 5~6	형조판서 : 비변사당상
우의정 : 비변사도제조 등 5~6	경기관찰사 : 강화유수 등 3
전직의정 : 비변사도제조 등	개성유수 : 비변사당상 등 2
정1품 : 훈련도감도제조 등 12	강화유수 : 비변사당상 등 2
종1~종2 : 선혜청제조 등 74	비변사당상 : 제언사제조 등 3
이조판서 : 비변사당상 등	훈련대장 : 비변사당상 등 2
호조판서 : 비변사당상 등 4~5	금위대장 : 비변사당상 등 2
예조판서 : 비변사당상 등 2	어영대장 : 비변사당상 등 2

134) 한충희, 2014, 『조선의 패왕 태종』, 계명대학교출판부, 115~117쪽 ; 한충희, 위 책, 124~135쪽.

135) 이은순, 앞 책 ; 홍순민, 1998, 「붕당정치의 동요와 환국의 빈발」, 『한국사』 30, 국사편찬위원회 ; 오수창, 1997, 「세도정치의 전개」, 『한국사』 31, 국사편찬위원회 참조.

하겠다.

그런데 비변사 등의 설치는 北虜南倭(비변사), 전세개혁(선혜청), 왜란극복(훈련도감), 국왕의 호위강화(호위청·금위영·어영청), 호란을 기한 도성 내·외 방어강화(강화유수부), 정조의 정치개혁·왕권강화(규장각·수원유수부) 등에 기인되었다. 그러나 이 경우에 있어서도 인조 초에 국왕호위부대로 설치되고 도성을 방어하기 위하여 설치되어 군영아문의 중추가 된 호위청과·어영·총융·수어청은 반정의 元勳인 李貴와 金瑬 등의 私募人과 護衛軍官을 주축으로 설립되고 이귀·김류 등이 대장이 되어 지휘하고[136] 그 영향력이 후대로 계승되었기에[137] 서인(노론)이 장기간 집권하는 군사·경제적 토대가 되었다.[138] 또 숙종은 換局,[139] 영조는 蕩平策,[140] 정조는 규장각을 통해 측근세력을 강화하고 장용영을 설치하여 모든 군영아문을 지배하는[141] 등으로 왕권의 강화를 도모하였다. 그러나 숙종, 영조, 정조의 이러한 정책은 단기적으로는 효과를 보기도 하나 정권을 주도한 당파의 세력이 강고하고 또 이들이 군왕에 대한 충성이나 공익보다도 당파의 이익을 우선시하였기에[142] 큰 효과를 보지 못하였다. 그나마 정조가 훙서한 이후에는 연이어

---

136) 차문섭, 1997, 「중앙 군영제도의 발달」, 『한국사』 30, 국사편찬위원회, 281~282쪽.
137) 남인은 집권한 숙종 1~5년에 서인이 주도하고 있는 군권을 장악하기 위해 大興山城을 축조하면서 심혈을 기하였으나 훈련도감·어영청만 그 영향하에 두었을 뿐 수어·총융청은 여전히 서인의 주도하에 있었다(차문섭, 위 논문, 285쪽). 또 정조도 즉위와 함께 군권을 장악하기 위해 노력하였으나 왕 17년에야 장용영의 설치와 함께 5군영의 군권을 장악할 수 있었고, 그나마 훙서와 함께 장용영이 총리영으로 축소·개편되면서 좌절되었다(박범, 앞 논문, 147~155쪽 ; 박광용, 앞 논문, 73쪽).
138) 환국과 집권당파의 교체는 앞 주 119)~128) 참조.
139) 영조대의 탕평책은 탕평타파를 긍정하는 緩論과 탕평타파 보다 사림의 정치원칙인 각 붕당의 원칙자체가 탕평타파 보다도 더 중요하다는 峻論 중에서 완론탕평이었다. 구체적인 내용은 박광용, 1997, 「정조대 탕평정책과 왕정체제의 강화」, 『한국사』 32, 73~98쪽 참조.
140) 규장각과 장용영의 정치·군사적 의의는 박범, 앞 논문, 147~156쪽 참조.
141) 박광용, 1997, 「정조대 탕평정책과 왕정체제의 강화」, 『한국사』 32, 73~98쪽.
142) 오종록, 1990, 「중앙군영의 변동과 정치적 기능」, 『조선정치사 1800~1862』, 청년사,

유약한 순조·헌종·철종이 계위함에[143) 따라 외척(국구)이 중심이 된 세도정
치가 행해지면서 왕권이 더욱 약화되었다.

이렇게 볼 때 명종 15년 비변사의 설치 이후 순조대까지 설치되면서
운영된 20여 직계·군영아문은 당시의 급변하는 정치·군사·사회·경제에 대
응하면서 조선왕조를 안정·지속시키는 토대가 되었다. 그러면서도 그 대다
수 아문의 최고위 관직이 겸직이고, 겸직의 대부분이 정치를 주도한 당파의
원로·중신에 의하여 점유되면서 집권당파의 정치·경제·군사적 토대가 되었
다고 하겠다. 참고로 조선 중·후기 직계·군영아문의 변천과 정치동향을
종합하여 제시하면 〈표 3-11〉과 같다.

〈표 3-11〉 조선 중후기 직계·군영아문, 중요 속아문의 변천과 정치동향
(이후는 속아문)[144]

	신치아문	승격아문	강격아문	혁거아문	중요사건	국정중추관아 및 주도세력
성종16~ 선조24	羽林衛, 左·右 捕盜廳		忠翊司, 典設司	定虜衛	中宗反正	議政府, 6曹
선조25~ 영조22	備邊司, 訓練都監, 宣惠廳, 御營廳, 摠戎廳, 濬川司, 扈衛廳, 禁軍廳, 禁衛營, 守禦廳, 經理營, 鎭撫營, 管理營/宣傳官廳, 守門將廳	世子侍講院	內資寺(숙종대?), 內贍寺, 司䆃寺, 濟用監, 司宰監, 禮賓寺, 膳工監	兼司僕, 內禁衛, 羽林衛/忠翊司, 司瞻寺, 豊儲倉, 宗學, 修城禁火司	倭亂, 胡亂 仁祖反正, 甲寅·庚申·己巳·甲戌·辛巳辛壬戌局, 蕩平策(英祖)	備邊司, 6曹·宣惠廳·訓練都監 등 軍營衙門(堂上官)
영조23~ 정조9	奎章閣/世孫講書院, 世孫衛從司	宣惠廳, 堤堰司, 濬川司		經理營/典艦司, 校書館, 掌隷院	蕩平策(正祖)	위 官衙·奎章閣堂上官
정조10~ 고종1	壯勇營(정조17), 總理營	華城留守府, 廣州留守府		摠戎廳, 壯勇營(순조2)/宗簿寺(고종1)	勢道政治(순조1년 이후, 安東金·豊壤趙氏)	위 관아·규장각 당상관
계	22아문	6~	9~	15~		

425~449쪽.
143) 그 재위시의 연령을 보면 순조는 11세, 헌종은 9세, 철종은 19세였는데 특히 철종은
   몰락한 왕족으로 교육을 받지 못한 까닭에 정무판단 능력이 전혀 없었다.

7. 결어 – 조선 중·후기 중앙관아 변천의 특징

조선 중·후기 중앙관아가 변천된 배경은 直啓衙門은 北虜南倭·왜란·호란의 극복과 긴박한 사회경제적 혼란의 수습과 왕권강화 도모, 六曹屬衙門은 재정난으로 인한 관직의 삭감과 屬曹(仰曹)의 기능 확대, 軍營衙門은 왜란·호란후의 도성내외 경비강화와 국왕의 호위강화 등이었다.

조선 중·후기 직계아문의 변천은 명종 15년에 備邊司를 시작으로 이후 고종 2년까지 제언사, 선혜청, 준천사, 강화·광주유수부, 규장각, 수원유수부가 차례로 설치되고 겸사복·내금위와 비변사·제언사가 혁거(금군청과 의정부에 합속)되는 등으로 변천되었다가 고종 2년에 반포된『대전회통』에 기존의 의정부·6조 등 17아문과 합해 26아문으로 법제화되었다.

조선 중·후기 六曹屬衙門의 변천은 아문의 수는 인조 15년 豊儲倉의 혁거(長興庫에 합속), 인조 27년 世孫講書院의 설치, 연산군 12년 忠翊府가 종2품아문에서 정4품아문으로 강격, 인조 24년 世子侍講院이 종3품아문에서 정3품아문으로 승격되는 등 고종 2년까지 13아문이 혁거, 4아문이 설치, 17아문이 강격, 2아문이 승격되는 등 66아문 이상(『경국대전』)에서 56아문으로 아문(『대전회통』)으로 법제화되었다. 또 아문의 지위별로는 정3품아문이 대거 종6품아문으로 강격되면서 종2 2·정3당상 2·정3 27·종3 1·정4 5·종4 2·정5 2·종5 8·정6 3·종6 12아문(『경국대전』)에서 종2 2·정3당상 1·정3 19·종3

---

144) 앞 〈표 3-1, 5, 6, 8〉에서 종합.

영의정 : 비변사도제조 등 10직	병조판서 : 비변사당상 등 4
좌의정 : 비변사도제조 등 5~6	형조판서 : 비변사당상
우의정 : 비변사도제조 등 5~6	경기관찰사 : 강화유수 등 3
전직의정 : 비변사도제조 등	개성유수 : 비변사당상 등 2
정1품 : 훈련도감도제조 등 12	강화유수 : 비변사당상 등 2
종1~종2 : 선혜청제조 등 74	비변사당상 : 제언사제조 등 3
이조판서 : 비변사당상 등	훈련대장 : 비변사당상 등 2
호조판서 : 비변사당상 등 4~5	금위대장 : 비변사당상 등 2
예조판서 : 비변사당상 등 2	어영대장 : 비변사당상 등 2

2·정4 2·정5 2·종5 7·정6 1·종6품 17아문으로 변천되었다가『대전회통』에 법제화되었다.

조선 중·후기 군영아문은 명종 15년과 선조 26년에 捕盜廳과 訓練都監을 설치하면서 비롯되었고, 이후 고종 2년까지 14아문이 설치, 4아문이 혁거, 1아문이 강격, 3아문이 개칭되었다가『대전회통』에 9아문으로 법제화되었다.

조선 중·후기 임시아문은 조선초기의 제도를 계승하여 정치, 군사, 경제, 사회의 현안사와 긴급사를 처리하기 위하여 관아를 설치하고 장·단기간에 걸쳐 운영하였는데, 고종 2년까지 50여 이상의 도감·청·사·소·색이 확인되었다.

조선 중·후기 중앙관아의 변천은 크게 볼 때 새로이 20여 직계·군영아문이 설치되면서 기존의 의정부-육조, 오위도총부·오위체제를 비변사-선혜청, 육조, 5군영 등 군영체제로 전환되었고, 육조의 지휘를 받아 대소국정을 관장하던 육조속아문이 수가 격감되고 그 기능이 크게 약화되었다.

그 외에 조선 중·후기에 대거 설치된 직계·군영아문이 기존의 육조와 함께 모든 국정을 주도한 위에 그 최고 관직자의 대부분이 정1~종2품직의 겸직이고 또 정1~종2품직의 대부분이 당시의 정치를 주도한 당파의 원로·중진이 점유하였다. 이에서 신설된 직계·군영아문은 왜란 이후에 혼란된 조선 왕조를 안정·지속시켰지만 동시에 정치를 주도한 당파세력을 유지·강화하는 토대가 되었다.

요컨대 조선 중·후기에는 다수의 直啓·軍營衙門이 설치되어 국정운영을 주도한 반면에 六曹屬衙門은 수·질적으로 크게 감소되면서 그 기능발휘가 약화되었으며, 신설된 직계·군영아문은 최고위직의 대부분이 정치를 주도한 당파에 의해 점유되면서 당파의 영향력을 지속·강화시켜 나가는 중요한 토대가 되었다고 하겠다.

제4장 朝鮮 中·後期(성종 16~고종 2년) 京官 文班職 變遷研究

1. 서언

朝鮮의 官職은 그 官衙所在地·祿俸支給·職務遂行·除授者出身 등에 따라 京·外官職, 祿·無祿職, 正·兼職, 文·武·雜職 등으로 구분된다.[1] 이와 관련하여 조선 중·후기 경관직을 다시 구분하면 文班職, 武班職, 雜職으로 구분되고, 그 각각은 다시 直啓衙門·六曹屬衙門·軍營衙門과 宮·廟·殿·陵·園 官職으로 구분된다.[2]

조선의 京官職은 고려 말의 관직을 계승하여 門下府 領事·左侍中·右侍中(각 1직, 정1품)과 10衛 上將軍(각1, 정3품) 이하 5,000여 경관 문·무관 정직 (녹직),[3] 都評議使司判事(2, 정1품 좌·우시중겸)과 都節制使(1품겸) 이하 110

---

1) 한충희, 2008, 『朝鮮初期 官職과 政治』, 계명대학교 출판부, 47~66쪽.
2) 위 책, 50~53쪽 ; 한충희, 2020, 「朝鮮 中·後期(성종 16~고종 2) 中央官衙 變遷研究」, 『朝鮮史研究』 27, 18~21쪽.
3) 『태조실록』 권1, 1년 7월 정미조(한충희, 2006, 『朝鮮初期 政治制度와 政治』, 계명대학교 출판부, 103~107쪽 〈표 4-1〉, 151쪽 〈표 4-9〉에서 종합). 문, 무반과 직질별 관직수는 다음 표와 같다.

	문반직	무반직	계	비고
정1~종2품	45	0	45	
정3~종6품*	286	508	794	*정3품직은 당상관과 당하관 미분화
정7~종9	212	3,884	4,096*	*무반 7, 8품직은 정, 종품 미분화
합계	543	4,392	4,935	

여 문반 겸직,4) 잡직을 두면서 비롯되었다.5)

조선시대 경관직에 대한 연구는 경관직이 국왕을 받들고 국정을 總領하고 실무를 관장한 관직적 성격과 관련되어 1966년 韓沽劤의「勳官檢校考」(『震壇學報』29·30)를 시작으로 지금까지 경관직을 주제로 하거나 관아 연구에 부수되어 많은 연구가 있었다. 그런데 그 연구시기와 관직을 보면 대부분이 조선초기의 樞要職에 관한 것이고,6) 조선중기 이후에 있어서는 관직을 주제로 한 연구는 몇 편에 불과하고7) 대부분은 관아(군영아문)의 연구에 부수되어 그 직제가 논급되었다.8) 또 모든 경관직의 변천을 종합적으로 정리한

---

4) 『태조실록』권1, 1년 7월 정미조(한충희, 2006, 『朝鮮初期 政治制度와 政治』, 계명대학교 출판부, 121~124쪽 〈표 4-5〉에서 종합). 문, 무반과 직질별 관직수는 다음 표와 같다.

	문반직	무반직	계	비고
정1~종2품	42	8	50	
정3~종6	71	1*	72	* 8위상장군 1명, 그 외 불명(실록에 미기재)
정7~종9	26	?*	26	* 불명(미기재)
합계	139	9	148	

5) 『태조실록』권1, 1년 7월 정미 ; 한충희, 위 책, 48쪽.
6) 주요한 연구는 다음과 같다(발표 순, 그 외의 연구는 한충희, 위 책, 21~23쪽 주 1), 3), 4) 참조).
李光麟, 1967,「提調制度硏究」,『東方學志』8 ; 崔承熙, 1976,『朝鮮初期 言官·言論硏究』, 서울대학교 출판부 ; 李成茂, 1980,「兩班과 官職」,『朝鮮初期 兩班硏究』, 一潮閣 ; 韓忠熙, 1990,「朝鮮初期 議政府舍人·檢詳의 官職的 地位」,『(경북대)歷史敎育論集』13·14 ; 한충희, 1990,「朝鮮初期 六曹正郞·佐郞의 官職的 地位」,『(계명대)韓國學論集』17 ; 한충희, 1994,「관직과 관계」,『한국사』23, 국사편찬위원회 ; 한충희, 1996,「朝鮮初期 六曹參議硏究」,『(계명대)韓國學論集』23 ; 한충희, 2000,「朝鮮 太宗代(정종 2년~세종 4년) 摠制硏究」,『李樹健敎授停年紀念 韓國中世史論叢』, 논총간행위원회 ; 한충희, 2001,「朝鮮初期 六曹屬衙門硏究 2-官職의 整備를 중심으로-」,『啓明史學』12 ; 한충희, 2004,「朝鮮初期 官職構造硏究」,『大丘史學』75 ; 한충희, 2004,「朝鮮初期 正3~正6品 淸要職硏究」,『朝鮮史硏究』13 ; 한충희, 2007,「朝鮮初期 議政府堂上官硏究」,『대구사학』87.
7) 그 연구는 다음과 같다.
韓忠熙, 2010,「朝鮮中期 議政府堂上官硏究」,『한국학논집』41 ; 한충희, 2020,「朝鮮時代 陵官制硏究」,『東西人文學』58, 계명대학교 인문학연구소 ; 정해득, 2013,「朝鮮時代 陵官硏究」,『韓國服飾』31, 단국대학교 석주선기념박물관.

연구는 조선초기와는 달리 조선 중·후기에는 없다.[9] 여기에 본 장의 연구 필요성이 있다.

본 장에서는 조선 중·후기의 경관직을 대상으로 한 지금까지의 연구 성과를 수렴하고 『朝鮮王朝實錄』, 『備邊司謄錄』, 『增補文獻備考』(職官考), 『續大典』, 『大典通編』 등을 검토하면서 『經國大典』에 규정된 경관직을 기점으로 하여 이후 1865년(고종 2)에[10] 편찬된 『大典會通』에 법제화되기까지의 경관직의 변천을 고찰하고자 한다. 먼저 이 시기에 경관직이 변천되게 된 배경을 살피고, 이어서 문반직의 변천상을 直啓衙門·六曹(兵曹 포함[11]) 屬衙門으로 대별하고 그 각각을 祿職·遞兒職·無祿職·兼職으로 구분하면서 살피고, 다음으로 이러한 관직의 변천이 동기의 정치운영과 어떻게 관련되었는가를

---

8) 그 연구는 다음과 같다.
金鍾洙, 2003, 『朝鮮後期 中央軍制研究-訓練都監의 設立과 社會變動-』, 혜안 ; 朴範, 2019, 「정조중반 장용영의 군영화과정」, 『史林』 70, 수선사학회 ; 潘允洪, 2003, 『朝鮮時代 備邊司研究』, 景仁文化社 ; 방범석, 2016, 「장용영의 편제와 재정운영」, 『한국사론』 62, 서울대 국사학과 ; 李在喆, 2001, 『朝鮮後期 備邊司研究』, 集文堂 ; 李存熙, 1984, 「朝鮮王朝의 留守府 經營」, 『한국사연구』 47, 한국사연구회 ; 李泰鎭, 1977, 「中央五軍營制의 成立過程」, 『韓國軍制史』 근세조선후기편, 육군본부 ; 車文燮, 1973, 「宣祖朝의 訓練都監」, 『朝鮮時代軍制史』, 단국대학교출판부 ; 車文燮, 1976, 1979, 「守禦廳研究」 (상·하), 『東洋學研究』 6·9, 단국대동양학연구소 ; 崔娃姬, 2014, 「조선후기 宣惠廳의 운영과 中央財政構造의 변화」, 고려대학교 박사학위논문 ; 崔孝軾, 1983, 「어영청연구」, 『한국사연구』 40 ; 최효식, 1985, 「총융청연구」, 『논문집』 4, 동국대 ; 최효식, 1996, 『조선후기 군제사연구』, 新書苑 ; 韓忠熙, 1992, 「조선 중종 5년~선조 24년(성립기)의 비변사에 대하여」, 『서암조항래교수화갑기념 한국사학논총』, 논총간행위원회 ; 한충희, 2011, 「朝鮮 中·後期 議政府制의 變遷研究」, 『韓國學論集』 45, 계명대학교 한국학연구원.
9) 韓忠熙, 1994, 「중앙 정치구조」, 『한국사』 23 ; 2006, 『朝鮮初期의 政治制度와 政治』, 계명대학교 출판부 ; 2008, 『朝鮮初期 官職과 政治』, 계명대학교 출판부.
10) 조선의 시기구분을 보면 학자에 따라 다소의 차이는 있지만 국사편찬위원회의 『(신편)한국사』에 의하면 조선시기는 크게 초기(태조 1~성종 25), 중기(연산군 1~선조 24), 후기(선조 25~고종 12, 1875), 말기(고종 13, 1876~1910)로 구분된다. 본 장에서는 이를 참고하고, 또 고종 2년(『대전회통』 반포) 이후의 관제변화는 아직 검토를 마치지 못하였기에 편의상 1865년(고종 2)을 하한으로 하여 정리한다.
11) 병조는 무반아문이지만 육조에 포괄되고 있기에 문반아문과 함께 고찰한다.

살피며, 마지막으로 이 시기 경관직 변천의 특징을 규정해 보고자 한다.

이러한 연구를 통하여 조선 중·후기(1485, 성종 16,『경국대전』반포~1865, 고종 2,『대전회통』반포) 경관 문반직의 변천상이 종합·체계적으로 정리·규명되고, 나아가 이 시기의 정치제도와 정치운영을 천착하는 한 토대가 될 것으로 생각한다.[12]

2. 京官 文班職의 變遷背景

1) 直啓衙門 官職

直啓衙門의 관직은 1554년(명종 9)까지는『경국대전』에 규정된 관직이[13] 큰 변동 없이 그대로 계승되었다. 1555년(명종 10)에 이전까지 邊事를 집중적으로 처리하기 위해 임시로 운영하던 備邊司가 정1품 상설아문이 되고 1592년(선조 25) 왜란을 계기로 의정부를 제치고 최고의 정치·군사기구가 되었으며, 이어 宣惠廳·江華留守府·堤堰司·濬川司·奎章閣·水原留守府·廣州留守府 등이 설치되고 그 각각에 都提調 이하의 겸직과 정3품 이하의 正職·兼職의 郎官이

---

12) 경관직의 전모와 관직운영상을 파악하기 위해서는 왜란이후에 新置되고 增置되면서 고착되어 조선말까지 계승된 5군영 등 군영아문의 관직도 함께 고찰해야 되겠지만 분량의 문제도 있고, 결정적으로는 군영아문 관직의 성격을 완전히 파악하지 못하였기에 본 장에서는 문반직(무반직인 병조 포함)에 한정시켜 고찰한다. 또 조선 중·후기에는 蔭職窠가 증가되면서 관직에서 점하는 비중이 커졌기에 문반직과 구분해서 파악해야 되겠지만 班列·散階가 동반에 포괄되고 그 전모를 명확히 파악하기 어렵기에 문반에 포함해서 파악한다. 그 외에 제묘·전·능·원은 예조속아문(『속아문』·『대전통편』·『대전회통』권3, 예전)이기는 하나 왕실과 관련되어 운영되고 그 관직변천이 다기하기에 별도의 장으로 설정하여 파악하고자 하였으나 분량이 문제되고 또 본 장 4-1·3)에서 논급되기에 생략하였다.

13) 한충희, 위 논문, 113~116쪽〈표 4-2〉에서 종합. 정1~정3품 당상관직이 43직이고, 정3~종6품직이 103직이고, 정7~종9품직이 12직이다.

설치되어[14] 그 관아의 사무를 관장하였다. 또 議政府 司祿(정8) 1직, 이조 정랑·좌랑 각1직이 삭감된 것은 관아기능이 약화되었기 때문이었다.[15]

이들 도제조 이하 관직은 그 각각이 소속된 관아가 왜란 전후에 정치·경제· 사회의 격변과 왕도의 방어를 강화하거나 정조의 개혁정치를 뒷받침하기 위하여 설치되었던 만큼[16] 그 설치배경도 이와 같았다. 각 관아에 설치된 관직에는 최상층에 현직에 재직하는 영·좌·우의정이나 전직(원임) 의정이 겸하는 도제조가 있고, 그 아래로 판서 등이 겸하는 제조가 있으며, 실무를 담당하는 관직으로 소수의 정3품 당하관 이하가 겸하는 겸직과 정직이 있었다.[17] 이 중 도제조 이하 겸직은 재정을 절감하고 의정·판서 등 최고위 관직자를 중심으로 체계적이고 효율적으로 국정을 운영하기 위한 것에서, 낭관이 소수이고 겸직·정직을 병용한 것은 관장사무와 관련된 아문과의 업무협조 및 재정을 절감하기 위한 것에서 각각 기인되었다.

2) 六曹屬衙門 官職

六曹屬衙門의 관직은 1494년(연산군 즉위) 이후 조선후기를 통해 관아기능 의 약화, 재정난과 관련된 관아의 革去·降格과 이와 관련된 관직의 삭감·혁거, 왕실과 관련된 陵官의 증치 등과 관련되어 지속적이면서도 대대적으로 변천 되면서 운영되었다.

연산군대의 관직변천은 주로 연산군의 亂政에서 기인되었고,[18] 중종 즉위

---

14) 신설되고 개변되면서 운영된 관직은 뒤 135~152쪽 참조.
15) 한충희, 2011, 『朝鮮前期의 議政府와 政治』, 계명대학교출판부, 78쪽.
16) 한충희, 2020, 「朝鮮 中·後期 中央官衙 變遷研究」, 『朝鮮史研究』 29, 3~6쪽.
17) 도제조 이하를 겸임한 관직과 정3품 당하관 이하의 정직은 뒤 136~143쪽 참조.
18) 연산군대의 관직개변은 왕 12년에 집중되었다. 연산군대의 정치를 보면 왕 9년까지는 비록 무오사화로 사림파의 많은 관료가 화를 당하고 삼사의 언론 활동이 억제되기는 하였으나 의정부·육조·삼사 등 정부 공적기관이 중심이 된 정치가 운영되었다.

초에는 연산군의 난정으로 개변된 관제를 복구하면서 있게 되었다.[19]

연산군대 이후에는 이·호·예·형·공조속아문의 관직의 변천은 관아의 기능약화와 재정난에서 기인된 관아의 강격·혁거에 수반된 혁거·삭감이었고,[20] 병조속아문의 5위 관직은 중앙군이 5衛體制에서 5軍營體制로 개편됨에 따라 대부분의 관직이 5군영 관직으로 전환되었기 때문이었다.[21] 또 예조속아문에 속한 廟·殿·宮·陵·園[22] 관직은 역대의 전개와 관련된 廟·殿·宮·陵·園의 조성과 관련되어 종5품(令) 이하 관직의 설치와 종7(직장)~종9품(參奉)직의 종5~종8품(奉事)직으로의 승격에서 기인되었고,[23] 이로 인해 야기된 참하관의 인사적체와 관련되어 제전·궁·능과 육조속아문의 참하관이 참상관으로 조정되기도 하였다.[24]

이상에서 조선 중·후기에 경관직이 변천된 배경은 크게는 정치·군사, 경제, 사회변동과 관련된 관아의 설치·혁거와 재정난이었고, 부분적으로는 역대의 전개에 따른 전·원·능관의 증치·승격과 인사적체였다고 하겠다. 조선 중·후기에 변천된 경관직과 그 배경을 표로 정리하면 다음과 같다.

그러나 왕 10년 4월 조모 인수왕대비(덕종비 昭惠王后, 성종 생모)가 훙서하고 동년 윤4월에 생모 윤씨 폐비·사사를 계기로 훈구 재상 등 많은 관료를 살해한 갑자사화 이후에는 임사홍을 병조판서에 발탁하여 측근으로 삼고 측근을 중심으로 정치를 행하면서 언로를 봉쇄하고, 유희에 탐닉하는 등 방탕·방종한 생활로 일관하였다(『연산군일기』 10~12년조 ;『중종실록』 권1, 즉위총서).

19)『중종실록』 권1, 1년 4월 무인·9월 계묘.

20) 한충희, 앞 논문, 8~13쪽.

21) 위 논문, 18~21쪽.

22) 廟는 전주이씨의 시조 司空 李翰과 추존왕의 신위를 봉안한 전각, 殿은 선대왕의 영정이 봉안된 전각, 陵은 왕·왕비와 추존 왕·왕비의 묘이고, 園은 왕 사친이 안장된 묘이다. 묘·전·능·원의 명호·조성시기·설치 관직은 뒤 168~183쪽 참조.

23) 한충희, 2020,「朝鮮時代(1392, 太祖 1~1785, 正祖 9) 陵官制研究」,『(계명대)동서인문학』 59, 138~144쪽.

24) 위 논문, 145~148쪽.

	성종16~영조22	영조23~고종2
관아기능 약화	議政府 관직(직계아문), 內資寺 등 9아문 관직(육조속아문)	이조 관직(직)
관아기능 강화	備邊司(직), 5衛(속) 관직	비변사 관직(직)
관아혁거	忠翊司 등 12아문 관직(속)	사섬시 관직(속)
관아신치	備邊司·宣惠廳·堤堰司 관직(직)	濬川司·奎章閣(직), 世孫講書院·世孫衛從司(속), 제묘·전·능·원(속) 관직
경외방어 강화	江華·廣州·開成留守府(직)	水原留守府(직)
왕실관련	諸廟·殿·陵 관직(속)	제묘·전·능·원 관직(속)
재정난, 기타	내자시 등 9아문 관직(속)	

3. 直啓衙門 官職의 變遷

1) 祿職

(1) 議政府와 備邊司·宣惠廳·堤堰司·濬川司

가) 議政府

議政府 관직은 『경국대전』에 領·左·右議政(각1직, 정1), 左·右贊成(각1, 종1), 左·右參贊(각1, 정2), 舍人(2, 정4), 檢詳(1, 정5), 司祿(2, 정7)으로 규정되어 있다. 이 관직 이후 조선후기까지 의정·찬성·참찬·사인·검상은 그대로 계승되었다.

그러나 司祿은 정원은 2직이었지만 備邊司가 중심이 된 국정운영에 따른 의정부 기능의 약화와 관련되어 1743년(영조 19)까지 1직이나 2직으로 운영되다가 1745년『속대전』의 편찬 때에 1직이 삭감되면서 1직으로 개정되었다.[26] 그후 1865년(고종 2)에 비변사가 의정부에 통합되면서 혁거됨에 따라

---

25) 뒤 135~197쪽에서 종합.

종6품 備邊司郎廳 11원이 公事官으로 개칭되면서 의정부에 移置되었다.[27] 이에 따라 1865년 이후의 의정부는 당시까지 존치되었던 의정부 관원에 공사관 11인이 신치되면서 당상관 7직, 참상관 14직, 참하관 1직의 22직으로 증가되었다.

그런데 의정·찬성·참찬·사인·검상에 있어서도 법제적으로는 변동 없이 계승되었지만[28] 1592년(선조 25) 비변사가 최고의 정치·군사기관이 됨에 따른 의정부 기능의 약화로 조선 중·후기를 통해 3의정은 常時로 제수되었지만 조선후기의 찬성·참찬은 관직의 중요도가 떨어지면서 궐직이나 1~2명이 제수되었고, 사인·검상도 궐직이나 1~2명이 제수되면서 운영되었다.[29]

나) 備邊司·宣惠廳·堤堰司·濬川司

備邊司는 정1품아문이지만 정1~정3품 당상관이 都提調(정1)·提調(종1~종2)·副提調(정3 당상)를 겸대하면서 관아운영을 주도하였기에 녹직에는 단지 參上官(5~6품)인 郎廳이 있을 뿐이었다. 낭청은 1510년(중종 5) 創置時에[30] 5품직 1직 이상이 설치되었고,[31] 이후 1578년(선조 11)까지 참상직 1~5직 이상, 1579년에 참상직 4~5직으로 운영되었고,[32] 1592년(선조 25) 왜란을

---

26) 한충희, 2011, 『朝鮮前期의 議政府와 政治』, 계명대학교출판부, 71~73쪽. 『속대전』은 1745년(영조 21)에 편찬이 완성되어 익년에 반포되었다.

27) 『대전회통』 권1, 이전 경관직 의정부.

28) 『속대전』· 『대전통편』· 『대전회통』 권1, 이전 경관직 의정부.

29) 한충희, 앞 책, 71~78쪽.

30) 창치 시기는 연구자에 따라 차이가 있지만 여기서는 졸고, 1992, 「朝鮮 中宗 5年~宣祖 24年(成立期)의 備邊司에 대하여」, 『西巖趙恒來敎授華甲紀念 韓國史學論叢』, 논총간행위원회, 195~205쪽에 의거하였다. 연구자 별 창치 시기는 다음과 같다(관련 연구는 한충희, 위 논문, 194쪽 참조).
중종 5년 : 重吉萬次, 痲生武龜, 鄭夏明, 李載浩, 吳宗祿, 洪奕基.
중종 12년 : 申奭鎬.
명종 10년 : 痲生武龜.

31) 한충희, 앞 논문, 208쪽.

기해 참상~참하직 11직(兵曹 武備司 正郎이 겸한 1직 제외)으로[33] 증가된 후 후대로 계승되다가[34] 1865년(고종 2) 비변사가 의정부에 통합되면서 낭청 모두가 의정부에 이속되고 公事官으로 개칭되었다.[35]

宣惠廳의 정직에는 參上官(5~6품)인 郎廳이 있었다(당상관인 都提調〈정1〉, 提調〈종1~종2〉, 副提調〈정3당상〉는 겸직). 낭청은 1608년(광해군 즉위) 창치 시에 참상직 2직이 설치되었고,[36] 大同法의 실시에 따른 京畿, 湖西, 湖南大同廳 등의 설치와 관련되어 1608년(선조 41)에 1직이 증치되었다가[37] 혁거(연도 불명), 1652년(효종 3)과 1657년(효종 7) 각각 1직이 증치되면서 4직으로 정비(1직은 음관 4품 이상)되었다가[38] 『속대전』에 법제화 되었다. 그 후 1753년(영조 29)에 均役廳을 합병할 때 낭청 1직이 증치되면서 5직이[39] 되었다가 1865년 이전에 선혜청이 西班衙門으로 전환됨에 따라[40] 무반직이 되었다.

堤堰司는 1490년(성종 21)에 복치되어 치, 폐가 반복되면서 운영되었는데 그 관직인 都提調(정1), 提調(종1~종2), 郎廳(참상) 모두가 겸직이었다(관아연혁은 뒤 〈표 4-3〉 제언사 참조).

濬川司는 1760년(영조 36) 정1품아문으로 설치되었는데 그 관직인 都提調 (정1), 提調(종1~종2), 郎廳(참상) 모두가 겸직이었고, 그마저도 1865년(고종 1) 이전에 준천사가 서반아문으로 전환됨에 따라[41] 무반직이 되었다(관아연

32) 위 논문, 209~211쪽, 〈표 4, 5〉.
33) 위 논문, 210~211쪽, 〈표 5〉.
34) 『속대전』·『대전통편』 권1, 이전 경관직 비변사.
35) 『고종실록』 2년 3월 28일조.
36) 『광해군일기』 권4, 즉위년 5월 갑진.
37) 『증보문헌비고』 권222, 직관 29 선혜청.
38) 『증보문헌비고』 권222, 직관 29 선혜청.
39) 『증보문헌비고』 권222, 직관 29 선혜청.
40) 『대전회통』 권4, 병전 경관직 선혜청.
41) 『영조실록』 권94, 36년 10월 임오 ; 『대전회통』 권4, 병전 경관직 준천사.

혁은 뒤 〈표 4-3〉 준천사 참조).

(2) 宗親·忠勳·儀賓·敦寧府

儀賓府의 모든 관직은『경국대전』에 규정된 그것이 변동 없이 그대로
『속대전』,『대전통편』,『대전회통』에 등재되면서 조선후기까지 계승되었다
(관직과 직질은 뒤 〈표 4-2〉 참조).

宗親府의 관직은『경국대전』에 규정된 大君(嫡王子)·君(庶王子)(무품), 君
(종1~종2), 都正(정3당상), 正(정3), 副正(종3), 守(정4), 副守(종4), 令(정5),
副令(종5), 監(정6)(이상 宗親, 무정수)과 典籤(정4, 1)·典簿(정5, 1(이상 朝官)
이1864년(고종 1)까지 계승되다가 1865년(고종 2)에 새로이 설치된 宗正卿
(무품~종2, 무정수)이 그 직질에 따라 領宗正卿(무품, 대군·왕자 군 예겸)·判
宗正卿(정1, 대신)·知宗正卿(종1~정2)·宗正卿(종2)으로 구분됨에 따라 대군~
전부와 영종정경~종정경으로 정비된 후『대전회통』에 등재되어 후대로
계승되었다.[42]

忠勳府의 관직은『경국대전』에 규정된 經歷 1(종4), 都事 1(종5)이 후대로
계승되다가 명종대(1545~1567)에 도사가 혁거된 후[43] 조선후기까지 계승되
었다.

敦寧府의 관직은『경국대전』에 규정된 領事 1(정1), 判事 1(종1), 知事
1(정2), 同知事 1(종2), 都正 1(정3당상), 正 1(정3), 副正 1(종3), 僉正 2(종4),
判官 2(종5), 主簿 2(종6), 直長 2(종7), 奉事 2(종8), 參奉 2직(종9)이 1506년(연
산군 12)에 첨정·판관·주부·봉사·참봉 각1직이 삭감되었다가[44] 동년 중종
즉위와 함께 복구되었다. 이후 1583년(선조 16)에 주부 1직이 삭감되었다

42)『고순종실록』권2, 2년 7월 21일·8월 5일 ;『대전회통』권1, 경관직 이전 종친부.
43)『증보문헌비고』권217, 직관 24 충훈부.
44)『연산군일기』권61, 12년 1월 병진.

가[45] 1746년(영조 22) 이전에 복구되었고, 1746년에 부정·첨정·봉사가 혁거
및 판관·주부·직장·참봉 각1직이 삭감되고 1785년(정조 9)에 정이 혁거되면
서 영사·판사·지사·동지사·도정·판관·주부·직장·참봉 각1직으로 정비된
후 후대로 계승되었다.

(3) 六曹(吏·戶·禮·兵·刑·工曹)

가) 禮·兵·工曹

禮·兵·工曹의 判書 이하 모든 관직은『경국대전』에 규정된 그것이 변동
없이 그대로『속대전』,『대전통편』,『대전회통』에 등재되면서 조선후기까지
계승되었다(『경국대전』에 규정된 관직과 직질은 뒤 〈표 4-2〉 참조).

나) 吏·戶·刑曹

吏曹는『경국대전』에 규정된 관직이 후대로 계승되다가 1777년(정조 즉위)
이전에 正郎·佐郎 각1직이 삭감된[46] 것이『대전통편』에 법제화 되었고,
이후 변동 없이 계승되었다.[47]

戶曹는『경국대전』에 규정된 관직이 계승되다가 1506년(연산군 12)에
정랑·좌랑 각1직이 증치되었고,[48] 동년 중종 즉위와 함께 복구된 후[49]

---

45)『선조실록』권17, 16년 6월 정미.
46) 삭감된 시기는 불명하나『속대전』에는 관직 변동이 없고『대전통편』(정조 9)에 정랑·
　　좌랑 각 1직이 삭감되어 각2직으로 규정되었다. 그런데『증보문헌비고』·『인조실록』·
　　『정조실록』에 "인조 7년에 吏曹郎薦法이 혁거되었고, 영조 13년에 郎廳通淸法이 혁거되
　　었다가 정조 즉위년에 吏曹郎官通淸制가 복구되었다"고 하였음에서 1747년(영조 23)~
　　정조 즉위년의 어느 시기에 삭감된 것으로 추측되기에 정조 즉위년 이전에 삭감된
　　것으로 파악한다.
47)『대전회통』권1, 이전 경관직 이조.
48)『연산군일기』권61, 12년 3월 신묘. 동조에서는 낭청 2직으로 적기되었지만 정랑·좌랑
　　각1직을 의미한다고 생각되어 추정하여 파악한다.

변동 없이 조선후기까지 계승되었다.

刑曹는『경국대전』에 규정된 관직이 계승되다가 1506년(연산군 12)에 낭청 2직이 증치되고 중종 즉위와 함께 증치된 낭청이 혁거되었으며,[50] 이것이 후대로 계승되다가 1746년(영조 22) 이전에 정랑·좌랑 각1직이 삭감된 후[51] 조선후기까지 계승되었다(이·호·형조의『경국대전』에 규정된 관직과 직질은 뒤 〈표 4-2〉 참조).

(4) 義禁府와 司憲府·司諫院

가) 義禁府

義禁府는『경국대전』에 규정된 經歷(종4)·都事(종5, 합해 10직, 당상관인 判事와 知事는 겸관)가 1490년(성종 21) 이전에 정직에서 무록직이 되었다가[52] 1703년(숙종 29)에 참상 도사 5직 중 3직이 종4품직으로 승격되었고,[53] 영조 22년 이전에 경력·도사가 혁거 및 녹직의 종6·종9 도사 각5직이 설치되었으며, 1865년(고종 2) 이전에 종9 도사가 종8품으로 승질되면서[54] 종6·종8품 도사 각5직으로 정비된 후 후대로 계승되었다.

나) 司憲府·司諫院·經筵

司憲府는『경국대전』에 규정된 관직이 후대로 계승되다가 1505년(연산군 11) 1월 이전에 持平 2직이 혁거되고[55] 1506년(연산군 12) 8월에 掌令 2직이

---

49)『중종실록』권1, 1년 9월 기묘.
50)『연산군일기』권61, 12년 3월 신묘 ;『중종실록』권1, 1년 9월 기묘.
51)『속대전』권1, 이전 경관직 형조.
52)『성종실록』권237, 21년 2월 무신.
53)『숙종실록』권38하, 29년 7월 을묘.
54)『대전회통』권1, 이전 경관직 의금부.
55)『연산군일기』권57, 11년 1월 기해.

증치되었다가[56) 중종 즉위와 함께 복구되었으며,[57) 1746년(영조 22) 이전에
監察 11직이 삭감되면서 대사헌(1, 종2), 집의(1, 종3), 장령(2, 정4), 지평(2,
정5), 감찰(13, 정6)로[58) 정비된 후 그대로 조선후기까지 계승되었다.

司諫院은 『경국대전』에 규정된 大司諫(1, 정3 당상), 司諫(1, 종3), 獻納(1,
정5), 正言(2, 정6)이 1505년(연산군 11) 연산군의 간관 탄압과 기피에 따라
정언 2직이 혁거 및 헌납 1직이 증치되고[59) 1506년(연산군 12)에 관아가
혁거됨에 따라 모든 관원이 혁거되었다가[60) 동년 중종 즉위와 함께 관아의
복치에 따라 개변된 관직이 모두 복치되었으며,[61) 이것이 이후 변동 없이
조선후기까지 계승되었다.

經筵은 『경국대전』에 정1품 領事이하 정9품 典經에 이르기까지 수십여
직이 규정되었지만 그 모두가 겸직이었다.

(5) 漢城府와 水原·廣州·開城·江華府

가) 漢城府

漢城府는 『경국대전』에 규정된 判尹(1, 정2), 左·右尹(각1, 종2), 庶尹(1,
종4), 判官(1, 종5), 參軍(3, 정7, 1은 通禮院引儀겸)이 후대로 계승되다가
1686년(숙종 12)에 판관 1직이 삭감되었다.[62) 그 후 1724년(영조 즉위)에
참군 1직이 주부로 승질·개칭되었고, 1725년(영조 1)에 주부 1직이 삭감,

---

56) 『연산군일기』 권63, 12년 8월 정미.
57) 『증보문헌비고』 권219, 직관 6 사헌부.
58) 『속대전』 권1, 이전 경관직 사헌부.
59) 『연산군일기』 권57, 11년 1월 기해.
60) 『연산군일기』 권62, 12년 5월 갑술.
61) 『증보문헌비고』 권219, 직관 6 사간원.
62) 『증보문헌비고』 권218, 직관 5 한성부. 한편 假官이 중종 6년 이전에 10명직으로
   설치되어 중종 6년에 4직이 삭감되었다가 영조 22년 이전에 혁거되었는데(『속대전』
   권1, 이전 경관직 한성부) 그 관직적 성격이 임시직이라고 생각되어 생략한다.

참군 1직이 증치되었다. 이어 1768년(영조 44)에 참군 1직이 주부로 승질·개칭되었다가[63] 1865년(고종 2) 이전에 참군이 혁거되면서 판윤(1, 정2), 좌·우윤(각1, 종2), 서윤(1, 종4), 판관(1, 종5), 주부(1, 종6)로 개변된 것이『대전회통』에 등재되었다.

나) 水原·廣州·開城·江華府

水原留守府에는 1793년(정조 17) 외관인 도호부에서 경관 정2품아문으로 승격될 留守(2, 정2, 1 경기관찰사겸), 判官(1, 종5), 檢律(1, 종9 1)이 두어졌고, 이후 이 관직이 그대로 계승되었다.[64]

廣州留守府에는 1683년(숙종 9) 외관인 목에서 경관 정2품아문으로 승격될 때 留守(2, 정2, 1 경기관겸)와 經歷(종4, 1)이 설치되었고, 1795년(정조 19) 관아가 정2품아문으로 설치될 때 留守(2, 정2, 1 경기관겸), 判官(1, 종5), 檢律(1, 종9 1)이 두어졌고, 이후 이 관직이 그대로 계승되다가『대전회통』에 법제화되었다.[65]

開城留守府는『경국대전』에 규정된 留守(2, 종2, 1 경기관겸), 經歷(1, 종4), 都事(1, 종5), 敎授(1, 종6)가 1746년(영조 22) 이전에 도사가 혁거되었고,[66] 1726년(영조 8)에 교수가 종9품 分敎官으로 강격·개정되었다가 1733년(영조 15)에 환원되었다.[67] 1785년(정조 9) 이전과 1865년 이전에 分敎官(1, 종9)과 檢律(1, 종9)이 신치되면서 留守(2, 정2, 1 경기관 겸)·經歷(1, 종4)·敎授(1,

---

63)『증보문헌비고』권213, 직관 5 한성부.

64)『정조실록』권37, 17년 1월 병오 ;『수원부읍지』건치연혁 ;『대전회통』권1, 이전 경관직 수원부.

65)『숙종실록』권14, 9년 1월 경오 ;『영조실록』권71, 26년 5월 신미 ; 권94, 35년 11월 갑인 ;『정조실록』권43, 19년 8월 병신 ;『광주부읍지』건치연혁 ;『대전회통』권1, 이전 경관직 광주부.

66)『숙종실록』권55, 40년 8월 을유.

67) 이존희, 1984,「朝鮮王朝의 留守府經營」,『韓國史研究』47, 42쪽.

142

종6)·分敎官(1, 종9)·檢律(1, 종9)로 정비된 후『대전회통』에 법제화되었다.[68]

江華留守府는 1627년(인조 5) 강화부윤부에서 유수부로 승격되고 경아문이 될 때 留守(2, 정2, 1 경기관겸), 經歷(1, 종4)이 두어졌다.[69] 그 후 1637년(인조 15) 청군에 강화부가 함락된 후 도호부로 강격되면서 유수 이하가 혁거되고 도호부사가 설치되었다가 효종초에 다시 유수부로 승격됨에 따라 유수와 경력이 설치되었으며,[70] 1746년(영조 22) 이전과 1865년(고종 2) 이전에 分敎官(1, 종9)과 檢律(1, 종9)이 신치되면서 留守(2, 정2, 1 경기관 겸)·經歷(1, 종4)·分敎官(1, 종9)·檢律(1, 종9)로 정비된 후『대전회통』에 법제화되었다.[71]

(6) 奎章閣과 承政院

奎章閣은 1776년(정조 즉위)에 관아가 설치될 때 直閣(1, 정3~종6, 1), 待敎(1, 정7~종9, 1)가 두어졌다(당상관인 제학·직제학은 겸직).[72] 그 후 1782년(정조 6)에 교서관이 屬司(外閣)가 되면서 교서관 관직이던 校理(1, 종5, 1), 博士(2, 정7), 著作(2, 정8), 正字(2, 정9), 副正字(2, 종9)[장관인 判校(1, 정3)는 겸직]가 계승되어[73] 후대로 계승되었다.

承政院은『경국대전』에 규정된 都·左·右·左副·右副·同副承旨(정3당상, 각 1), 注書(정7, 2)가 1505년(연산군 11)에 주서 2직이 가치, 1506년(중종 1)에 주서 2직이 삭감되었다가[74] 1599년(선조 32)에 정7품직의 事變假注書 1직이

---

68)『대전회통』권1, 이전 경관직 개성부.

69)『강화부읍지』건치연혁.

70) 이존희, 1984,「朝鮮王朝의 留守府經營」,『韓國史硏究』47, 42쪽.

71)『속대전』·『대전회통』권1, 이전 경관직 강화부.

72)『증보문헌비고』권220, 직관 7 규장각.

73)『증보문헌비고』권220, 직관 7 규장외각.

설치된75) 후 변동 없이 조선후기까지 계승되었다.

지금까지 검토한 직계아문의 녹직 변천을 관아·관직별로 정리하면 다음의 표와 같다.

〈표 4-2〉 1485년(성종16, 『경국대전』)~1865년(고종2, 『대전회통』) 직계아문 녹직 변천76)

	『경국대전』	치, 폐 관직 (성종16~고종1)	『대전회통』	비고
宗親府	大君·君(무품), 君(정1~종2), 都正(정3당상), 正(정3), 副正(종3), 守(정4), 副守(종4), 令(정 5), 副令(종5), 監(정6, 이상 종친, 무정수), 典籤 1(정4)·典簿(정5, 1 (이상 조관)→	→ 고종2 치 領宗正卿·判宗正卿·知宗正卿·宗正卿→	대군·군(무품), 영종정경(무품, 대군·왕자겸), 판종정경(정1, 대신), 군(정1~종2), 지종정경(종1~정2), 종정경(종2), 도정(정3당상), 정(정3), 부정(종3), 수(정4), 부수(종4), 령(정5), 부령(종5), 감(정6), 이상 종친, 무정수), 전첨(정4, 1)·전부(정5, 1 (이상 조관)	직계아문 정1품 아문
議政府	領·左·右議政(정1, 각1), 左·右贊成(종1, 각1), 左·右參贊(정2, 각1), 舍人(정4, 2), 檢詳(정5, 1), 司祿(정8, 2)→	영조22 이전 감 사록→	영·좌·우의정(정1, 각1), 좌·우찬성(종1, 각1), 좌·우참찬(정2, 각1), 사인(정4, 2), 검상(정5, 1), 公事官(종6, 11), 사록(정8, 1)	
備邊司		명종15 郎廳(12, 종6)→	혁(속의정부)	
宣惠廳		광해군즉위 낭청(종6, 2)→ 가 낭청 2→ 영조29 가 낭청1→ 고종2이전 이 서반		
忠勳府	君(정1~종2, 무정수), 經歷(종4, 1), 都事(정5, 1)→	영조22 이전 혁 경력→	군(정1~종2, 무정수), 도사(종5, 1)	
儀賓府	尉(정1~종2,) 副尉(정3당상), 僉尉(정3~종3)(이상 무정수), 경력(정4, 1), 도사(종5, 1)→	→	위(정1~종2) 부위(정3당상), 첨위(정3)~종3)(이상 무정수), 도사(종5, 1)	
敦寧府	領事(정1, 1), 判事(정1, 1), 知事(정2, 1), 同知事(종2, 1), 都正(정3당상, 1), 正(1,	→	영사(정1, 1), 판사(종1, 1), 지사(정2, 1), 동지사(종2, 1), 도정(정3당상, 1), 정(1,	

---

74) 『연산군일기』 권58, 11년 6월 갑인 ; 『중종실록』 권1, 1년 9월 기묘 ; 『증보문헌비고』 권218, 직관 5 승정원.

75) 『선조실록』 권113, 32년 5월 갑진 ; 『증보문헌비고』 권218, 직관5 승정원.

144

관서					
		정3), 副正(종3, 1), 僉正(종4, 2), 判官(종5, 2), 主簿(종6, 2), 直長(종7, 2), 奉事(종8, 2), 參奉(종9, 2)→		정3), 판관(종5, 1), 주부(종6, 1), 참봉(종9, 1)	
義禁府		經歷(종4)·都事(종5)(총10)→	성종16~21 加 낭청4→ ? 감 낭청 4→ 성종23 낭청 10 개정 무록관, ? 減 낭청 2→ 영조22이전 革 경력·도사 置 녹직 종6·종9 도사 각5→ 고종2 이전 종9 도사 승 종8→	도사 10(종6-5, 종8-5)	종1품
6曹	吏曹	判書(정2, 1), 參判(종2, 1), 參議(정3당상, 1), 正郎(정5, 3), 佐郎(종6, 3)→	정조9 이전 삭감 정랑·좌랑 각1→	판서(정2, 1), 참판(종2, 1), 참의(정3당상, 1), 정랑(정5, 2), 좌랑(정6, 2)	정2품
	戶曹	판서(정2, 1), 참판(종2, 1), 참의(정3당상, 1), 정랑(정5, 3), 좌랑(종6, 3)→	연산군12 가 정랑·좌랑 각1 중종 1 복→영조23 회계사 정랑·좌랑 久任→	판서(정2, 1), 참판(종2, 1), 참의(정3당상, 1), 정랑(정5, 3, 회계사 정랑 구임), 좌랑(정6, 3, 회계사좌랑구임)	
	禮曹	이조와 동→	→	이조와 동	
	兵曹	판서(정2, 1), 참판(종2, 1), 참의(정3당상, 1), 參知(정3당상, 1), 정랑(정5, 4), 좌랑(정6, 4)→	→	판서(정2, 1), 참판(종2, 1), 참의(정3당상, 1), 참지(정3당상, 1), 정랑(정5, 4), 좌랑(정6, 4)	
	刑曹	판서(정2, 1), 참판(종2, 1), 참의(정3당상, 1), 정랑(정5, 4), 좌랑(정6, 4)→	연산군12 가 정랑·좌랑 각1 중종1 복구→영조22 이전 감 정랑·좌랑 각1→	판서(정2, 1), 참판(종2, 1), 참의(정3당상, 1), 정랑(정5, 3), 좌랑(정6, 3)	
	工曹	이조와 동→	→	이조와 동	
漢城府		判尹(정2, 1), 左·右尹(종2, 각1), 庶尹(종4, 1), 判官(종5, 2), 參軍(정7, 3, 1은 통례원인의겸)→	숙종12 감 판관 1→ 영조 즉위 치 주부(종6)1, 감 참군 1·주부 1·증 참군 1→ 영조44 증 주부 1, 혁 참군 1→ 고종2 이전 감 참군 1→	판윤(정2, 1), 좌·우윤(종2, 각1), 서윤(종4, 1), 판관(종5, 1), 주부(종6, 1), 참군(정7, 1, 통례원인의겸)	
水原留守府			정조17 留守(정2, 2, 1경기관겸), 判官(종5, 1), 檢律(종9, 1)→	정조 17 유수(정2, 2, 1경기관겸), 판관(종5, 1), 검률(종9, 1)	
廣州留守府			숙종9 유수 1·경력 1→ 19 혁→ 영조26 복→ 35 혁→ 정조19 유수(정2, 2, 1경기관겸), 판관(종5, 1), 검률(종9, 1)→	유수(정2, 2, 1경기관겸), 판관(종5, 1), 검률(종9, 1)	

奎章閣		정조 즉 直閣(정3~종6, 1), 待敎(정7~종9, 1)~하), 校理(종5, 1), 博士(정7, 2), 著作(정8, 2), 正字(정9, 2), 副正字(종9, 2)→ 정조6 증 교리 1, 박사 2, 저작 2, 부정자 2(합속된 교서관 관)→	직각(정3~종6, 1), 대교(정7~종9, 1)~하), 교리(종5, 1), 박사(정7, 2), 저작(정8, 2), 정자(정9, 2), 부정자(종9, 2	종2품
司憲府	大司憲(종2, 1), 執義(종3, 1), 掌令(정4, 2), 地平(정5, 2), 監察(정6, 24)→	연산군12 혁 지평2·가장령2→ 중종1 복구→ 영조22 이전 감 감찰11→	대사헌(종2, 1), 집의(종3, 1), 장령(정4, 2), 지평(정5, 2), 감찰(정6, 13)	
開城府	留守(종2, 1, 1은 경기관찰사겸), 經歷(종4, 1), 都事(종5, 1), 敎授(종6, 1)→	숙종40 이전 치 分敎官(종9) 2→숙종42 혁분교관 영조22 이전 혁 도사→고종1 이전 치 분교관(종9, 1)·검률(종9, 1)→	유수(종2, 1, 1은 경기관찰사겸), 경력(종4, 1), 교수(종6, 1), 분교관(종9, 1)·검률(종9, 1)	
江華留守府		인조5 유수(종2, 2, 1경기관찰사), 경력(종4, 1)→ 15혁→ 효종초 복→ 숙종40 이전 치 分敎官(종9) 2→ 숙종42 혁분교관→ 영조22 이전 혁 도사→ 고종1이전 치, 분교관(종9, 1)·검률(종9, 1)→	유수(종2, 2, 1경기관찰사), 경력(종4, 1), 분교관(종9, 1), 검률(종9, 1)	
承政院	都·左·右·左副·右副·同副承旨(정3당상, 각1), 注書(정7, 2)→	연산군11 치 가주서 2→중종1 복구→선조32 치 事變假注書(정7) 1→	도·좌·우·좌부·우부·동부승지(정3당상, 각1), 주서(정7, 2), 사변가주서 1(정7)	정3품당상아문
司諫院	大司諫(정3당상, 1), 司諫(종3, 1), 獻納(정5, 1), 正言(정6, 2)→	혁(연산군12)→복구(중종1)→	대사간(정3당상, 1), 사간(종3, 1), 헌납(정5, 1), 정언(정6, 2)	
합계	161(당상관 43, 참상관 104, 참하관 12)*1	153(당상관 45, 참상관 69, 참하관 44)*2	162(당상관 46, 참상관 87, 참하관 58)*3	

*1 당상관-정1 4, 종1 3, 정2 10, 종2 11, 정3 15, 참상관-정3 1, 종3 3, 정4 5, 종4 11, 정5 24, 종5 12, 정6 46, 종6 2, 참하관-정7 4, 종7 2, 정8 2, 종8 2, 종9 2.
*2 당상관-정1 4, 종1 3, 정2 12, 종2 12, 정3 15, 참상관-정3 1, 종3 2, 정4 5, 종4 4, 정5 24, 종5 29, 정6 46, 종6 22, 참하관-정7 3, 종7 2, 정8 2, 정9 2, 종9 1.
*3 당상관-정1 4, 종1 3, 정2 12, 종2 12, 정3 15, 참상관-정3 1, 종3 3, 정4 5, 종4 4, 정5 23, 종5 7, 정6 33, 종6 11, 참하관-정7 5, 종7 2, 정8 2, 종8 5, 정9 2, 종9 10.

76) 『조선왕조실록』 성종 16~철종 14년조 ; 『증보문헌비고』 권216~권222 ; 『속대전』·

2) 遞兒·無祿職과 兼職

(1) 遞兒職

『경국대전』에 규정된 직계아문의 체아직에는 戶曹 算士(종7, 1)·計士(종8, 2)·算學訓導(정9, 1)·會士(종9, 2)와 刑曹 明律(종7, 1)·審律(종8, 2)·律學訓導(정9, 1)·檢律(종9, 2)의 12직이 있었다. 이 관직이 경비절감과 관련되어 1506년(연산군 12)에 계사·회사·심률·검률 각1직이 삭감되었다가 동년 중종 즉위와 함께 복구되었다.[77] 그 후 1746년(영조 22) 이전에 계사·회사·심률·검률 각1직이 삭감되면서 호조 산사·계사·산학훈도·회사 각1직과 형조 명률·심률·율학훈도·검률 각1직의 총 8직으로 정비된 후 변동 없이 후대로 계승되었다.[78]

(2) 無祿職

『경국대전』에 규정된 직계아문의 무록직에는 戶曹와 刑曹에 別提(종6품) 각2직의 4직이 있었다. 이 관직이 1492년(성종 23)에 의금부 녹직인 經歷(종5)·都事(종6) 10직이 무록직으로 전환되었고,[79] 1746년(영조 22) 이전에 경력·도사가 도사로 합칭·강격되면서 녹직의 종6·종9품 각5직으로 조정되고 호조·형조 별제 각1직이 삭감되었다. 다시 1865년(고종 2) 이전에 의금부 종9품 도사 5직이 종8품으로 승질되면서 의금부 도사 10직(종6-5, 종8-5)과 호조·형조 별제 각1직으로 정비된 후 변동 없이 후대로 계승되었다.[80]

『대전통편』·『대전회통』 권1, 이전 경관직 등에서 종합.

77) 『연산군일기』 권61, 12년 3월 신묘 ; 『중종실록』 권1, 1년 9월 계묘.
78) 『대전통편』·『대전회통』 권1, 이전 경관직 호조·형조.
79) 『성종실록』 권237, 21년 2월 무신.

(3) 兼職

문반 직계아문으로서 겸직이 설치된 아문은 1485년(성종 16, 『경국대전』)까지는 의금부·한성부·개성부·경연의 4아문에 불과하였다. 그러나 이후 1865년(고종 2)까지 정치·군사·사회·경제의 변동 및 제도정비와 관련된 비변사·선혜청 등 10여 아문이 설치되고 이들 관아가 당상관 겸직을 중심으로 운영된 등과 관련되어 당상관 겸직이 크게 증가되는 변천을 겪으면서 운영되었다.

가) 義禁府·漢城府·開城府·經筵

義禁府는 『경국대전』에 규정된 判事(종1)·知事(정2)·同知事(종2, 합하여 4직)이 그대로 조선후기까지 계승되었다.

漢城府는 『경국대전』에 규정된 參軍(정7, 1직, 通禮院引儀 겸)이 그대로 조선후기까지 계승되었다.

開城府는 『경국대전』에 규정된 留守(종2, 2, 1은 정직, 1은 경기관찰사겸)가 그대로 조선후기까지 계승되었다(경력 이하는 녹직).

經筵은 『경국대전』에 규정된 領事(정1, 3)·知事(정2, 3)·同知事(종2, 3)·參贊官(정3당상, 7, 6承旨·弘文館副提學 겸)과 무정수인 侍講官(정4)·試讀官(정5)·檢討官(정6)·寫經(정7)·說經(정8)·典經(정9)의 당상관 19직과 당하관 이하 20여직이 1504년(연산군 10) 연산군의 난정에 따른 경연혁파로[81] 모두 혁거되었다가 1506년(중종 1)에 복구된 후 조선후기까지 그대로 계승되었다.

---

80) 『속대전』·『대전통편』·『대전회통』 권1, 이전 경관직 호조·형조.
81) 『연산군일기』 권55, 10년 8월 임신 ; 『중종실록』 권1, 1년 4월 무인.

나) 備邊司·宣惠廳·堤堰司·濬川司·奎章閣

備邊司는 1555년(명종 10) 상설 정1품아문이 될 때 都提調(정1, 현·전임 의정겸)·提調(종1~종2, 吏·戶·禮·兵曹判書兼)(郎廳〈종5, 5직 이상〉은 녹직)이 설치되었다.[82] 이것이 후대로 계승되다가 1592년(선조 25) 왜란을 기해 비변사가 議政府를 제치고 최고 정치·군사기구가 되면서 副提調(정3 당상겸) 1직과 제조가 겸하는 有司堂上 3직이 신치되었으며, 1593년(선조 26)에 例兼提調 1직(訓練都監 大將)이 증치되었다.[83]

이후 1795년(정조 19)까지 江華留守(인조 5), 大提學(인조 24), 刑曹判書(숙종 1), 開城留守(숙종 17), 御營大將(숙종 25), 禁衛大將(영조 30), 守禦使·摠戎使 (~영조 22 이전), 水原留守(정조 17), 廣州留守(정조 19)가 연이어 例兼提調가 되었다. 또 유사당상 1직(제조겸, 인조 2)이 증치되고 8道句管堂上(각1, 유사당상 각 겸2도, 숙종 30)이 신치되었다.[84] 이리하여 1795년 비변사 겸직은 都提調 무정수(정1, 시·원임 의정 겸), 例兼提調 15(종1~종2, 이·호·예·병·형판, 대제학, 훈련·어영·금위대장, 수어사, 총융사, 강화·개성·수원·광주유수), 그 외 啓差 提調 무정수(종1~종2 겸), 副提調 1(정3품 당상 겸), 郎廳 12(종6), 유사당상 4(제조겸), 8도구관당상 8(유사당상 각 구관2도)직으로 정비되었으며, 이것이 1865년(고종 2) 비변사가 의정부에 합병되면서 소멸될 때까지 계승되었다.

宣惠廳은 1608년(광해군 즉위) 관아 창치시에 都提調 1(정1, 의정겸)·제조 1(정2, 호판겸)직이 설치되었고(郎廳〈종6, 2〉은 녹직), 1663년(현종 4)에 도제조 2(의정겸)·제조 2·낭청 2직이 증치되었다.[85] 이것이 후대로 계승되다가

---

82) 『증보문헌비고』 권216, 직관고 3 비변사.
83) 『증보문헌비고』 권216, 직관고 3 비변사 ; 『만기요람』, 반윤홍, 앞 책, 70~72쪽에서 종합.
84) 『증보문헌비고』 권216, 직관고 3 비변사 ; 『만기요람』, 반윤홍, 위 책, 70~72쪽에서 종합.
85) 『증보문헌비고』 권222, 직관고 9 선혜청.

1753년(영조 29)에 낭청 2직이 증치되면서 도제조 3(3의정겸)·제조 3(1은 호조판서겸)·낭청(음직) 5직으로 정비된 후 1865년(고종 2) 이전에 관아가 서반관아가 전환되면서 서반관직이 될 때까지 계승되었다.[86]

堤堰司는 1490년(성종 21) 이전에 설치되어 1662년(현종 3) 이전에 혁거되었고(설치 관직 불명), 1662년 관아 복치 때에 都提調(3, 3의정 겸), 제조(3, 비변사당상 겸), 낭청(1, 5~6품, 비변사낭청겸)이 설치되어 1865년(고종 2) 관아가 의정부에 합병되면서 혁거될 때까지 존속되었다.[87]

濬川司는 1760년(영조 36) 관아설치 때에 도제조(3, 3의정 겸), 제조(6, 비변사제조 1·병조판서·한성판윤, 3군문대장 겸), 都廳(1, 정3품당상, 御營廳 千摠 겸), 낭청(3, 3道參軍 겸)이 설치되어 1865년(고종 2) 관아가 의정부에 합병되면서 혁거될 때까지 존속되었다.[88]

奎章閣은 1776년(정조 즉위) 관아가 설치될 때 提學(2, 종1~종2), 直提學(2, 종2~정3당상)이 설치되었다(교리 이하는 녹직).[89] 1782년(정조 6)에 校書館이 합병되면서 兼判校(1, 정3)와 兼校理(종5, 3)가 移置되었고, 1785년(정조 9) 이전에 겸판교가 혁거되고 겸교리 2직이 삭감되었다가 1865년(고종 2) 이전에 다시 겸판교가 복치되면서 提學(2)·直提學(2)·判校(1)·兼校理(1)로 정비된[90] 후 『대전회통』에 등재되었다.

다) 水原·廣州·開城·江華留守府

水原留守府는 1793년(정조 17) 都護府가 정2품 유수부로 승격하고 경관아가 될 때 留守(정2, 2, 1 경기관겸, 1 정직)가 설치되어(경력 이하는 녹직)

86) 『증보문헌비고』 권222, 직관고 9 선혜청 ; 『대전회통』 권1, 이전 경관직 선혜청.
87) 『증보문헌비고』 권216, 직관고 3 제언사 ; 『대전회통』 권1, 이전 경관직 제언사.
88) 『증보문헌비고』 권216, 직관고 3 준천사 ; 『대전회통』 권1, 이전 경관직 제언사.
89) 『증보문헌비고』 권220, 직관고 7 규장각.
90) 『증보문헌비고』 권229, 직관고 7 규장각.

조선후기까지 계승되었다.91)

廣州留守府는 1623년(인조 1) 府尹府에서 유수부로 승격하고 경관아가
될 때 留守(정2, 2, 1 경기관겸, 1 정직)가 설치되었고(판관 이하는 녹직),
1630년(인조 8) 부윤부로 강격하면서 외관이 되었다가 1750년(영조 26)
다시 유수부로 승격되면서 유수(정2, 2, 1 경기관겸, 1 정직)가 설치되어
조선후기까지 계승되었다.92)

開城留守府는『경국대전』에 규정된 유수(종2, 2, 1경기관겸, 경력 이하는
녹직)가 변동없이 조선후기까지 계승되었다.93)

江華留守府는 1627년(인조 5) 부윤부에서 유수부로 승격하고 경관아가
될 때 留守(종2, 2직, 1 경기관겸, 1 정직)가 설치되었고(경력 이하는 녹관),94)
그 후 1637년(인조 15)에 외관인 도호부로 강격되었다가 효종초에 유수부로
승격됨에 따라 유수(종2, 경기관겸)가 설치되어 조선후기까지 계승되었
다.95)

그리하여 문반 직계아문의 녹직은『경국대전』에 규정된 의정부 등 18아문
159관직에서 의정부·비변사 등 23아문 175직(성종 17~영조 22)→ 의정부·규
장각 등 22아문 163직(영조 23~고종 2)으로 변천되면서 운영되었다. 또
체아직과 무록직은『경국대전』에 규정된 호·형조 등 12직과 4직에서 8직과
3직(성종 17~고종 2), 겸직은『경국대전』에 규정된 의금부 등 3아문 24직
이상에서 비변사 등 11아문 52직 이상((성종 17~영조 22)→ 의금부 등 8아문

---

91)『정조실록』권37, 17년 1월 병오 ;『수원부읍지』건치연혁 ;『대전회통』권1, 이전
   경관직 수원부.
92)『숙종실록』권14, 9년 1월 경오 ;『영조실록』권71, 26년 5월 신미 ; 권94, 35년 11월
   갑인 ;『정조실록』권43, 19년 8월 병신 ;『광주부읍지』건치연혁 ;『대전회통』권1,
   이전 경관직 광주부.
93)『속대전』·『대전통편』·『대전회통』권1, 이전 경관직 개성부.
94)『강화부읍지』건치연혁 ;『속대전』권1, 이전 경관직 강화부.
95)『강화부읍지』건치연혁 ; 이존희, 1984,「朝鮮王朝의 留守府經營」,『韓國史研究』47,
   42쪽 ;『속대전』·『대전회통』권1, 이전 경관직 강화부.

22직 이상(영조 23~고종 2)으로 각각 변천되면서 운영되었다.

이를 볼 때 조선 중후기 문반 경직은 녹직·체아직·무록직은 큰 변동이 없었지만 겸직은, 특히 왜란 이후(선조 25~고종 1)에 비변사·선혜청 등 직계아문과 훈련도감 등 5군영이 연이어 설치되고 이들 관아의 최고 관직이 정1~종2품 문반겸직이 됨에 따라 정1~종2품 겸직이 70~80여 직(계차제조 20~30여 직 포함)으로 크게 증가되었다. 『경국대전』이 반포된 1485년(성종 16)으로부터 『대전회통』이 반포된 1865년(고종 2)까지에 걸친 문반 직계아문 체아직과 겸직 변천을 관아별과 시기별로 종합하여 제시하면 다음의 표와 같다.

〈표 4-3〉 직계아문 경관 문반 체아·무록직과 겸직 변천 일람표(*은 무정수)[96]

		『경국대전』	성종16~고종2	『대전회통』(고종2)	비고
체아직	戶曹	算士(종7, 1)·計士(종8, 2)·算學訓導(정9, 1)·會士(종9, 2)→	연산군12 감 계사·회사 각1→ 중종1 복→ 영조22 이전 감 계사·회사 각1→	算士(종7, 1)·計士(종8, 1)·算學訓導(정9, 1)·會士(종9, 1)	
	刑曹	明律(종7, 1)·審律(종8, 2)·律學訓導(정9, 1)·檢律(종9, 2)→	연산군12 감 심률·검률 각1→ 중종1 복→ 영조22 이전 감 심률·검률 각1→	明律(종7, 1)·審律(종8, 1)·律學訓導(정9, 1)·檢律(종9, 1)	
	계	12(종7 2, 종8 4, 정9 2, 종9 4)	8(종7 2, 종8 2, 정9 2, 종9 2)	→	
무록직	義禁府	經歷(종4)·都事(종5) 10(녹직)→	성종23 무록직 10(경력·도사) → 영조22 이전 녹직 도사 10 (종6 5, 종9 5)		
	戶曹	別提(종6, 2)→	영조22 이전 감 별제 1→	별제 1	
	刑曹	別提(종6, 2)→	영조22 이전 감 별제 1→	별제 1	
	계	4(종6)	2(종6)	2(종6)	
겸직	備邊司		명종10 都提調 3직 이상(정1, 시원인의정겸), 提調 4직 이상 (종1~종2, 例兼4, 啓差 무정수) → 선조25 신치 副提調 1직(정3 당상겸)·有司堂上 3직(제조 겸)→ 선조26~정조19 증 例兼 提調 31·유사당상 1, 신치 8도 구관당상 8(유사당상겸)→	혁(속의정부)	
	宣惠廳		광해군 즉위 도제조 1(의정), 제조 1(호판→ 현종4 증 도제조 2(의정)·제조 2→	이속 서반	
	堤堰司		성종21 이전치**→ ? 혁거**→	혁(속의정부)	**관직

152

		현종3 도제조 3(의정), 제조 3(비변사당상), 낭청1(5~6품, 비변사낭청)→			불명
	濬川司	영조36 도제조 3(의정), 제조 6(비변사당상·병판·한성판윤·3군문대장), 도청1(정3당상, 어영청천총), 낭청3(5~ 6품, 3도참군)→	이속 서반		
	義禁府	判事1(종1), 知事1(정2), 同知事2(종2)→	→	判事1, 知事1, 同知事2	
	漢城府	參軍1(정7)→	→	參軍1	
	水原府		정조17 留守1(정2, 경기관)→	留守1	
	廣州府		인조1 留守1(정2, 경기관)→	留守1	
	奎章閣		정조 즉위 提學2(종1~종2), 直提學2(종2~정3)→ 정조6 이속 (교서관) 判校1(정3)·兼校理3(6품)→ 정조9 이전 혁 판교, 감 겸교리 1→ 고종2이전 복 판교, 혁 겸교리→	提學2, 直提學2, 판교1	
	開城府	留守1(종2, 경기관)→	→	留守1	
	江華府		인조3 유수1(종2,경기관)→	유수1	
	經筵	領事3(정1), 知事3(정2), 同知事3(종2), 參贊官7(정3당상), 侍講官*(정4), 試讀官*(정5), 檢討官*(정6), 寫經*(정7), 說經*(정8), 典經*(정9)→	→	領事3, 知事3, 同知事3, 參贊官7, 侍講官*, 試讀官*, 檢討官*, 寫經*, 說經*, 典經*	
계		24직 이상(당상 24, 참하 1↑)	52직 이상(당상 49, 참상, 참하)→	22직 이상(당상 20, 참상, 참하)	

*1 당상-정1 7, 종1 1, 정2 4, 종2 6, 정 2 4, 종2 5, 정3 당상 7, 참하-정 7 1 이상, 기타 *(정4~정9 경연관).

*2 당상-정1 16↑, 종1 1, 종1~종2 25↑, 정2 4, 종2 6, 종2~정3 당상 7, 정3 당상 7, 참상-종6 2, 하-정7 1 이상, 기타 *(정4~정9 경연관).

*3 당상-정1 3, 종 1-1, 정2 4, 종2 7, 종2~5, 종 2~정3상 2, 정3 당상 7, 참상-정3 1, 참하-종6 2, 정7 1 이상, 기타 *(정4~정9 경연관).

96) 『조선왕조실록』 성종 16~철종 14년조 ; 『증보문헌비고』 권216~권222 ; 『속대전』·『대전통편』·『대전회통』 권1, 이전 경관직 등에서 종합.

4. 吏·戶·禮·兵·刑·工曹 屬衙門 官職의 變遷

1) 祿職

관아의 관직 모두가 兼職인 春秋館(이조)·宗學(예)·養賢庫(호)·4學(예), 장관 이하가 無祿職(提擧·提檢·別坐·別檢)인 修城禁火司(형)·典艦司(호)·氷庫(예)·圖畵署(예)·瓦署(공)·歸厚署(예)와 遞兒職(정3품 正 이하)인 內醫院(예)은 뒤의 2) 체아·무록직과 겸직에서 서술되기에 부득이한 경우 외에는 제외하여 파악한다.

(1) 吏曹屬衙門 : 忠翊府·尙瑞院·司饔院, 內侍府·宗簿寺·內需司

가) 忠翊府·尙瑞院·司饔院

忠翊府는 『경국대전』에 규정된 종5품 都事 2직이 1506년(연산군 12) 도사 1직이 삭감되었다가 동년 중종 즉위초에 복구되었고,[97] 이후 관아의 폐·치에 따라 관직이 1555년(명종 10) 혁거, 1616년(광해군 8) 복치, 1680년(숙종 6) 이전에 혁거되었다가 복치된 후 1678년(숙종 4) 관아가 충훈부에 병합되면서 소멸되었다.[98]

尙瑞院은 『경국대전』에 규정된 정(1, 정3, 도승지겸), 判官(종5, 1), 直長(종7, 1), 副直長(정8, 2)이 1506년(연산군 12)에 판관·부직장이 혁거되고[99] 直長·參奉(종9) 각1직이 가치되었고,[100] 동년 중종의 즉위와 함께 판관·부직장이 복치되고 직장 1직이 삭감되고 참봉이 혁거되었다.[101] 이것이 1746년

---

97) 『연산군일기』 권61, 12년 1월 병신 ; 『중종실록』 권1, 1년 9월 기묘.
98) 『숙종실록』 권7, 4년 9월 신해.
99) 『연산군일기』 권61, 12년 3월 신묘.
100) 『연산군일기』 권62, 12년 6월 신유.

(영조 22) 이전에 판관 1직이 혁거되면서 정(1, 정3, 도승지겸), 직장(1, 종7), 부직장(1, 정8)으로 정비된[102] 후 후대로 계승되었다.

司饔院은 『경국대전』에 규정된 正(정3, 1), 僉正(종4, 1), 判官(종5, 1), 主簿(종6, 1), 直長(종7, 2), 奉事(종8, 3), 參奉(종9, 2)이 1506년(연산군 12)에 직장·봉사·참봉 각1직이 삭감되었다가 중종 즉위와 함께 직장 1직이 삭감되었다.[103] 이후 1721년(경종 1)에 직장 2·봉사 3직이 삭감되고 주부 5직이 증치되었다가, 1725년(영조 1)에 주부 3직이 삭감되고 직장 2·봉사 4직이 설치되었다.[104] 다시 1746년(영조 22) 이전에 봉사 1·참봉 1직이 삭감되고 1785년(정조 9) 이전에 다시 주부 1직이 증치되면서 정(1), 첨정(1), 주부(3), 직장(2), 봉사(3), 참봉(1)으로 정비된[105] 후 후대로 계승되었다.

나) 內侍府·宗簿寺·內需司

內侍府는 『경국대전』에 규정된 尙膳(종2, 2직) 이하 모든 관직이 그대로 『속대전』, 『대전통편』, 『대전회통』에 등재되면서 조선후기까지 계승되었다 (관직과 직질은 뒤 〈표 4-4〉 참조).

宗簿寺는 『경국대전』에 규정된 정(정3, 1), 부정(종3, 1), 첨정(종4, 1), 주부(종6, 1), 직장(종7, 1)이 1506년(연산 12)에 직장 2직이 증치되고 참봉 2직(종9)이 신치되었다가 중종 즉위 초에 복구되었다.[106] 이어 1637년(인조

---

101) 『증보문헌비고』 권222, 직관고 9 상서원.
102) 『속대전』 권1, 이전 경관직 상서원 ; 권1, 이전 경관직 상서원.
103) 『연산군일기』 권61, 12년 1월 갑인. 연산군 때에 변개된 관직의 대부분은 중종 즉위 초에 복구되었지만 사옹원에 대해서는 『속대전』에 봉사는 1직이 증치되어 3직, 참봉은 1직이 삭감되어 1직으로 규정되었다. 이에 봉사와 참봉은 연산군 때 개정된 각2직이 계승된 것으로 파악한다.
104) 『영조실록』 권7, 1년 7월 경신.
105) 『속대전』·『대전통편』 권1, 이전 경관직 사옹원.
106) 『연산군일기』 권62, 12년 6월 신유 ; 『중종실록』 권1, 1년 9월 기묘 ; 『증보문헌비고』 권222, 직관고 9 종부시.

15)에 관아가 종친부에 합병됨에 따라 모든 관직이 혁거되었다가 곧 관아의 복치와 함께 관직도 복치되었다.107) 다시 1727년(영조 3)에 주부가 혁거되고 직장이 증치되었으며,108) 1746년(영조 22) 이전에 첨정·참봉이 혁거되고 직장 1직이 삭감되면서 정(1), 주부(1), 직장(1)으로 정비된 후 후대로 계승되다가 1894년(고종 1) 관아가 종친부에 합병되면서 모든 관직이 혁거되었다.109)

內需司는『경국대전』에 규정된 典需(정5, 1)·副典需(종6, 1)가 그대로『속대전』,『대전통편』,『대전회통』에 등재되면서 조선후기까지 계승되었다.

(2) 戶曹屬衙門 : 內資·內贍·司䆃·司贍寺, 軍資·濟用·司宰監, 豊儲·廣興倉, 司醞署·義盈庫·長興庫·司圃署·養賢庫·五部, 平市署·典牲署

가) 內資·內贍·司䆃·司贍寺

內資寺는『경국대전』에 규정된 正(정3, 1), 副正(종3, 1), 僉正(종4, 1), 判官(종5, 1), 主簿(종6, 1), 直長(종7, 1), 奉事(종8, 1)가 1506년(연산군 12)에 부정 이하 주부 이상 1직이 군직겸직으로 전환되었다가110) 중종 즉위초에 복구되었으며, 1555년(명종 10)에 판관이 혁거,111) 1637년(인조 15) 內贍寺에 병합되면서 모든 관직이 혁거되었다.112)

司䆃寺는『경국대전』에 규정된 정(정3, 1), 부정(종3, 1), 첨정(종4, 1), 주부(종6, 1), 직장(종7, 1)이 1554년(명종 9)과 1573년(선조 6)에 부정과

---

107)『인조실록』권34, 15년 3월 정미.
108)『영조실록』권11, 3년 2월 병인.
109)『고순종실록』권1, 고종 1년 4월 11일 ;『속대전』·『대전통편』·『대전회통』권1, 이전 경관직 종부시.
110)『연산군일기』권61, 12년 1월 병신.
111)『명종실록』권18, 10년 6월 정축.
112)『인조실록』권34, 15년 3월 정미.

첨정이 혁거되었고,[113] 1702년(숙종 28)에 정이 혁거되고 첨정이 복치되었다.[114] 이것이 1746년(영조 22) 이전에 판관이 혁거되었고,[115] 1785년(정조 9) 이전에 봉사 1직(종8)이 신치되면서[116] 첨정(1)·주부(1)·직장(1)·봉사(1)로 정비된 후 후대로 계승되었다.

司贍寺는『경국대전』에 규정된 정(정3, 1), 부정(종3, 1), 첨정(종4, 1), 주부(종6, 1), 직장(종7, 1)이 1555년(명종 10)에 부정이 혁거되고 봉사(종8)·참봉(종9) 각 1직이 신치되었다.[117] 그 후 1637년(인조 15) 관아가 제용감에 합병되면서 모든 관직이 혁거되었고,[118] 1645년(인조 23) 관아가 복치될 때 주부·직장·봉사 등이 설치되었다가 1704년(숙종 30) 이전에 관아의 혁거와 함께 소멸되었다.[119]

나) 軍資·濟用·司宰監

軍資監은『경국대전』에 규정된 정(정3, 1), 부정(종3, 1), 첨정(종4, 2), 판관(종5, 3), 주부(종6, 3), 직장(종7, 1), 봉사(종8, 1), 副奉事(종9, 1), 參奉(종9, 1)이 1506년(연산군 12)에 부정 이하 주부 이상 1직이 군직 겸직으로 전환되고 직장·참봉 각1직 증치되었다가[120] 1506년(중종 1)에 복구되었다. 이어 1675년(숙종 14) 이전에 직장이 혁거되었다가 복치되고[121] 1746년(영조 22) 이전에 부정·부봉사·참봉 각1직이 혁거되고 첨정·판관·주부 각1이

113)『명종실록』권17, 9년 11월 계축 ;『선조실록』권7, 6년 9월 신축 ;『증보문헌비고』
　　권222, 직관 29, 사도시.
114)『증보문헌비고』권222, 직관 9 사도시.
115)『속대전』권1, 이전 경관직 사도시.
116)『대전통편』권1, 이전 경관직 사도시.
117)『명종실록』권18, 10년 6월 정축.
118)『인조실록』권34, 15년 3월 정미.
119)『인조실록』권46, 23년 1월 임진 ;『숙종실록』권40, 30년 8월 임신.
120)『연산군일기』권61, 12년 1월 병신 ; 권62, 12년 6월 신유.
121)『증보문헌비고』권223, 직관고 10 군자감.

삭감되면서 정(정3, 1), 판관(종5, 1), 주부(종6, 1), 직장(종7, 1), 봉사(종8, 1)로 정비된[122) 후 후대로 계승되었다.

濟用監은『경국대전』에 규정된 정(1), 부정(1), 첨정(1), 판관(1), 주부(1), 직장(1), 봉사(1), 부봉사(1), 참봉(1)이 1506년(연산군 12) 부정 이하 주부 이상 1직이 군직 겸직으로 전환되었다가[123) 중종 즉위초에 복구되었다. 1555년(명종 10)에 판관이 혁거되었고,[124) 1746년(영조 22)까지 정·부정·첨정·참봉을 혁거하고 판관 1직이 복치되면서 판관 1, 주부 1, 직장 1, 봉사 1, 부봉사 1직으로 정비된[125) 후 후대로 계승되었다.

司宰監은『경국대전』에 규정된 정(1), 부정(1), 첨정(1), 주부(1), 직장(1), 참봉(1)이 1555년(명종 10)에 부정이 혁거되었고,[126) 1675년(숙종 14)에 참봉이 혁거되고 봉사(종8, 1)가 신치되었다.[127) 1746년(영조 22) 이전에 정이 혁거되고 봉사 1직(종8)이 신치되면서 첨정 1, 주부 1, 직장 1, 봉사 1직으로 정비된[128) 것이 후대로 계승되었다.

다) 豊儲·廣興倉

豊儲倉은『경국대전』에 규정된 守(정4, 1), 주부(1), 직장(1), 봉사(1), 부봉사(1)가 1637년(인조 15) 이전에 관아가 장흥고에 합속되면서[129) 관직이 소멸되었다.

廣興倉은『경국대전』에 규정된 守(정4, 1), 주부(1), 직장(1), 봉사(1), 부봉

---

122)『속대전』권1, 이전 경관직 군자감 ;『증보문헌비고』권223, 직관고 10 군자감.
123)『연산군일기』권61, 12년 1월 병신.
124)『명종실록』권18, 10년 6월 기묘·정축.
125)『속대전』권1, 이전 경관직 제용감.
126)『명종실록』권18, 10년 6월 정축.
127)『증보문헌비고』권22, 직관고 10 사재감.
128)『속대전』·『대전회통』권1, 이전, 경관직 사재감.
129)『인조실록』권34, 15년 3월 정미 ;『속대전』권1, 이전 경관직 풍저창.

사(1)가 1506년(연산군 12)에 부봉사·참봉 각1직이 증치되었다가[130] 1506년
(중종 1)에 참봉을 혁거하고 부봉사 1직이 삭감되었고, 1865년(고종 2)
이전에 영(종5)·직장(종7) 각1직이 신치되면서[131] 수(1), 영(1), 주부(1),
직장(1), 봉사(1)로 정비된 후 후대로 계승되었다.

라) 司醞署·義盈庫·長興庫·司圃署·五部

司醞署는『경국대전』에 규정된 영(1), 주부(1), 직장(1), 봉사(1)가 1583년
(선조 16)에 재정난으로 인한 관아의 혁거에 따라 모든 관직이 소멸되었
다.[132]

義盈庫는『경국대전』에 규정된 영(1), 주부(1), 직장(1), 봉사(1)가 1506년
(연산군 12)에 봉사 1직이 증치되고 참봉(종9) 1직이 신치되었다가[133] 1506
년(중종 1)에 복구되었고, 1608년(광해군 즉위)까지 관아의 폐·치와 함께
관직도 혁거, 복치되다가[134] 1746년(영조 22) 이전에 영이 혁거되면서 주부
(1)·직장(1)·봉사(1)로 정비된[135] 후 후대로 계승되었다.

長興庫는『경국대전』에 규정된 영(1), 주부(1), 직장(1), 봉사(1)가 1746년
(영조 22) 이전에 영이 혁거되면서 주부(1)·직장(1)·봉사(1)로 정비된[136]
후 후대로 계승되었다.

司圃署는『경국대전』에 규정된 司圃(정6, 1)가 1506년(연산군 12)에 혁거되
었다가[137] 1506년(중종 1)에 복구되었고, 1703년(숙종 29)에 무록직이던

---

130)『연산군일기』권62, 12년 6월 신유.
131)『대전회통』권1, 이전 경관직 광흥창.
132)『선조실록』권17, 16년 5월 정미.
133)『연산군일기』권62, 12년 6월 신유.
134)『광해군일기』권1, 즉위년 8월 무오(혁거년 불명).
135)『속대전』권1, 이전 경관직 의영고.
136)『속대전』권1, 이전 경관직 장흥고.
137)『연산군일기』권61, 12년 1월 병신.

별검 2직이 녹직인 직장 1·참봉 1직으로 전환되었으며,[138] 1785년(정조 9) 이전에 사포가 혁거되고 직장(종7, 1)이 신치되면서[139] 후대로 계승되었다.

五部(동·서·남·북·중부)는『경국대전』에 규정된 주부(각1), 참봉(각2)이 1506년(연산군 12)에 동부·북부의 주부 각1직과 참봉 각2직이 삭감되었다가 1506년(중종 1)에 복구,[140] 1593년(선조 26)에 주부를 혁거하고 참봉 각1직을 삭감되었다.[141] 다시 1742년(영조 18) 이전에 주부·참봉이 혁거되고 종6품 도사와 종8품 봉사 각1직이 신치되었고,[142] 1791년(정조 15)에 봉사가 혁거되고 종5품 영 각1직이 신치되고 도사가 종9품직으로 강격되면서[143] 영·도사 각1직으로 정비된 후 후대로 계승되었다.

마) 平市署·典牲署

平市署는『경국대전』에 규정된 영(1)·직장(1)·봉사(1)이 후대로 계승되다가 1785년(정조 9) 이전에 종6품 주부 1직이 신치되고 봉사가 혁거되면서 영(1)·주부(1)·직장(1)으로 정비 된[144] 후 후대로 계승되었다.

典牲署는『경국대전』에 규정된 주부(1)·직장(1)·봉사(1)·참봉(2)이 1506년(연산군 12)에 정7품 副奉事 1직이 신치되고 참봉 1직이 증치되었다가[145] 중종 즉위와 함께 복구되었고, 1746년(영조 22) 이전에 참봉이 혁거되면서 주부(1)·직장(1)·봉사(1)로 정비되었으며,[146] 1797년(정조 21)에 주부가 판관으로 개칭·승격되었다가 곧 환원된[147] 후 후대로 계승되었다.

---

138)『숙종실록』권38下, 29년 7월 을묘.
139)『대전통편』권1, 이전 경관직 사포서.
140)『연산군일기』권61, 12년 1월 병신.
141)『선조실록』권42, 26년 9월 계축.
142)『영조실록』권56, 18년 10월 무술.
143)『대전회통』권1, 이전 경관직 5부.
144)『대전회통』권1, 이전 경관직 평시서.
145)『연산군일기』권62, 12년 6월 정유.
146)『대전통편』권1, 이전 경관직 정생서.

(3) 禮曹屬衙門 : 弘文館·奉常寺, 藝文館·成均館·承文院·校書館·世子侍講
院·世孫講書院, 通禮院·內醫院·禮賓寺·掌樂院·觀象監·典醫監·司譯院, 昭
格·宗廟·社稷·典牲·司畜·惠民署, 景慕宮·廟·殿·陵·園[148]

가) 弘文館·奉常寺

弘文館은『경국대전』에 규정된 副提學(정3당상, 1) 이하 正字(정9, 2)가
1505년(연산군 11) 관아의 혁폐로 모든 관직이 혁거되었다가[149] 중종 즉위초
에 관아와 함께 복치되어 후대로 계승되었고, 1865년(고종 2)에 직제학이
도승지의 겸직으로 전환되어『대전회통』에 등재되었다.[150](관직과 직질은
뒤 〈표 4-4〉 참조, 이하 봉상시 등도 같다).

奉常寺는『경국대전』에 규정된 정(정3, 1) 이하 참봉(종9, 1)이 1506년(연산
군 12)에 첨정 1직이 삭감되고 직장·참봉 각2직이 증치되었다가[151] 중종
즉위초에 복구되었고, 1746년(영조 22) 이전에 부정이 혁거되고 첨정·판관
각1직이 삭감되면서 정(1)·첨정91)·판관(1)·주부(2)·직장 (1)·봉사(1)·부봉
사(1)·참봉(1)으로 정비된[152] 후 후대로 계승되었다.

나) 藝文館·成均館·承文院·校書館·世子侍講院·世孫講書院·宗學

藝文館은『경국대전』에 규정된 奉敎(정7, 2), 待敎(정8, 2), 檢閱(정9, 4)이
1505년(연산군 11)에 봉교 이하 4직이 증치되고 관아의 혁파와 함께 모든

---

147)『정조실록』권46, 21년 5월 기유.

148) 이 외에도 춘추관·종학·도화서·활인서·귀후서·4학·소격서·사축서·귀후서 등의 관
아가 있으나 각 관아에 편제된 모든 관직이 겸직, 체아직, 무록직이고 정직이 없기에
제외한다. 홍문관 등 관아의 관직에 있어서도 겸직, 체아직, 무록직은 제외하고
파악한다.

149)『연산군일기』권58, 11년 7월 경인.

150)『고순종실록』고종 2년 11월 4일 ;『대전회통』권1, 이전 경관직 홍문관.

151)『연산군일기』권61, 12년 1월 병신 ; 권62, 12년 6월 신유.

152)『속대전』권1, 이전 경관직 봉상시.

관직이 혁거되었다가[153] 1506년(중종 1) 관아의 복치와 함께 복구되었고, 1865년(고종 2)에 도승지가 겸하던 직제학이 녹직이 되면서 직제학(1, 정3)· 봉교·대교·검열로 정비되어[154] 『대전회통』에 등재되면서 조선후기까지 계승되었다.

成均館은 『경국대전』에 규정된 大司成(정3당상, 1), 司成(종3, 2), 司藝(정4, 3), 直講(정5, 4), 典籍(정6, 13), 博士(정7, 3), 學正(정8, 3), 學錄(정9, 3), 學諭(종9, 3)가 1505년(연산군 11) 2차에 걸쳐 사예·직강 각1직과 전적 6직이 삭감되고 박사·학정·학록·학유가 혁거되었다가[155] 1506년(중종 1)에 복구되었고, 곧이어 정4품 司業 2직이 설치되었으며,[156] 다시 1658년(효종 9)에 정3품 당상직인 祭酒 1직이 설치되었다.[157] 이것이 이후 1746년(영조 22) 이전에 사성·사예 각1직이 삭감되면서 대사성(정3당상, 1), 제주(정3당상, 1), 사성(종3, 2), 사예(정4, 3), 사업(1), 직강(정5, 4), 전적(정6, 13), 박사(정7, 3), 학정(정8, 3), 학록(정9, 3), 학유(종9, 3)로 정비된[158] 후 그대로 계승되었다.

承文院은 『경국대전』에 규정된 判校(정3, 1), 參校(종3, 2), 校勘(종4, 1), 校理(종5, 1), 校檢(정6, 1), 博士(정7, 2), 著作(정8, 2), 正字(정9, 2), 副正字(종9, 2)가 1506년(연산군 12)에 2차에 걸쳐 교리·교검 각1직이 삭감되고 박사·저작·정자·부정자가 겸직으로 전환되었다가[159] 중종 즉위초에 복구되었다.

---

153) 『연산군일기』 권58, 11년 6월 갑인, 7월 임진.
154) 『고순종실록』 고종 2년 11월 4일.
155) 『연산군일기』 권61, 12년 1월 갑인 ; 권62, 12년 6월 병오.
156) 『중종실록』 권28, 11년 7월 신사. 관직의 위차가 사예(정4)의 아래이고 직강(정5)의 위라고 적기되었는데 여기서는 사예에 비정하여 정4품직으로 파악한다.
157) 『증보문헌비고』 권221, 직관고 8, 성균관. 제주의 관직적 성격은 『증보문헌비고』에 "資級에 구되지 않는 관직이고, 宋時烈과 宋浚吉이 겸대하였다"고 하였지만 『속대전』에 "제주와 사업은 학행이 있고 사림의 명망이 있는 자를 擬差한다"고 하였고 또 제주는 정3품 당상직에 적기하였음에서 정3품 당상 정직으로 파악한다.
158) 『속대전』 권1, 이전 경관직 성균관.
159) 『연산군일기』 권61, 12년 1월 병신 ; 권62, 12년 6월 병오.

그 후 1610년(광해군 2)에 祿職 3직 외는 權知職으로 전환되었다가 복구되었고,[160] 1746년(영조 22) 이전에 참교·교검·교리가 혁거되고 교검 1직이 삭감되면서 정(1)·교검(1)·박사(2)·저작(2)·정자(2)·부정자(2)로 정비된[161] 후 조선후기까지 계승되었다.

校書館은 『경국대전』에 규정된 判敎(정3, 1, 타관겸), 校理(종5, 1), 博士(정7, 2), 저작(정8, 2), 정자(정9, 2), 부정자(종9, 2)가 1506년(연산군 12)에 박사, 저작, 정자, 부정자가 혁거되었다가[162] 1506년(중종 1)에 복치되었으며, 1782년(정조 6)에 교서관이 혁거되면서 奎章閣 屬司(外閣)가 될 때 그 관직 모두가 규장각 관직이 되면서[163] 조선후기로 계승되었다.

世子侍講院은 『경국대전』에 규정된 輔德(종3, 1), 弼善(정4, 1), 文學(정5, 1), 司書(정6, 1), 說書(정7, 1)가 1506년(중종 1)에 관아와 함께 모두 혁거되었다가 1520(중종 15)에 관아와 함께 복치되었다. 그 후 1647년(인조 24)에 贊善(정3당상)·翊善(정4)·諮議(정7) 각1직이 신치되었고,[164] 1659년(현종 즉위) 이전에 익선이 進善으로 개칭되면서[165] 찬선(1)·보덕(1)·필선(1)·문학(1)·진선(1)·사서(1)·설서(1)·자의(1)로 정비된 후 후대로 계승되었다.

世孫講書院은 1648년(인조 26) 관아의 신치 때에 左·右諭善(종2~정3, 각1), 左·右翊善(종4, 각1), 左·右勸讀(종5, 각1), 左·右贊讀(종6, 각1)이 설치되었고,[166] 1651년(효종 2)에 세손이 세자에 책봉될 때 관아와 함께 혁거되었다가 1751년(영조 27)에 복설되어[167] 『대전통편』에 등재된 후 후대로 계승되었다.

---

160) 『연산군일기』 권4, 2년 1월 신사(복구년 불명).
161) 『속대전』 권1, 이전 경관직 승문원.
162) 『연산군일기』 권62, 12년 6월 병오.
163) 『증보문헌비고』 권220, 직관 7 규장외각.
164) 『인조실록』 권17, 24년 5월 전축 ; 『증보문헌비고』 권225, 직관고 12 세자시강원.
165) 『현종실록』 권1, 즉위년 6월 신묘.
166) 『인조실록』 권19, 26년 9월 신축.
167) 『증보문헌비고』 권225, 직관고 12 세손강서원.

다) 通禮院·禮賓寺·掌樂院·觀象監·司譯院

通禮院은『경국대전』에 규정된 左·右通禮(정3, 각1), 相禮(종3, 1), 奉禮(정4, 1), 贊儀(정5, 1), 引儀(종6, 8)(이 중 겸관6)이 1506년(연산군 12)에 상례가 혁거 및 인의 2직이 삭감되었다가[168] 중종 즉위 초에 복구되었다. 그 후 1563년(명종 18)에 인의 2직이 삭감되고[169] 1785년(정조 9) 이전에 종4품 翊禮 1직이 신치되면서 좌·우통례(각1)·상례(1)·익례(1)·봉례(1)·찬의(1)·인의(6)로 정비된 후 후대로 계승되다가 1864년(고종 1)에 봉례가 혁거되었다가 익년에 복구되어『대전회통』에 등재되었다.[170]

禮賓寺는『경국대전』에 규정된 정(1), 부정(1), 첨정(1), 판관(1), 주부(1), 직장(1), 봉사(1), 참봉(1)이 1506년(연산군 12)에 참봉 1직과 부정·첨정·판관·주부 중 1직이 군직겸직으로 전환되고 정9품 부봉사 1직이 신치되었다가[171] 1506년(중종 1)에 복구되었다. 그 후 1746년(영조 22) 이전에 정·부정·첨정·판관이 혁거되고 주부 2직과 참봉 1직이 가치되었고[172] 1785년(정조 9)에 봉사가 혁거되면서 주부(1)·직장(1)·참봉(2)으로 정비되어『대전통편』에 등재되면서 조선후기까지 계승되었다.

掌樂院은『경국대전』에 규정된 정(1), 첨정(1), 주부(1), 직장(1)이 1505년(연산군 11)에 부정 1직이 가치 및 종9품 참봉 1직이 신치되고 4직(관직불명)이 증치되었다가[173] 1506년(중종 1)에 복구되었다. 그 후 1746년(영조 22) 이전에 주부 1직이 가치되고 직장이 혁거되면서 정(1)·첨정(1)·주부(2)로 정비된 후『속대전』에 등재되면서 조선후기까지 계승되었다.

---

168)『연산군일기』권61, 12년 1월 갑인.
169)『명종실록』권18, 10년 6월 정축.
170)『고순종실록』권1, 고종 1년 1월 10일 ; 권2, 2년 10월 10일 ;『대전회통』권1, 이전 경관직 통례원.
171)『연산군일기』권61, 12년 1월 병신 ; 권62, 12년 6월 신유.
172)『속대전』권1, 이전 경관직 예빈시.
173)『연산군일기』권57, 11년 3월 정해 ; 권58, 5월 경술.

觀象監은『경국대전』에 규정된 정(1), 부정(1), 첨정(1), 판관(2), 주부(2), 천문·지리학교수(종6, 각1), 직장(2), 봉사(2), 부봉사(3), 天文·地理學訓導(정9, 각1), 命科學訓導(정9, 2), 참봉(3)이 1506년(연산군 12)에 판관·주부·직장·봉사·참봉 각1직이 삭감되고 다시 정·부정·첨정이 혁거(관아도 강격되고 司曆署로 개칭)되었다가[174] 1506년(중종 1)에 복구되었다. 그 후 1634년(인조 12) 이후에 부정이 혁거되고 판관·주부·명과학훈도·참봉 각1직이 삭감되면서 정(1)·첨정(1)·판관(1)·주부(1)·천문·지리학교수(각1)·직장(2)·봉사(2)·부봉사(3)·천문·지리학훈도(각1)·명과학훈도(1)·참봉(1)으로 정비되어『속대전』에 등재되면서 조선후기까지 계승되었다.

司譯院은『경국대전』에 규정된 정(1)·부정(1)·첨정(1)·판관(2)·주부(1)·역학교수(종6, 4)·직장(2)·봉사(3)·부봉사(2)·역학훈도(정9, 8)·참봉(2)이 1506년(연산군 12)에 판관·직장 각1직과 한학교수·훈도 각1직이 삭감되었다가[175] 중종 1년에 복구되었다. 그 후 1746년(영조 22) 이전에 부정이 혁거되고 판관·직장·봉사 각1직이 삭감되면서까지 의학교수 1직이 삭감되면서 정(1)·첨정(1)·판관(1)·주부(1)·역학교수(4)·직장(1)·봉사(2)·부봉사(2)·역학훈도(8)·참봉(2)로 정비되어『속대전』에 등재된 후 후대로 계승되었다.

라) 昭格署·宗廟署·社稷署·典牲署·司畜署·惠民署

昭格署는『경국대전』에 규정된 참봉(종9, 2)이 1506년(연산군 12) 관아와 함께 혁거되었다가[176] 1506년(중종 1) 관아와 함께 복치되었다. 이후 관아의 존속과 함께 모든 관직이 1516년(중종 11) 혁거, 1522년(중종 17) 복치, 1555년(명종 10) 이후에 혁거, 1592년(선조 25) 이전에 복치, 1592년에 혁거,

---

174)『연산군일기』권61, 12년 1월 병신 ; 권63, 12년 7월 정유.
175)『연산군일기』권61, 12년 1월 병신, 3월 신묘.
176)『연산군일기』권61, 12년 1월 병신.

1630년(인조 8) 이전에 혁거된 후 복치되었다가 1746년(영조 22) 이전에 혁거되었다.[177]

宗廟署는 『경국대전』에 규정된 영(종5, 1), 직장(종7, 1), 봉사(종8, 1), 부봉사(정9, 1)가 1506년(연산군 12)에 부봉사 1직이 증치되고 참봉(종9, 1)이 신치되었다가[178] 1506년(중종 1) 복구되었다. 그 후 1746년(영조 22)까지 영 1직이 증치되고 봉사가 혁거되면서[179] 영 2, 직장 1, 부봉사 1직으로 정비되어 『속대전』에 등재된 후 후대로 계승되었다.

社稷署는 『경국대전』에 규정된 영(종5, 1), 참봉(종9, 2)이 1555년(명종 10)에 영이 혁거,[180] 곧 영이 복치되고 1703년(숙종 29)에 참봉 2직이 직장 1·봉사 1직으로 개정,[181] 1746년(영조 22) 이전에 영 1직이 증치·직장 1직(종7품)이 신치·참봉이 혁거되면서 영(2)·직장 1직으로 정비되어[182] 『속대전』에 등재된 후 후대로 계승되었다.

典牲署는 『경국대전』에 규정된 주부(종6, 1), 직장(종7, 2), 봉사(종8, 1), 참봉(종9, 2)이 1506년(연산군 12)에 정9품 부봉사 1직이 신치되고 참봉 1직 증치되었다가[183] 1506년(중종 1)에 복구되었다. 그 후 관아의 폐·치에 따라 1555년(명종 10) 혁거, 복치(연대불명), 1595년(선조 28) 혁거, 복치(연대불명), 1637년(인조 15) 혁거되었다가[184] 1746년(영조 22) 이전에 참봉이

177) 『연산군일기』 권61, 12년 1월 병신 ; 『중종실록』 권1, 1년 10월 무신 ; 권34, 13년 9월 경자 ; 권46, 17년 12월 을유·정해 ; 『명종실록』 권18, 10년 2월 정축 ; 『인조실록』 권23, 8년 3월 기유 ; 『증보문헌비고』 권223, 직관고 10, 소격서.
178) 『연산군일기』 권62, 12년 6월 신유.
179) 『속대전』 권1, 이전 경관직.
180) 『명종실록』 권18, 10년 2월 정축.
181) 『숙종실록』 권38하, 29년 7월 을묘.
182) 『속대전』 권1, 이전 경관직 사직서.
183) 『연산군일기』 권62, 12년 6월 신유.
184) 『명종실록』 권18, 10년 1월 정축 ; 『선조실록』 권62, 28년 4월 갑자 ; 『인조실록』 권34, 15년 3월 정미 ; 『증보문헌비고』 권223, 직관고 10, 전생서.

혁거되면서 주부(1)·직장(1)·봉사(1)로 정비되어『속대전』에 등재된 후 후대로 계승되었다.

司畜署는『경국대전』에 규정된 司畜(종6, 1)이 1506년(연산군 12)에 혁거되었다가[185] 1506년(중종 1)에 복구되고, 1595년(선조 28) 관아가 전생서에 합병될 때 혁거,[186] 1636년(인조 14)에 관아와 함께 복치,[187] 1637년(인조 15) 혁거,[188] 1658년(효종 9) 복치,[189] 1703년(숙종 29)에 참봉 2직이 직장 1·봉사 1직으로 개정되었다가[190] 1761년(영조 43)에 관아와 함께 혁거되면서 소멸되었다.[191]

惠民署는『경국대전』에 규정된 주부(종6, 1), 의학교수(종6, 2, 1은 겸), 직장(종7, 2), 봉사(종8, 1), 의학훈도(정9, 1), 참봉(종9, 4)이 1506년(연산군 12)에 참봉 2직이 삭감되었다가[192] 중종 즉위 초에 복구되었다. 그 후 1610년 (광해군 2)까지 관아의 혁거와 함께 모든 관직이 혁거되었다가 복치,[193] 1623년(광해군 15) 관아가 전의감에 합병되면서 관직이 혁거,[194] 곧 관아와 함께 관직이 복치되었다가(연대 불명) 1746년(영조 22) 이전에 의학교수 1직이 삭감되면서 주부(1)·의학교수(1)·직장(1)·봉사(1)·의학훈도(1)·참봉 (1)으로 정비되어『속대전』에 등재된 후 후대로 계승되었다.

---

185)『연산군일기』권61, 12년 1월 병신.
186)『선조실록』권62, 28년 4월 갑자.
187)『인조실록』권34, 15년 3월 정미.
188)『인조실록』권34, 15년 3월 정미.
189)『효종실록』권20, 9년 12월 기묘.
190)『숙종실록』권38하, 29년 7월 을묘.
191)『증보문헌비고』권223, 직관고 10, 사축서. 정직인 사축은 혁거되나 겸직인 제조와 무록직인 별제가 존치되었기에 관아로 존속되었다.
192)『연산군일기』권61, 12년 1월 병신.
193)『광해군일기』권34, 15년 3월 정미.
194)『광해군일기』권34, 15년 3월 정미.

마) 景慕宮

景慕宮은 1776년(정조 즉위)에 垂恩廟를 改建하여 경모궁으로 개칭·승격할 때 令(종5, 1)을 가치하면서 令, 直長(종9, 1), 奉事(종8, 1)로 정비되었고,[195] 이것이 1785년(정조 9) 이후에 영 2직이 증치되고 직장·봉사가 혁거되면서 영 3직으로 정비되었다가 『대전회통』에 법제화되었다.[196]

바) 廟·殿·園

廟는 追尊王·王妃의 神位를 봉안한 전각이고, 殿은 선대왕의 影幀을 봉안한 전각이며, 陵과 園은 추존왕과 왕비·선대왕과 왕비·역대왕 私親의 묘인데 그 각각에는 당상관이 겸하는 都提調·提調와 令(종5) 이하가 있었다.[197] 관직은 『경국대전』에는 2전·20릉에 參奉(종9) 각2직의 46직이 규정되었다.[198] 이 관직이 이후 1864년(고종 1)까지 왜란, 관제의 정비, 능·원의

---

195) 『정조실록』 권2, 즉위년 9월 정유 ; 권8, 3년 8월 신사 ; 권14, 6년 8월 갑술 ; 『증보문헌비고』 권223, 직관고 10 경모궁.

196) 『대전회통』 권1, 이전 경관직 경모궁.

197) 조선 중·후기에 운영된 묘·전·원과 각각의 조성시기, 봉안된 신위와 영정, 피장자는 다음의 표와 같다(『증보문헌비고』 권224, 직관고 11 제전관, 『대전통편』 『대전회통』 권1, 경관직 제각조에서 종합, 陵官은 7장 〈별표〉 참조).

		조성시기	봉안·피장자	비고			조성시기	봉안·피장자	비고
묘	肇慶廟	영조27	전주이씨 시조 李翰	위패	전	長生殿		『동원비기』 등 보관	도교 서적
						華寧殿		정조	영정
전	文昭殿	태조1	태조 4조	위패	원	永祐園	정조즉위	정조생부 莊祖(후개 현륭원)	
	延恩殿		성종생부 德宗	위패		昭寧園		영조생모 淑嬪崔氏	
	永禧殿		태조·세조·원종·숙종·영조·순조	영정		綏吉園		眞宗생모 영빈이씨	
						順康園		元宗생모 仁嬪金氏	
	長寧殿		숙종	영정		仁明園	정조3	정조후궁 元嬪洪氏	
	萬寧殿		영조	영정		顯隆園		正祖생부 莊祖	
	慶基殿		태조	영정		徽慶園		純祖생모 綏嬪朴氏	
	璿源殿		태조	영정					

198) 『경국대전』 권1, 이전 경관직 각전조.

168

조성, 왕통의 계승·왕친의 추숭 등과 관련되어 문소·연은전이 혁거되고 肇慶廟와 慶基殿 등 8전, 宣陵 등 27릉, 昭寧園 등 8원이 차례로 설치되면서 겸직인 도제조·제조, 녹관인 令(종5)·直長(종8)·奉事(종8), 무록직인 別檢(종8)이 설치되고 변천되면서 운영되었다.

廟(肇慶廟)는 1765년(영조 41) 준공과 함께 참봉 2직을 두면서 비롯되어 1776년(정조 즉위)에 참봉 1직이 종8품 무록직인 별검으로 승질·개정으며,199) 1865년(고종 2) 이전에 令(종5) 1직이 신치되고 참봉이 혁거되면서 영·별검 각1직으로 정비된 후『대전회통』에 등재되었다.

諸殿은 文昭殿과 延恩殿은『경국대전』에 규정된 참봉 2직이 후대로 계승되다가 1592년(선조 25)에 왜군의 방화로 전각이 소실되었고, 1746년(영조 22) 이전에 관직이 혁거되었다.200) 慶基殿은『경국대전』에 등재된 참봉 2직이 후대로 계승되다가 1592년(선조 25)에 왜군의 방화로 전각의 소실과 함께 관직이 혁거되었다.201) 그 후 1614년(광해군 6) 전각의 중건에 따라 참봉 2직이 복치되고 1776년(정조 즉위)에 참봉 1직이 무록직인 별제로 승격되었으며, 1785년(정조 9)에 별제가 영으로 승격되면서 영(1)·참봉(1)으로 정비되어202) 『대전통편』에 등재된 후 후대로 계승되었다.

長寧殿은 1695년(숙종 21) 전각의 重建과 함께 참봉 2직이 설치되었고,203) 1721년(경종 1)에 참봉 1직이 무록직인 별검으로 승격되고 1776년(정조 즉위)에 영이 신치되고 참봉이 소멸되면서 영(1)·별검(1)으로 정비되어204) 후대로 계승되었다. 永禧殿은 1690년(숙종 16) 열성의 영정을 봉안하고 있던 南別宮을

---

199)『영조실록』권47, 41년 10월 갑술·계미·갑신·신묘 ;『대전통편』권1, 이전 경관직 각전 조경묘.
200)『증보문헌비고』권224, 직관고 11 문소전·연은전 ;『속대전』권1, 이전 경관직 제전.
201)『증보문헌비고』권224, 직관고 11 경기전.
202)『증보문헌비고』권224, 직관고 11 경기전.
203)『숙종실록』권29, 21년 9월 갑자.
204)『증보문헌비고』권224, 직관고 11 장령전.

영희전으로 개칭하면서 참봉 2직이 설치되었고,[205] 1746년(영조 22) 이전에 참봉 1직이 영으로 승격되고 1860년(철종 11)에 도제조·제조 각1직이 신치되었다. 그 후 1865년(고종 2) 이전에 영 1직이 가치되면서 도제조(1), 제조(1)·영(2)·참봉(1)으로 정비되어[206] 『대전회통』에 등재되었다.

萬寧殿은 1725년(영조 1) 전각의 창건과 함께 별검·참봉 각1직이 설치되었다가 1776년(정조 즉위)에 영조 영정이 장령전에 移奉되면서 소멸되었다.[207] 長生殿은 東園秘記를 보관하는 전각이다. 1746년(영조 22) 이전에 겸직인 도제조(1)·제조(2)·낭청(2)이 설치되었다가 제조·낭청 각1직이 증치되어 도제조(1)·제조(3)·낭청(3)으로 정비되어[208] 후대로 계승되었다. 濬源殿은 태조의 영정을 봉안한 전각이다. 1729년(영조 5) 이전에 참봉 2직이 설치되었다가 1776년(정조 즉위)에 참봉 1직이 別檢(종8)으로 승격되었고,[209] 1785년(정조 9)에 별검이 영으로 승격되면서 영(1)·참봉(1)으로 정비되어[210] 후대로 계승되었다. 華寧殿은 1801년(순조 1)에 건립과 함께 겸직인 제조(수원유수)·영(수원판관) 각1직이 설치되어 후대로 계승되었다.[211]

諸陵은 『경국대전』에 규정된 덕릉 등 20릉에 각각 참봉 2직의 40직이 1865년(고종 2)까지 27릉이 조성되면서 참봉 등이 설치되고, 수십 차에 걸쳐 직질이 승·강격되고 개칭되면서 영·직장·봉사·별검 등으로 변천되면서 운영되었다. 1485년(성종 16) 이전에 조성되어 『경국대전』에 각각 참봉(종

---

205) 『숙종실록』 권22, 16년 11월 갑신.
206) 『속대전』·『대전회통』 권1, 이전 경관직 제전 ; 『증보문헌비고』 권224, 직관고 11 영희전.
207) 『증보문헌비고』 권224, 직관고 11 만령전.
208) 『증보문헌비고』 권224, 직관고 11 만령전 ; 『속대전』 권1, 이전 경관직 제전 장생전.
209) 『영조실록』 권22, 5년 6월 계묘 ; 『속대전』 권1, 이전 경관직 준원전 ; 『증보문헌비고』 권224, 직관고 11 준원전.
210) 『증보문헌비고』 권224, 직관고 11 준원전.
211) 『순조실록』 권2, 1년 1월 계미·정해, 1년 4월 을해 ; 『대전회통』 권1, 이전 경관직 화령전.

9) 2직이 규정된 德陵 등은 후대로 계승되다가 1707년(숙종 33)에 健元陵·齊陵·貞陵과 獻陵·英陵·光陵·順陵의 참봉 각 1직이 종7품 직장과 종8품 봉사로 승격·개칭되었다.[212] 이후 다음과 같이 8차에 걸쳐 개변되면서 참봉 2직이던 능관이 직장 1직(건원릉), 참봉 1직(安·和陵), 직장·참봉 각1직(智·獻·純陵), 봉사·참봉 각1직(淑·義·純·定陵), 영·참봉 각1직(건원·제·貞·厚·英·顯·光·敬·昌·恭陵)으로[213] 정비된 후 『대전회통』에 등재되었다.

    ⓐ 숙종대에는 1712년(숙종 38)에 제릉·영릉·광릉의 관직이 참봉 2직으로 개정되었다.

    ⓑ 영조대에는 1725년(영조 1)에 헌·현·경·창·恭陵의 관직이 직장 참봉 각1직, 1735년(11)에 건원·제·헌·현·경·창·공릉의 관직이 영·참봉 각1직, 1759년(35)에 昌陵의 관직이 참봉 2직, 1769년(45)에 숙·의·순릉의 관직이 봉사·참봉 각1, 지릉의 관직이 별검·참봉 각1직, 安·定·和·德陵의 관직이 참봉 1직으로 각각 개정되었다.

    ⓒ 정조대에는 1776년(정조 즉위)에 영릉의 관직이 직장·참봉 각1직, 창릉의 관직이 영·참봉 각1직, 제·후·光陵의 관직이 별검·참봉 각1직으로 각각 개정되었다.

    ⓓ 1865년(고종 2) 이전에 지릉 헌릉과 후릉의 관직이 직장·참봉 1직과 영·참봉 1직으로 각각 개정되었다.

1495년(연산군 1)으로부터 1799년(정조 23)에 조성된 莊陵 등 22릉은 능의 조영과 함께 참봉 2직이 설치되었다가 다음의 설명과 같이 참봉 1직이

---

212) 『숙종실록』 권43, 33년 3월 무진 ; 『증보문헌비고』 권224, 직관고 11, 건원릉 등조.
213) 『조선왕조실록』 연산군 1~철종 10년조 ; 『증보문헌비고』 권224, 직관고 11, 제전 각릉조 ; 『속대전』·『대전통편』·『대전회통』 권1, 이전 경관직 各陵조에서 종합.

슈(종5)~別檢(종8)에 승격·개칭되면서 영 16·직장 4·별검 2·참봉 22직으로[214] 정비된 후 『대전회통』에 등재되었다.

    ⓐ 숙종대에는 1694년(33)에 長·휘·영·숙릉의 관직이 직장·참봉 각1직, 선· 정·희·태·목·명·익릉의 관직이 봉사·참봉 각1직으로 각각 개정되었다.

    ⓑ 영조대에는 1721년(1)에 사릉의 관직이 직장·참봉 각 1직, 강·휘·숙·혜릉의 관직이 봉사·참봉 각1직, 1731년(11)에 선·정·희릉의 관직이 직장·참봉 각1직, 사릉의 관직이 영·참봉 각1직, 1737(17)에 태릉의 관직이 직장이 참봉 각1직, 효 강·목·휘·숙·翼陵의 관직이 별검·참봉 각1직, 1731년 이후에 휘릉의 관직이 영·참봉 각1직으로 각각 개정되었다.

    ⓒ 정조대에는 1776년(즉위)에 온·長·영·의·홍·永陵의 관직이 영·참봉 각1직, 영·명·원릉의 관직이 별검·참봉 각1직, 1776년 이후에 章陵의 관직이 별검·참봉 각1직, 1785년(9) 이전에 장·숭·영·익릉의 관직이 영·참봉 각1직, 휘릉이 별검·참봉 각1직, 1796년(20) 이전에 長·徽陵의 관직이 별검정 참봉 각1직, 1796년에 長·영릉의 관직이 영·참봉 각1직으로 각각 개정되었다.

    ⓓ 1865년(고종 2) 이전에 경릉의 관직이 직장·참봉 각1직, 효·강·惠陵의 관직이 영·참봉 각1직, 健·仁·綏陵의 관직이 별검·참봉 각1직으로 각각 개정되었다.

    1800년(순조 즉위) 이후에 조영된 健陵 등 5릉은 健陵(1800, 순조 즉)·仁陵 (1800, 순조 즉)·綏陵(1832, 순조 32)은 능의 조영과 함께 별검·참봉 1직이 각각 설치된 후 후대로 계승되었고, 경릉(1843, 헌종 9)은 능의 조영과 함께 영·참봉 각1직이 설치되었다가 직장·참봉 각1직(1865년[고종 2] 이전),

214) 『조선왕조실록』 연산군 1~철종 10년조 ; 『증보문헌비고』 권224, 직관고 11, 각릉조 ; 『속대전』 『대전통편』 『대전회통』 권1, 이전 경관직 各陵조에서 종합.

예릉은 능의 조영(1859, 철종 10)과 함께 참봉 2직이 설치된 후 그 모두가
『대전회통』에 등재되었다(설치나 개변연도).

그리하여 『경국대전』에 규정된 20릉 참봉 40직과 1707년(숙종 33)에 37릉
참봉 74직이 42릉 영 8·직장 5·별검 9·참봉 58직의 80직(숙종 33~영조
22), 42릉 영 24·직장 6·봉사 3·별검 6·참봉 41직의 80직(영조 23~정조
9), 47릉 영 29·직장 9·봉사 3·별검 2·참봉 47직의 90직(정조 10~고종
1)으로 정비된 후 『대전회통』에 등재되었다(종합적인 정리는 뒤 7장 〈별
표〉 참조).

諸園은 昭寧園은 영조의 생모인 숙종후궁 淑嬪崔氏의 묘이다(이하 園 배장
자는 앞 주 197) 참조). 1747년(영조 29) 園의 조성과 함께 종9품 守奉官(종9,
무록관) 2직이 설치되어[215] 후대로 계승되었다. 順康園은 1749년(영조 31)
墓에서 원으로 승격되면서 참봉(종9) 2직이 두어졌다가 1785년(정조 9)
이전에 수봉관 2직으로 개정되어[216] 후대로 계승되었다. 仁明園은 1785년
이전에 수봉관 2직이 설치된 후[217] 후대로 계승되었다. 永祐園(顯隆園)은
1776년(정조 즉)에 묘에서 永祐園으로 승격되면서 수봉관 2직이 설치되었다
가 1779년(정조 3)에 수봉관이 별검·참봉으로 승격되었고, 1789년(정조
13)에 영우원이 顯隆園으로 개칭되면서 영·참봉 각1직으로 개정된 후[218]
후대로 계승되었다. 綏吉園은 1778년(정조 2) 묘가 원으로 승격되면서 소령원
관이 겸하는 수봉관 2직이 설치된 후[219] 후대로 계승되었다. 徽慶園은 1824년
(순조 24)에 수봉관 2직이 설치되었고, 1865년(고종 2) 이전에 영·참봉 각1직
으로 개정된 후[220] 『대전회통』에 등재되었다.

---

215) 『증보문헌비고』 권224, 직관고 1 제원관.
216) 『증보문헌비고』 권224, 직관고 1 제원관.
217) 『대전회통』 권1, 이전 경관직 인명원.
218) 『정조실록』 권1, 즉위년 3월 신묘 ; 권8, 3년 9월 신사 ; 권28, 13년 8월 임술 ; 『증보문
    헌비고』 권224, 직관고 1 제원관.
219) 『증보문헌비고』 권224, 직관고 1 제원관.

이처럼 묘·전·능의 정직은 20릉 참봉 40직(『경국대전』)→ 1묘·5전·42릉 82직[영 28, 직장 6·봉사 3·참봉 45직](성종 17~정조 8)→ 1묘·6전·47릉 97직[영 36·직장 9·봉사 3·참봉 49](정조 7~고종 2, 이상 무록관과 겸직 제외)으로 그 수가 크게 증가하면서 운영되다가 『대전회통』에 그대로 법제화 되었다.

(4) 兵曹屬衙門 : 司僕寺·軍器寺·典設司, 五衛·訓練院·世子翊衛司·世孫衛從 司, 宣傳官廳·守門將廳·各殿守門將

병조속아문에는 문반직이 편제된 사복시·군기시·전설사와 무반직이 편 제된 五衛·訓練院·世子翊衛司·世孫衛從司·宣傳官廳·守門將廳·各殿守門將이 있다. 여기에서는 편의상 무반직인 오위 등도 포괄하여 고찰한다.

가) 司僕寺·軍器寺·典設司

司僕寺는 『경국대전』에 규정된 정(1), 부정(1), 첨정(1), 판관(1), 주부(2)가 1506년(연산군 12)에 첨정·판관·주부 각1직이 군직으로 전환되었다가[221] 1506년(중종 1)에 복구되었고, 1555년(명종 10)에 부정이 혁거되면서[222] 정 1, 첨정 1, 판관 1, 주부 2직으로 정비되어 『속대전』에 등재된 후 후대로 계승되었다.

軍器寺는 『경국대전』에 규정된 정(1), 부정(1), 첨정(2), 판관(1), 주부(2), 직장(1), 봉사(1), 부봉사(1), 참봉(1)이 1505년과 1506년(연산군 12)에 판관· 주부 각2직과 부봉사·참봉 각1직이 증치되고 첨정(1)·판관(1)·주부(2)·직장

---

220) 『대전회통』 권1, 이전 경관직 제전.
221) 『연산군일기』 권61, 12년 1월 병신. 이와 동시에 직장·부직장(관직수 불명)과 봉사(2)· 부봉사(2)·참봉(4)직이 군직겸직으로 신치되었다.
222) 『명종실록』 권18, 10년 6월 정축.

(2)·봉사(2)가 군직겸직으로 전환되었다가[223] 1506년(중종 1)에 복구되었다. 그 후 1719년(숙종 45)에 정·부정이 혁거되면서[224] 첨정(2)·판관(2)·주부(2)·직장(1)·봉사(1)·부봉사(1)·참봉(1)으로 정비되었다가 1831년(순조 31) 이전에 정·부정이 복치된 후 후대로 계승되었다.[225]

典設司는『경국대전』에 규정된 守(정4, 1)가 1506년(연산군 12)에 수가 혁거되었다가[226] 1506년(중종 1)에 복치되었고, 1576년(선조 9) 守가 혁거되었지만[227] 관아는 무록관인 별제(종6)가 있었기에 후대로 계승되었다.

나) 五衛·訓練院·世子翊衛司·世孫衛從司

五衛는『경국대전』에 규정된 將(종2겸, 12), 上護軍(정3, 9), 大護軍(종3, 14), 護軍(정4, 12), 副護軍(종4, 54), 司直(정5, 14), 副司直(종5, 123), 司果(정6, 15), 部長(종6, 25), 副司果(종6, 176), 司正(정7, 5), 副司正(종7, 309), 司猛(정8, 16), 副司猛(종8, 483), 司勇(정9, 42), 副司勇(종9, 1,939)(대호군, 부호군, 부사직, 부사과, 부사정, 부사맹, 부사용은 체아직[228])이 1506년(연산군 12)에 부장 10직이 삭감되었다가[229] 동년 중종 즉위와 함께 복구되었다. 이후 1592년(선조 25)에 부장 50직이 가설되었다가 1594년(선조 27)에 45직이 삭감되면서 30직으로 조정되었고,[230] 1746년(영조 22) 이전에 5위제의 5군영제로의 개편·5군영이 중심이 된 군사운영과 관련되어 將이 정3품 당상관으로 降秩되고 상호군 1·대호군 2·호군 8·사직 3·부사직 23·부장 5·부사정 60·사

---

223) 『연산군일기』권58, 11년 6월 경진, 권62, 12년 6월 신유.
224) 『증보문헌비고』권226, 직관고 13, 군기시.
225) 『순조실록』권32, 31년 12월 무자 ;『대전회통』권1, 이전 경관직 군기시.
226) 『연산군일기』권61, 12년 1월 병신.
227) 『선조실록』권17, 6년 5월 정미.
228) 졸저, 앞『朝鮮初期의 政治制度와 政治』, 299쪽.
229) 『연산군일기』권61, 12년 1월 병신.
230) 『선조실록』권29, 25년 8월 계묘 ; 권53, 27년 7월 신사.

맹 1·부사맹 27·사용 18·부사용 1,358직이 삭감되고 부호군 22·사과 6·부사
과 1·사정 15·부호군 22직이 증치되면서 조정된 장15, 상호군 8, 대호군
12, 부호군 69, 사직 11, 부사직 102, 사과 21, 부장 25, 부사과 183, 사정
28, 부사정 250, 사맹 15, 부사맹 208, 사용 24, 부사용 460직 모두가 체아직으
로 전환된 후 후대로 계승되었다.[231]

　訓練院은『경국대전』에 규정된 知事(정2겸, 1), 都正(정3당상, 2, 1겸직),
正(1), 副正(2), 僉正(2), 判官(2), 主簿(2), 參軍(정7, 2), 奉事(2)가 1506년(연산
군 12)에 부정·첨정 각1직이 삭감되고 참군·봉사가 혁거되었다가[232] 동년
중종의 즉위와 함께 복구되었다. 이후 1509년(중종 5)에 習讀官 10직이
가치되었고, 1687년(숙종 13) 이전에 첨정 2·판관 6·주부 16직이 증치되면서
지사 1(겸), 도정 2(1겸), 정1, 부정 2, 첨정4, 판관8, 주부 18, 봉사 2, 참봉
2직으로 정비된 후 후대로 계승되었다.[233]

　世子翊衛司는『경국대전』에 규정된 左·右翊衛(정5, 각1), 左·右司禦(종5,
각1), 左·右翊贊(정6, 각1), 左·右衛率(종6, 각1), 左·右副率(정7, 각1), 左·右侍
直(정8, 각1), 左·右洗馬(정9; 각1)가 1505년(연산군 11) 연산군의 난정·재정
절감과 관련된 관아의 혁거에 따라 그 모두가 혁거되었다가 익년 중종의
즉위와 함께 복구된 후 변동 없이 후대로 계승되었다.[234]

　世孫衛從司는 1649년(인조 27) 관아의 설치와 함께 左·右長史 각1(종6),
左·右從史 각1(종7)이 설치되었고, 이후 변동 없이 그대로 계승되었다.[235]

---

231)『속대전』·『대전통편』·『대전회통』권4, 병전 경관직 5위.
232)『연산군일기』권61, 12년 3월 신묘, 권63, 12년 7월 신사.
233)『숙종실록』권18, 13년 5월 경오 ;『속대전』·『대전통편』·『대전회통』권4, 병전 경관직
　　훈련원.
234)『속대전』·『대전통편』·『대전회통』권4, 병전 경관직 세자익위사.
235)『증보문헌비고』권225, 직관고 12 세손위종사 ;『속대전』·『대전통편』·『대전회통』
　　권4, 병전 경관직 세손위종사.

다) 宣傳官廳·守門將廳·各殿守門將

宣傳官廳은『경국대전』에 규정된 선전관 8직(무반 체아직)이[236] 1746년 (영조 22) 이전에 정직으로 전환되고 21직(정3당상 1·참상 3·무정품 17)으로 증가되었다.[237] 1785년(정조 9) 이전에 行首 1직이 신치·당상 2직이 증치되고 정해진 품계가 없던 17직이 참상 3직과 참하 14직으로 조정되었으며, 1865년 (고종 2) 이전에 참상 1직이 증치되면서 정3당상 3·행수 1·참상 7·참하 14직으로 정비된 후『대전회통』에 법제화되었다.[238]

守門將廳은『경국대전』에 규정된 수문장 8직(무반 체아직 4품 이상)이[239] 명종 16년 이전에 정직으로 전환되고 16직으로 증가되었다.[240] 이어 1592년 (선조 25)~1746년(영조 22) 이전에 20~430~21직으로 변천되었고,[241] 1785년 (정조 9) 이전에 3직이 증치되면서 24직이 당상관 3·참상 7·참하 14직, 1865년(고종 2) 이전에 다시 5직이 증치되면서 29직이 종6품 15·종9품 14직으로 조정된 후[242]『대전회통』에 법제화되었다.

各殿守門將은 肇慶廟와 慶基·濬源·華寧殿에 설치되었다. 그 모두에는 1865년(고종 2) 이전에 종9품 1직이 설치되어『대전회통』에 법제화되었다.[243]

---

236)『경국대전』권4 병전 경관직 정3품·종3·종4·종5·종6·종7·종8·종9 각1.
237)『속대전』권4, 병전 경관직.
238)『대전통편』·『대전회통』권4, 병전 경관직 선전관청.
239)『경국대전』권4, 병전번차도목 ;『속대전』권4, 병전 수문장청에서 종합.
240)『명종실록』권27, 16년 10월 병술.
241)『선조실록』권45, 26년 12월 기사(30→ 200) ; 권51, 27년 1월 신사(50) ; 권52, 27년 6월 신미(20~430) ;『속대전』권4, 병전 경관직 수문장청.
242)『속대전』·『대전통편』권4, 병전 경관직 수문장청.
243)『대전회통』권4, 병전 경관직 각전수문장. 설치시기는 불명하나『대전통편』에 이들 묘·전을 관리하는 관직으로 令(종5)·別檢(종8) 등이 등재되었음에서 정조 9~고종 2년이라고 추정된다.

(5) 刑曹屬衙門 : 掌隸院·典獄署

掌隸院은『경국대전』에 규정된 判決事(정3당상, 1), 司議(정5, 3), 司評(정6, 4)이 1746년(영조 22) 이전에 사의가 혁거되고 사평 2직이 삭감되면서 판결사와 사평 2직이 존치되었다가[244] 1764년(영조 40)에 관아가 형조에 합병될 때 소멸되었다.[245]

典獄署는『경국대전』에 규정된 주부(1), 봉사(1), 참봉(1)이 1746년(영조 22) 이전에 봉사가 혁거되고 참봉 1직이 증치되면서[246] 주부(1)·참봉(2)으로 정비되어『속대전』에 등재된 후 후대로 계승되었다.

(6) 工曹屬衙門 : 尙衣院·膳工監, 典涓司·掌苑署·造紙署

가) 尙衣院·膳工監

尙衣院은『경국대전』에 규정된 정(1), 첨정(1), 판관(1), 주부(1), 직장(2)이 1505년(연산군 11)에 판관·주부 각1직이 증치되었다가[247] 1506년(중종 1)에 복구되었고, 1746년(영조 22)까지 판관이 혁거되고 직장 1직이 삭감되면서[248] 정(1)·첨정(1)·판관(2)·주부(2)·직장(1)으로 정비되어『속대전』에 등재된 후 후대로 계승되었다.

膳工監은『경국대전』에 규정된 정(1), 부정(1), 첨정(1), 판관(1), 주부(1), 직장(1), 봉사(1), 부봉사(1), 참봉(1)이 1506년(연산군 12)에 부정 이하 주부 중 1직이 군직겸직으로 전환되고 부정·판관이 혁거되었다가[249] 1506년(중

244)『속대전』권1, 이전 경관직.
245)『증보문헌비고』권222, 직관고 9 장예원.
246)『속대전』권1, 이전 경관직.
247)『연산군일기』권58, 11년 6월 경진.
248)『속대전』권1, 이전 경관직.
249)『연산군일기』권61, 12년 1월 병진, 3월 신묘.

종 1)에 복구되었다. 그 후 1555년(명종 10)에 부정이 혁거되고,[250] 1746년(영조 22) 이전에 정·첨정·판관·직장·참봉이 혁거되고 부정 1직이 복치되면서[251] 부정(1)·주부(1)·봉사(1)·부봉사(1)로 정비되어『속대전』에 등재된 후 후대로 계승되었다.

나) 典涓司·掌苑署·造紙署

典涓司는『경국대전』에 규정된 직장(종7, 2), 봉사(종8, 2), 참봉(종9, 6)이 1746년(영조 22) 이전에[252] 관아와 함께 혁거되었다.

掌苑署는『경국대전』에 규정된 掌苑(정6, 1)이 1506년(연산군 12)에 혁거되었다가 1506년(중종 1)에 복치되었고,[253] 1703년(숙종 29)에 무록직이었던 별검 2직이 녹직인 직장 1·참봉 1직으로 전환되었으며,[254] 1746년(영조 22) 이전에 장원이 혁거되고 종8품 봉사 1직이 신치되면서[255]『속대전』에 등재된 후대로 계승되었다.

造紙署는『경국대전』에 규정된 司紙(종6, 1)가 1506년(연산군 12)에 혁거되었다가[256] 1506년(중종 1)에 복치되었고, 1583년(선조 16) 사지가 혁거되면서[257] 겸직과 무록직만 존치된 후 후대로 계승되었다.[258]

지금까지 검토한 육조속아문의 변천을 관아·시기별로 종합하면 다음의 표와 같다.

---

250)『명종실록』권18, 10년 6월 정축.
251)『속대전』권1, 이전 경관직 선공감.
252)『속대전』권1, 이전 경관직.
253)『증보문헌비고』권223, 직관고 10 장원서.
254)『숙종실록』권38하, 29년 7월 을묘.
255)『속대전』권1, 이전 경관직 장원서.
256)『연산군일기』권61, 12년 1월 병신.
257)『명종실록』권17, 16년 5월 정미.
258)『속대전』『대전통편』『대전회통』권1, 이전 경관직 조지서.

〈표 4-4〉 조선 중·후기 육조속아문 문반 녹관 변천 일람표(◘ 녹관이 없는 아문)259)

속조	관아	『경국대전』(성종16)	변개 관직 (성종17~고종2)	『대전회통』(고종 2)	비고*¹
이조속아문	忠翊府	都事 2(종5)→	연산군12 혁 도사→중종1 복구→명종10 혁→광해군8 복치→? 혁→숙종6 복→숙종27 혁(속충훈부)		정3품아문
	內侍府	尙膳 2(종2), 尙醞·尙茶 각1(정3), 尙藥 2(종3), 尙傳 2 4), 尙冊 3(종 4, 1 鷹坊 체아, 2 大殿薛里), 尙弧 4(정5, 尙帑 4 (종5), 尙洗 4(정6), 尙燭4(종6), 尙煊 4 (정7), 6 尙設(종7), 尙除 6(정8), 尙門 5 (종8), 尙更 6(정9), 尙苑 5(종9)→	→	→	종2
	尙瑞院	判官 1(종5), 直長 1 (종7), 副直長 2(정8) (장관인 正은 都承旨 겸)→	연산군12 혁 판관·부직장, 증 직장·참봉 각1→ 중종 1 감 직장·참봉 각1, 복치 부직장 2→	판관 1, 직장 1, 부직장 2	정3
	宗簿寺	正 1(정3), 僉正 1(종 4), 主簿 1 (종6), 直長1 (종7)→	연산군12 가 직장2, 치 참봉2→ 중종1 복구→ 인조15 혁→? 복치→ 영조3 혁 첨정·주부, 치 직장→ 고종1 혁		정3
	司饔院	正 1(정3), 僉正 1(종4), 判官1 (종5), 主簿 1(종6), 直長 2(종7), 奉事 3(종8), 參奉 2(종9)→	성종16 감 봉사·참봉 각1→ 연산군12 감 직장·봉사·참봉 각1→중종1 증치 직장 1→ 영조11 감 주부 3, 치 직장 2·봉사 4→ 22이전 혁 판관, 감 봉사 1·참봉 1→ 정조9 이전 가 주부 1→	정 1, 첨정 1, 주부 3, 직장 2, 봉사 3, 참봉 1	정3
	內需司	典需(정5)·副典需(종6) 각1→	→	→	정5
호조	內資寺	正(정3)·副正(종3)·僉正(종4)·判官(종5)·主簿(종6)·直長(종7)·奉事(종8) 각1→	명종10 혁 판관→선조15혁(속내섬시)→영조9 이전 복치→영조10 혁 정·부정·첨정·판관→	주부 1, 직장 1, 봉사 1	종6
	內贍寺	內資寺와 같음→	영조22 이전 혁 정, 부정, 첨정, 판관	주부 1, 직장 1, 봉사 1	종6
	司䆃寺	정(정3)·副正(종3)·첨정(종4)·주부(종6)·직장(종7) 각1→	영조22 이전 혁 정·부정→ 고종2 이전 치 奉事 1(종8)→	첨정 1, 주부 1, 직장 1, 봉사 1	종4
	司贍寺	司䆃寺와 같음→	인조15 혁(속제용감)→ 인조23 복→ 명종10 혁 부정, 가 봉사·참봉 각1→ 영조22 치 부정, 혁 봉사·참봉→ 정조9 이전 혁		
	軍資監	정 1(정3), 부정 1(종3), 첨정2(종4), 판관 3(종5), 주부3(종6), 직장 1(종7), 봉사 1(종8), 副奉事 1(종9), 參奉 1(종9)→	연산군12 가 직장·참봉 각1→ 중종1 복구→ 영조22 이전 혁 부정·첨정·부봉사·참봉 각1, 감 판관·주부 각1→	정·판관·주부·직장·봉사각1	정3

	濟用監	정·부정·첨정·판관·주부·직장·봉사·부봉사·참봉 각1(생략된 관품은 앞 관아 참조, 이하도 같다)→	명종18 혁 판관→ 영조22 이전 혁 정·부정·첨정·참봉, 치 판관 1	판관·주부·직장·봉사·부봉사 각1	종5
	司宰監	정·부정·첨정·주부·직장·참봉각1→	명종10 혁 부정→ 영조22 이전 혁 정, 치 봉사 1→	첨정·주부·직장·봉사 각1	종4
	豊儲倉	守·주부·직장·봉사·부봉사 각1→	인조15 혁(속 장흥고)		
	廣興倉	수·주부·봉사·부봉사 각1→	연산12 증 부봉사·참봉 각1→ 중종1 혁 참봉, 감 부봉사 1→	수·주부·봉사 각1	정4
	典艦司	來屬 水運判官 2(종5), 海運判官 1(종5)→	영조22 이전 혁		
	平市署	令(종5)·직장·봉사91)→	→	→	종5
	司醞署	령·주부·직장·봉사 각1→	선조16 혁 영→ 영조22 이전 혁 주부·직장·봉사 각1◖		종5
	典牲署	主簿 1, 직장 1, 봉사 1, 참봉 2→	→	→	종6
	義盈庫	령·주부·직장·봉사 각1→	연산군12 가 봉사 2, 치 참봉 2)→ 중종1 복구→? 혁→ 광해즉 복→ 영조22이전 혁 령→	주부·직장·봉사 각1	종6
	長興庫	義盈庫와 같음→	영조22이전 혁 영→	주부·직장·봉사 각1	종6
	司圃署	司圃 1(정6)→	연산군12 혁 사포, 치 별제 1→ 중종1 복구→ 영조22 이전 혁 사포·별제, 치 직장 1→	직장 1	종7
	養賢庫	주부·직장·봉사 각1·(성균관전적·박사·학정 겸)→	연산군12 녹직→ 선조26 혁→ 영조22 이전 복구→	주부·직장·봉사 각1	종6
	五部(東·西·南·北·中部)	주부 각1, 참봉 각2→	연산군12 삭감 동부·북부 주부 각1, 참봉 각2→ 중종1 복구→ 선조26 혁 주부, 감 각 참봉 1→ 영조22 이전 신치 도사(종6)·봉사(종8) 각1→	도사·봉사·참봉 각1	종6
예조	弘文館	副提學(정3당상)·直提學(정3)·典翰(종3)·應敎(정4)·副應敎(종4) 각1, 校理(정5)·副校理(종5)·修撰(정6)·副修撰(종6, 2) 각2, 博士 1(정7), 著作 1(정8), 正字 2(정9)→	→ 고종2 직제학 겸직전환→	부제학 1, 전한 1, 응교 1, 부응교 1, 교리 2, 부교리 2, 수찬 2, 부수찬 2, 박사 1, 저작 1, 정자2	정3
	藝文館	奉敎 2(정7), 待敎 2(정8), 檢閱 4(정9)→	연산군11 혁→ 중종1 복구→ 고종2 겸직제학 녹직 전환→	직제학(1,정3), 봉교 2, 대교 2, 검열 2	

	成均館	大司成 1(정3당상), 司成 2(종3), 司藝 3(정4), 直講 4(정5), 典籍 13(정6,), 博士(정7)·學正(정8)·學錄(정9)·學諭(종9) 각 3→	연산군11 혁 박사·학정·학록·학유, 감 사예·직강 각1, 전적 6→ 중종1 복구→ 중종12 치 司業 2(정4)→ 효종9치 祭酒(정3당상 1)→	대사성 1 , 제주 1, 사성 2, 사예 3, 사업 1, 직강 4), 전적 13, 박사·학정·학록·학유 각3	정3 당상
	春秋館 ◘				
	承文院	判校 1(정3), 參校 2(종3), 校勘 1(종4), 校理 1(종5), 校檢 1(정6), 博士(정7)·著作(정8)·正字(정9)·副正字(종9) 각2(직장 이하 1인 겸)→	연산군12 혁→ 중종1 복구→	→	정3
	通禮院	左·右通禮 각1(정3), 相禮 1(종3), 奉禮 1(정4), 贊儀 1(정5), 引儀 8(종6)(겸관 6)→	연산군12 혁 상례, 감 인의2→ 중종1 복구→ 명종10 이전 감 인의2, 치 가인의 6 명종10→ 혁 가인의→	좌·우통례 각1, 상 례 1, 봉례 1, 찬의 1, 인의 6 (이 중 겸관6)	정3
	奉常寺	정 1, 부정 1, 첨정·판관·주부 각2, 직장·봉사·부봉사·참봉 각1(주부 이상 6원 구임)→	→	→	정3
	校書館	교리 1, 박사·저작·정자·부정자 각1(장관인 판교는 겸직)→	연산군12 혁 박사·저작·정자·부정자→ 연산12 혁 교리→ 중종1 복구→ 정조6 혁(이속 규장각)		
	內醫院 ◘				
	禮賓寺	정·부정·첨정·판관·주부·직장·봉사·참봉 각1→	연산군12 치 부봉사 1, 가 참봉 1→ 중종1 복구→ 선조25이후 혁 정·부정·첨정·판관, 가 참봉 1→	주부(1), 직장(1), 봉사(1), 참봉(2)	종6
	掌樂院	정·첨정·주부·직장 각1→	연산군12 가 당상·부정 2, 치 참봉 1→ 중종1 복구→	정1, 첨정 1, 주부 2	정3
	觀象監	天文·地理學敎授 각1(종6), 天文·地理學訓導 각1(정9), 命科學訓導 2(정9)(장관인 정 이하 체아)→	인조12 이후 삭감 명과학훈도 1→	→천문·지리학교수 각1, 천문·지리학훈도 각1, 명과학훈도 1	장3
	典醫監	의학교수 2(종6), 醫學訓導1(정9)(정~봉사 체아)→	영조22 이전 감 의학교수 1,→	의학교수 1, 의학훈도 1	정3
	司譯院	정·부정·첨정·판관 중 1인, 한학교수 4(종6, 2 문신 겸), 漢學訓導 4(정9), 蒙學·女眞學訓導 각2(정9)→	연산군12 감 한학교수·한학훈도 각1→ 중종1 복구→	한학교수 4, 한학훈도 4, 몽학·여진학훈도 각2	정3
	世子侍講院	輔德(종3)·弼善(정4)·文學(정5)·司書(정6)·說書(정7) 각1)→	중종1 혁→ 중종15 복구→ 인조24 치 贊善(정3)·翊善(정5)·諮議(정7) 각1)→	찬선 1, 보덕 1, 필선 1, 문학 1, 익선 1, 사서 1, 설서 1, 자의 1	정3
	世孫講		인조26 치 左·右翊善 각1(종4), 左·	좌·우익선·좌·	종4

	書院		右勸讀 각1(종5), 左·右贊讀 각1(종6)→	우권독 좌·우찬독 각1	
	宗學	導善 이하 모두 성균관관 겸◘			
	昭格署	영(1), 참봉(2)→	연산군12 혁→ 중종1 복구→ 중종11 혁→ 중종17 복치→ 인조8 이전 혁→ 인조8 복치→ 명종10 이전 혁→ 선조25 이전 복치→ 선조25 혁(소멸)		
	宗廟署	영·직장·봉사·부봉사 각1 (직장 이하 1원 구임)→	연산군1 가 부봉사 1, 치 참봉 1→ 중종1 복구→ 영조22 이전 가 영 1, 혁 봉사→	영 2, 직장 1, 부봉사 1,	종5
	社稷署	영(1), 참봉(2)→	명종10 혁 영→ 곧 치 영, 직장 1, 혁 참봉→	영 1, 직장 1	종5
	氷庫	◘			
	典牲署	주부·직장·봉사 각1, 참봉 2→	연산군12 치 부봉사 1, 가 참봉 1→ 중종1 복구→ 영조22 이전 혁 참봉→	주부 1, 직장 1, 봉사 1	종6
	司畜署	司畜 1→	연산군12 혁 사축, 가 별제 1→ 중종1 복구→ 선조28 혁(속 전생서→ 인조14 복→인조15 혁→효종9 혁 복→ 영조22 혁 사축◘		
	惠民署	주부·의학교수·직장 중 1	? 혁→ 광해군2 복치)→ 광해군15 혁(속 전의감)→ 곧 복치→	주부·의학교수·직장 중 1	종6
	圖畵署	◘			
	活人署	◘			
	歸厚署	◘			
	四學(東·西·南·北·中學)	◘			
	諸廟·殿	문소·연은전 각 참봉 2(종9)	선조25 혁 문소·연은전 각 참봉 2	영 7(종5 5, 종6 2), 참봉 2[260]	
	諸陵	12릉 각 참봉 2[261]	32릉(영8, 직장 5, 별검 8, 참봉 49)[262]	47릉(영 29, 직장 9, 봉사 3, 별검 2, 참봉 47)[263]	
	諸園		영조29~고종2 이전 치 영·참봉 각 1(현륭원·휘경원), 수봉관 각2(무록관, 순강·소령원)→	→	
병조	五衛(義興·龍驤·虎賁·	上護軍(정3, 9), 護軍(정4, 12), 司直(정5, 14), 司直(정5, 11), 司果(정6, 15), 部長(종6, 25), 司正(정7, 5), 司猛(정8, 16),	연산군12 감 부장 10→ 중종1 복구→ 선조27 가 부장 5→ 영조22 이전 감 상호군 1·호군 8·사직 3·부장 5·사맹 1·사용 18, 가 사과 6·사정	상호군 8, 호군 4, 사직 11, 사과 21, 부장 25, 사정 20, 사맹	무관 정3 당상

	忠佐·忠武衛	司勇(정9, 42)(대호군, 부호군, 부사직, 부사과, 부사정, 부사맹, 부사용 634직은 체아직264))	15(모두 체아직으로 전환)→	15, 사용 24	
	訓鍊院	都正 2(정3당상, 1 겸직), 正 1, 副正·僉正·判官·主簿·參軍(정7)·奉事 각2	연산12 감 부정·첨정 각1, 혁 참군·봉사→ 중종1 복구→ 중종5 가 습독관 10→ 영조22 이전 가 첨정 2, 판관 6, 주부 16→	도정 2(1겸), 정 1, 부정 2, 첨정 4, 판관 8, 주부 18, 봉사 2, 참봉 2	무관 정3 당상
	司僕寺	정·부정·첨정·판관 각1, 주부2)(판관이상 2 구임)	연산군12 치 직장·부직장 각1, 봉사·부봉사 각2, 참봉 4, 理馬(정6, 4), 馬醫(정7, 3)(첨정~부직장 각1, 참봉 4 군직겸)→중종1 복구→ 명종10 혁 부정→	정 1, 첨정 1, 판관 1, 주부 2	정3
	軍器寺	정 1, 부정 1, 첨정 2, 판관, 주부 2, 직장·봉사·부봉사(정9)·참봉 각1(주부 이상 2 구임)	연산12 가 판관·주부 각2, 부봉사·참봉 각1→ 중종1 복구→ 숙종45 이전 혁 정·부정·별좌·별제→	첨정 2, 판관 2, 직장 1, 봉사 1, 부봉사 1, 참봉 1	종4
	宣傳官廳	◘	영조22 이전 선전관 21(정3당상 1, 참상 3, 무정품 17)→ 정조9 이전 24(당상 3, 행수 1, 참상 6, 참하 14)→ 고종2 이전 가 참상 1→	25(당상 3, 행수 1, 참상 7, 참하 14)	무관
	典設司	守 1(정4)	연산군12혁 수, 가 무록관 1→ 중종1 복구→ 선조6 혁 수(◘)		
	世子翊衛司	左·右翊衛(정5), 左·右司禦(종5), 左·右翊贊(정6), 左·右衛率(종6),左·右副率(정7), 左·右侍直(정8), 左·右洗馬(정9) 각1	연산군11 혁→ 중종15 복구→	좌·우익위, 좌·우 사어, 좌·우익찬, 좌·우위솔), 좌·우부솔, 좌·우시직, 좌·우세마 각1	무관 정5
	世孫衛從司		인조27 신치 左·右長史(종6), 左·右從史(종7) 각1→	좌·우장사, 좌·우종사 각1	무관 종6
	守門將廳	守門將 8(4품 이상)→	명종16 이전 증치 15→ 선조25~영조22 이전 총 20~430~21→ 정조9 이전 증 3(당상관 3, 참상 7, 참하 14)→ 고종2 이전 증 5(종6 15, 종9 14)→	수문장 29(종6 15, 종9 14)	무관
	各殿守門將		정조9~고종2 치 肇慶廟, 慶基·璿源·華寧殿 종9품 각1→	→	무관
형조	掌隸院	判決事 1(정3당상), 司議 3(정5), 司評 4(정6)(사의 이하 구임)→	영조22 이전 혁 사의, 감 사평 2→ 영조40 혁(속 형조)		
	典獄署	주부·봉사·참봉 각1→	영조22 이전 혁 봉사, 가 참봉 1→	주부 1, 참봉 2	종6

공조	尙衣院	정·첨정·판관·주부 각1, 직장2→	연산군11 가 판관·주부 각1→ 중종1 복구→ 영조22 이전 혁 판관, 감 직장 1→	정 1, 첨정 1, 판관 2, 주부 2, 별제 1, 직장 1	정3
	膳工監	정·부정·첨정·판관·주부·직장·봉사·부봉사·참봉 각 1(판관 이상 1 구임)→	연산군12 혁 부정·판관, 치 가감역2→ 중종1 복 부정·판관→ 중종2 가 감역 8→ 중종8 혁 감역→ 명종10 혁 부정→ 영조22 이전 혁 정·첨정·판관·직장·참봉, 복치 부정 1, 가 감역관 3, 가감역관3→	부정 1, 주부 1, 봉사 1, 부봉사 1, 감역관 3, 가 감역관 3	종3
	修城禁火司	◘			
	典涓司	직장 2, 봉사 2, 참봉 6	영조22 이전 혁		
	掌苑署	掌苑 1(종6)→	연산군12 혁 장원→ 중종 복치 장원→ 영조22 이전 혁 장원, 치 봉사 1(종8)→	봉사 1	종8
	造紙署	司紙 1(종6)→	연산군12 혁 사지→ 중종1 복구→ 선조14 혁 사지◘		
	瓦署	◘			
합계*2		353(당상 3, 참상관 186, 참하 164)	333(당상 2, 참상관 142, 참하 164, 영조 22)	311(당상 2, 참상관 152, 참하 189, 고종 2)	

*1 아문의 격은『대전회통』에 의함.
*2 직질별 관직수는 뒤 〈별표 2〉참조

---

259) 『조선왕조실록』성종 16~철종 14년조 ;『고순종실록』고종 1~2년조 ;『증보문헌비고』권220~권224 ;『속대전』·『대전통편』·『대전회통』권1, 이전 경관직 등에서 종합.
260) 영-조경묘·경기전·영령전 각1, 선원영희전 각2, 참봉-경기·영희전 각1(『대전회통』권1, 이전 경관직 제전).
261) 12릉은 경원릉(태조), 제릉(태조비 한씨), 정릉(태조계비 강씨), 후릉(정종, 정종비 김씨), 헌릉(태종, 태종비 민씨), 영릉(세종, 세종비 심씨), 현릉(문종, 문종비 권씨), 광릉(세조, 세조비 윤씨), 경릉(덕종), 창릉(예종, 예종비 한씨), 공릉(예종비 한씨), 순릉(성종비 한씨)이다.
262) 영 릉 각1, 직장 릉 각1, 봉사 릉 각1 별검 릉 각1 참봉 릉 각2, 릉 각1(『대전회통』권1, 이전 경관직 제전).
263) 영 릉 각1, 직장 릉 각1, 봉사 릉 각1 별검 릉 각1 참봉 릉 각2, 릉 각1(『대전회통』권1, 이전 경관직 제전).
264) 앞 졸저,『조선초기 정치제도와 정치』, 160쪽 주209).

2) 遞兒·無祿職

(1) 遞兒職

『경국대전』에 규정된 육조속아문 문반 체아직에는 內醫院 등 8관아에
정3품 정 4직, 종3품 부정 3직, 종4품 첨정 4직, 종5품 판관 5직, 종6품
주부 6직, 종7품 직장 13직, 종8품 봉사 13직, 정9품 부봉사 12직, 종9품
참봉 25직의 83직이 있었다. 이 관직이 이후 1865년(고종 2)까지 경비절감·직
제정비 등과 관련되어 내수사·활인서 관직은 그대로 계승되었지만 그 외의
내의원 등 6관아의 관직은 다음과 같이 1485년(성종 16)~1506년(중종 1)에
19직이 삭감되었다가 복구되었고, 1507년(중종 2)~1864년(고종 1)에 32직이
삭감되면서 51직으로 변천되었다가『대전회통』에 법제화되었다(직질별 관
직은 뒤 〈표 4-5〉 참조).

    ⓐ 1506년(연산군 12)에 내의원 판관 1·직장 1·봉사 1·부봉사 1직, 관상감
        판관 1·주부 1·직장 1·봉사 1·참봉 1직, 전의감 부정 1·봉사 1·부봉사
        2·참봉 3직, 사역원 부정 1·판관 1·직장 1직이 각각 혁거·삭감되었다
        가[265] 동년 중종 즉위와 함께 복구되었다.
    ⓑ 1507년(중종 2)~1746년(영조 22)에 내의원 직장 2, 관상감 부정 1·판관
        1·주부 1·부봉사 2·참봉 1직, 전의감 부정 1·직장 1·봉사 1·부봉사 2·참봉
        3직, 사역원 부정 1·판관 1·직장 1·봉사 1직, 전연사 직장 2 봉사 2
        참봉 6직, 혜민서 의학교수 1직이 각각 혁거·삭감되었다.[266]
    ⓒ 1785년(정조 9) 이전에 관상감 지리학겸교수 1직이 혁거되었고, 1865년

---

265)『연산군일기』권61, 12년 1월 병신.
266)『조선왕조실록』중종 2~영조 21년조 ;『속대전』권1, 이전 경관직 내의원·관상감·전
    의감·사역원·전연사·혜민서.

(고종 2) 이전에 다시 지리학교수 1직이 혁거되었다.[267]

(2) 무록직

『경국대전』에 규정된 문반 무록직에는 司饔院 등 22관아에 3품 提擧 2직, 4품 提檢 11직, 5품 別坐 23직, 6품 別提 5직의 95직이 있었다(95직은 뒤 〈표 4-5〉 참조). 이 무록관이 이후 1864년(고종 1)까지 왕실의 廟·宮·殿·陵·園 조영, 제도정비, 관제변통 등과 관련되어 사옹원·형조는 변동 없이 계승되었다. 그러나 그 외의 관아 관직이 삭감·혁거되고 묘·궁·전·능·원관이 증치되면서 다음과 같이 개변되면서 1592년(선조 25)~1746년(영조 22)에 제거 2, 제검 1, 별좌 5, 별제 23, 별검 5직, 감역관 등 9직의 45직, 1747년(영조 23)~1865년(고종 2)에 별좌 16, 직장 1, 별검 5, 감역관 등 18직의 40직으로 변천되었다가 『대전회통』에 법제화되었다(관아별 관직은 뒤 〈표 4-5〉 참조).

ⓐ 성종대에는 1490년(21) 이전에 義禁府에 별좌(직 수 불명)가 설치되어 1746년(영조 22) 이전에 혁거되었다.[268]

ⓑ 연산군대에는 1505년(11)에 상의원 별좌 12직이 가치 되고[269] 장원서 별제 1직이 증치되었고, 사축서 별제가 증치(관직수 불명)되었다.

ⓒ 중종대에는 1506년(1)에 연산조에 가치된 상의원·장원서·사축서관이 삭감되었고, 1511년(6)에 전함사 제검·별좌·별제 모두가 관아와 함께 혁거 1516년(11)에 소격서의 혁파와 함께 별제 2직이 혁거되었다가 1525년(20)에 복구되었다.[270]

---

267) 『대전통편』·『대전회통』 권1, 이전 경관직 관상감.
268) 『성종실록』 권237, 21년 2월 무신 ;『속대전』 권1, 이전 경관직 의금부.
269) 『연산군일기』 권58, 11년 5월 기해 加別坐2, 권60, 11년 12월 갑신 加10員.
270) 『중종실록』 1~16년조.

ⓓ 명종대에는 1555년(10) 이전에 소격서 별제가 혁거되었다.

ⓔ 선조대에는 1589년(22) 이전에 복치된 소격서 별제 2직이 혁거되었고, 1593년(26)에 귀후서 별제 2직이 삭감되었다.[271]

ⓕ 인조대에는 1637년(15)에 수성금화 제검·별좌·별제 모두가 관아의 함께 혁거되었다.

ⓖ 효종대에는 1658년(9)에 소격서 별제 2직이 복치되었다.

ⓗ 숙종대에는 1703년(29)에 빙고 별검 4직 중 2직이 별제로 전설사 별검 3직 중 2직이 별제로 각각 승격되고, 장원서·사포서 별검 각2직이 녹직의 직장 1·참봉 1직으로 전환되었으며,[272] 1711년(37)에 明陵에 별검 1직이 설치되었다.

ⓘ 경종대에는 1720년(즉위) 元陵, 1721년(1)에 長寧殿에 각각 별검 1직이 설치되었다.

ⓙ 영조대에는 1725년(1)에 萬寧殿, 1735년(11)에 惠陵, 1741년(17)에 孝·康·穆·崇·翼陵에 각각 별검 1직이 설치되었고, 1746년(22) 이전에 예빈시 제검·별좌·별제가 모두 혁거되었고, 전설사 제검·별좌가 혁거되고 종8품 별검 1직이 신치되었으며, 전연사의 제검·별좌·별제 모두가 혁거되었다. 교서관 별좌·별제 모두가 혁거되었고, 상의원 별좌가 혁거되고 별제 1직이 삭감되었으며, 군기시 별좌·별제가 혁거되었다. 귀후서 별제가 혁거되었고, 조지서·활인서 별제 각2직이 삭감되었으며, 장원서 별제 1직이 삭감되었다. 사포서 별제 1직이 삭감되고 별검이 혁거되었으며, 와서 별제 1직이 삭감되었다. 영조 22년 이전에는 또 선공감에 종9품 監役官·假監役官[273] 각3직이 설치되었다. 1757년(33)에 명릉 별검이 혁거

---

271) 『선조실록』 권42, 26년 9월 계축.
272) 『숙종실록』 권38하, 29년 7월 을묘.
273) 감역관과 가감역관은 긴급하거나 중대한 건축공사가 있을 때 원활한 공사진행을 위해 설치된 임시직이기에 무록관에 포함하여 파악한다.

되었고, 1769년(45)에 智陵에 별검 1직이 설치되었다.

ⓚ 정조대에는 1776년(즉위)에 조경묘·경기전과 明·齊·厚·光·莊陵에 별검 각1직이 설치되고 만령전 별검이 혁거되었으며, 1783년(7)에 順康園·昭寧園에 守奉官 각 2직이 설치되고[274] 齊·光陵 별검이 혁거되었다. 1785년(9) 이전에 소격서 별제와 빙고 별좌가 혁거되고 호조 별제 1직이 삭감되었으며, 사축서·도화서 별제가 혁거되었고, 章·英陵에 별검 각1직이 설치되고 숭·명릉의 별검이 혁거되었다. 1785년에 慶基殿과 翼陵의 별검이 혁거되었고, 1796년(20)에 章·英陵의 별검이 혁거되었고, 1798년(22) 이전에 厚·莊·孝·康·穆陵의 별검이 혁거되었다.

ⓛ 순조대에는 1800년(즉위) 健·仁陵, 1832년(32)에 綏陵 별검 각1직이 설치되었다.

ⓜ 고종대에는 1865년(2) 이전에 智·惠·健·仁·綏陵 별검이 혁거되었다.

『경국대전』이 반포된 1485년(성종 16)으로부터 『대전회통』이 반포된 1865년(고종 2)까지에 걸친 문반 체아·무록직의 변천을 시기별로 종합하여 제시하면 다음의 표와 같다.

〈표 4-5〉 조선 중·후기 육조속아문 문반 체아·무록직 변천 일람표[275]

		『경국대전』(성종16)	성종17~고종2	『대전회통』(고종2)	비고
체아직	내의원	正1(정3), 僉正1(종4), 判官1(종5), 主簿1(종6), 直長3(종7), 奉事2(종8), 副奉事2(종9), 參奉1(종9)→	연산군12 혁 판관, 감 직장·봉사·부봉사 각1→ 중종1 복구→ 영조22 이전 감 직장2→	정 1, 첨정 1, 판관 1, 주부 1, 직장 1, 봉사 2, 부봉사 2, 참봉 1	
	관상감	正1(정3), 副正1(정3), 僉正1(종4), 判官2(종5), 主簿2(종6), 直長2(종7), 奉事2(종8), 副奉事3(정9), 參奉 3(종9)*→	연산군12 감 판관·주부·직장·봉사·참봉 각1→ 중종1 복구→ 인조12 이후 혁 부정·감판관·주부·참봉 각1→	정· 첨정· 판관· 주부· 봉사 각1, 직장·봉사 각2, 부봉사 1, 참봉 2	*판관 이상1 녹직
	전의감	正1(정3), 副正1(정3), 僉正1(종4), 判官1(종5), 主簿1(종	연산군12 감 직장·봉사 각1, 참봉 3→ 중종1 복구→ 영조22	정· 첨정· 주부· 판관· 봉사 각1, 직장 2, 부봉	*동상

274) 『증보문헌비고』 권224, 직관고 11 제원관.

		6), 直長2(종7), 奉事2(종8), 副奉事4(종9), 參奉5(종9)*→	이전 혁 부정, 감 봉사 1, 부봉사 2, 참봉 3→	사 2, 참봉 2	
	사역원	正1(정3), 副正1(종3), 僉正1(종4), 判官2(종5), 主簿1(종6), 直長2(종7), 奉事3(종8), 副奉事2(종9), 參奉2(종9)→	연산군12 감 판관·한학교수·직장·한학훈도 각1,→ 중종1 복→ 영조22 이전 혁 부정, 감 판관·봉사·직장 각1→	정·첨정·판관·주부·직장 각1,봉사·부봉사 각2, 참봉 2	
	내수사	典會1(종7), 典穀1(종8), 典貨2(종9)→	→	→	
	혜민서	主簿1(종6), 醫學敎授1(종6), 直長1(종7), 奉事1(종8), 醫學訓導1(정9), 參奉4(종9)*→	연산군12 감 참봉 2→ ? 혁→ 광해군2 복→ 광해15 혁(속 전의감)→ 곧 복→ 영조22 이전 감 의학교수 1→	주부·의학교수·직장·봉사·의학훈도·참봉 각1	* 직장 이상 1 녹직
	전연사	直長2(종7), 奉事2(종8), 參奉6(종9)→	영조22 이전 혁		
	활인서	參奉2(종9)→	선조26 혁(속 예조)→ 광해4 복→	참봉 2	
	합계	84(정4, 부정3, 첨정4, 판관5, 주부6, 직장12, 典會1, 봉사12, 典穀1, 부봉사11, 훈도1, 참봉23, 典貨2)	55(정4, 부정3, 첨정4, 판관3, 주부2, 의학교수1, 직장10, 전회1, 봉사10, 전곡1, 부봉사9, 명과학훈도1, 참봉18, 전화2, 영조22)	55(정4, 부정3, 첨정4, 판관4, 주부7, 의학교수1, 직장5, 전회1, 봉사7, 전곡1, 부봉사13, 훈도1, 참봉7, 전화2)	
무록직	司饔院	提擧2(3품), 提檢2(4품)→	→	제거2, 제검2/4	
	禮賓寺	제검2, 別坐2(5품), 2, 別提2(6품)→	→ 영조22이전 혁		
	修城禁火司	제검4, 별좌6, 별제3→	→ 인조15 혁		
	典設司	제검1, 별좌2, 별제2→	→ 영조22이전 혁 제검·별좌, 신치 별검(종9) 1	별제2, 별검1	
	典涓司	제검1, 별좌2, 별제1→	영조22이전 혁		
	典艦司	제검1, 별좌2, 별제2→	중종6 혁		
	校書館	별좌2, 별제2→	영조22 이전 혁		
	尙衣院	별좌2, 별제2→	연산12 증 별좌·별제 12, 중종1 복구→ 영조22 이전 혁 별좌·감 별제1	별제1	
	軍器寺	별좌2, 별제2→	영조22이전 혁		
	內需司	별좌2, 별제2→	→	별좌2, 별제2	
	氷庫	별좌·별제·別檢(8품) 4→	→ 정조9 이전 혁 별좌→	별제2, 별검2	
	歸厚署	별제6→	선조26 감2, 영조22이전 혁		
	造紙署	별제4→	영조22이전 감2 →	별제2	
	活人署	별제4→	영조22이전 감2 →	별제2	
	掌苑署	별제3→	연산11 가1, 중종1 감1→ 영조22이전 감1→	별제2	

司圃署	별제3, 별검4→	영조22이전 감 별제1, 혁 별검	별제2	
瓦署	별제3→	영조22이전 감1 →	별제2	
昭格署	별제2→	명종10이전 혁→? 복→ 선조22이전 혁→ 효종9 복→ 정조9이전 혁		
司畜署	별제2→	연산12 가치→ 중종1 복구→ 정조9이전 혁		
圖畫署	별제2→	→ 정조 9이전 혁		
義禁府		성종21이전 치 별좌(직수 불명)→ 영조22 이전 혁거		
肇慶廟		정조즉 치 별검(종8) 1→	별검1	
各殿		별검(종8)-경종1 장령전 치1→ 영조21 만령전 치1→ 정조즉 만령전 혁, 경기전 차→ 정조9 경기전 혁→	장령전1 별검1	
各陵		別檢-숙종38 명릉 1, 경종즉위 원릉1, 영조11 혜릉 1, 영조17 효·강·목·숭·익릉 각1→영조33 명릉 혁→ 영조45 지릉1, 정조즉 명·제·후·광·장릉 가 1→ 정조7 제·광릉 혁, 정조9이전 장·영릉 각 1, 숭·명릉 혁, 정조9 익릉 혁, 정조20 장·영릉 혁, 정조22 이전후·장·효·강·목릉 혁 → 순조즉위 건·인릉 1, 순조32 수릉 1→고종2 이전 지·혜·건·인·수릉 혁→	목·원릉 각 별검1	
각원		정조7 치 守奉官 4(종9, 소령·순강원 각2) →	순강·소령원 수봉관 각2	
합계	91(제거2, 제검11, 별좌23, 별제52, 별검5)	49(제거2, 제검1, 별좌5, 별제25, 별검5, 기타12, 영조22)	40(제거2, 제검2, 별좌2, 별제20, 별검7, 감역관3, 가감역관3, 수봉관4, 고종 2)	

275)『조선왕조실록』성종 16~철종 14년조 ;『증보문헌비고』권216~권222 ;『속대전』·『대전통편』·『대전회통』권1, 이전 경관직 등에서 종합.

3) 겸직

『경국대전』에 규정된 육조속아문의 문반 겸직에는 홍문관·승문원 등 50여 관아에 162직(정1~정3 당상 125, 정3~정9 37)이 있었다.[276] 이 겸직이 이후 1865년(고종 2)까지 정치·군사·사회·경제의 변동, 제도정비, 왕실과 관련된 궁·전의 증치, 육조의 속아문사 관여 등과 관련되어 변개되면서 운영되었다.

『경국대전』에 겸직이 편제된 육조속아문 50여 관아 중 상서원 등 30여 관아는『경국대전』에 규정된 겸직이[277] 그대로 조선후기까지 계승되었다. 그러나 홍문관 등 20여 관아는 다음과 같이 여러 차례에 걸쳐 신치, 증치, 삭감, 혁거, 복치되면서 운영되었다.[278]

(1) 新置

1776년(정조 즉위)에 경모궁에 도제조·제조 각1직, 통례원에 겸인의(종9,

---

276) 졸저, 앞『조선초기 정치제도와 정치』, 133쪽 〈표 4-7〉.
277) 그 관아는 예문관, 성균관, 상서원, 춘추관, 승문원, 봉상시, 사옹원, 내의원, 상의원, 사복시, 군기시, 군자감, 전의감, 사역원, 선공감, 사도시, 사재감, 종묘서, 사직서, 제용감, 평시서, 전생서, 내섬시, 빙고, 장원서, 사포서, 도화서, 전옥서, 활인서, 와서이다(각 관아 겸직의 명칭, 직질, 수는 뒤 〈표 4-6〉 참조). 그러나 겸직수는 변동이 없었지만 예겸직에 있어서는 다음과 같이 변개되면서 운영되었다.
    명종 11년 : 종부시 제조 2직이 종친·조관 각1인의 겸직으로 규정(『명종실록』 권20, 11년 3월 을축).
    영조 22년 이전 : 사복시 제조 1직이 의정의 겸직, 군기시 제조 2직이 병조판서·참판과 무장의 겸직, 예빈시 제조 1직이 호조판서의 겸직, 조지서 제조 직이 총융사의 겸직으로 각각 규정(『속대전』 권1, 이전, 경관직 사복시·군기시·예빈시·조지서).
    정조 9년 이전 : 예빈시 제조의 예겸직이 호조판서에서 호조판서나 참찬으로 개정(『대전통편』 권1, 이전, 경관직 예빈시).
278)『조선왕조실록』,『속대전』·『대전통편』·『대전회통』 권1, 이전 경관직,『증보문헌비고』 권220~224, 직관고 7~11 등에서 종합.

6)가 설치되어[279] 모두 후대로 계승되었다. 1850년(철종 1)에 永禧殿은 전각의 조영과 함께 도제조(1)·제조(1)가 설치되어 『대전회통』에 등재되었다.[280]

(2) 증치, 증치 후 삭감

1746년(영조 22) 이전에 교서관 교검(정6, 1)·박사(정7, 2)·저작(정8, 2)·정자(정9, 2)·부정자(종9, 2)이 정직에서 겸직으로 전환되었다.[281] 1746년 이전에 관상감은 천문학겸교수(종6, 2), 지리학·명과학교수(종6, 각1)이 증치되면서[282] 영사(1)·제조(2)·천문학교수(2)·명과학교수(1)·지리학교수(1)로 정비된 후 『속대전』에 등재되어 후대로 계승되었다.

1505년(연산군 11)에 장악원에 당상관 4직(제조로 추정)이 증치되었다가[283] 1506년(중종 1)에 혁거되었다. 1583년(선조 16) 이전에 예빈시는 겸정(정3, 1)이 설치되었다가 1746년(영조 22) 이전에 혁거되었다.[284] 1746년 이전에 혜민서는 『경국대전』에 규정된 제조(2) 중 1직이 삭감되었다가 1789년(정조 9) 이전에 1직이 증치되면서 제조 2직으로 정비되어[285] 『대전통편』에 등재된 후 후대로 계승되었다. 1792년(정조 16) 이전에 華寧殿은 제조(1, 수원유수겸)·영(종5, 1, 수원판관 겸)이 설치되어[286] 『대전회통』에 등재되었다. 1785년(정조 9)에 장생전은 도제조(1, 영의정겸), 제조(3, 호·예·공판겸)·낭청(5~6품, 3, 호·예·공조낭관겸)이 설치되었고, 후대로 계승되다

---

279) 『증보문헌비고』 권223, 직관고 10 경모궁.
280) 『증보문헌비고』 권224, 직관고 11 제전관.
281) 『증보문헌비고』 권220, 직관고 7 교서관.
282) 『속대전』 권1, 이전 경관직 관상감.
283) 『연산군일기』 권58, 11년 6월 갑인.
284) 『선조실록』 권17, 16년 윤2월 갑인 ; 『속대전』 권1, 이전 경관직 예빈시.
285) 『속대전』·『대전통편』 권1, 이전 경관직 혜민서.
286) 『대전통편』 권1, 이전 경관직 화령전.

가 『대전통편』에 등재된 후 후대로 계승되었다.

(3) 삭감

1865년(고종 2)에 예문관은 『경국대전』에 규정된 직제학 1(정3, 도승지겸)
이 녹직으로 전환된 후 후대로 계승되었다.[287] 1503년(연산군 9)에 4학은
『경국대전』에 규정된 교수(종6, 8)·훈도(정9, 8)가 각각 4직이 삭감되었다
가[288] 1506년(중종 1)에 복구되었고, 1746년(영조 22) 이전에 교수·훈도
각4직이 삭감되면서 교수·훈도 각 4직으로 정비되어 『속대전』에 등재된
후 후대로 계승되었다.

(4) 혁거, 혁거·복치 후 혁거

1782년(정조 6)에 교서관은 『경국대전』에 규정된 제조(2)·판교(정1, 1)·박
사(정7)이하 2직이 관아가 규장각에 합병될 때 제조는 소멸되고 판교·박사
이하는 규장각에 이속되었고, 1788년(정조 12) 이전에 판교가 혁거되었다가
복설되어 후대로 계승되었다.[289] 1511년(중종 6)에 전함사는 『경국대전』에
규정된 도제조(1)·제조(1)가 관아와 함께 혁거되었다.[290] 1746년(영조 22)
이전에 전연사는 『경국대전』에 규정된 제조(1)가 관아와 함께 혁거되면서[291]
소멸되었다. 1637년(인조 15) 내자시는 『경국대전』에 규정된 제조(1)가 관아
가 내섬시에 병합될 때 혁거되었다.[292] 1595년(선조 28)에 귀후서는 『경국대

---

287) 『고순종실록』 권2, 고종 2년 11월 4일 ; 『대전회통』 권1, 이전 경관직 예문관.
288) 『연산군일기』 권19, 9년 3월 경진.
289) 『정조실록』 권26, 12년 10월 병오 ; 『증보문헌비고』 권220, 직관고 7 교서관.
290) 『중종실록』 권13, 6년 4월 계묘.
291) 『속대전』 권1, 이전 경관직 전연사.
292) 『인조실록』 권34, 15년 3월 정미.

전』에 규정된 제조(1)가 관아와 함께 혁거되었다.293) 1592년(선조 25) 문소전·연은전은 『경국대전』에 규정된 도제조(2)·제조(2)가 전각의 소실과 함께 혁거되었다가 곧 복치되어 1746년(영조 22) 이전에 혁거되었다.294) 1865년(고종 2) 이전 종부시는 『경국대전』에 규정된 도제조(2, 존속종친)·제조(2)가 관아가 종친부에 합병될 때 혁거되었다.

1505년(연산군 11)에 종학은 『경국대전』에 규정된 導善(1)·典訓(1)·司誨(2)가 관아와 함께 혁거,295) 1506년에 복구, 1511년(중종 6)에 혁거,296) 1516년(중종 11)에 복설되어297) 1746년(영조 22) 이전에 혁거되었다.298) 1506년(연산군 12)에 소격서는 『경국대전』에 규정된 제조(1)가 관아와 함께 혁거되었고,299) 이후 1506년(중종 1)에 복치,300) 1516년(중종 11)에 혁거, 1521년(중종 17)에 복치,301) 1555년(명종 10) 이전에 혁거,302) 1630년(인조 8)에 복치되었다가303) 1746년(영조 22) 이전에 혁거되면서304) 소멸되었다. 1595년(선조 28)에 사축서는 『경국대전』에 규정된 제조(1)가 혁거되고 1658년(효종 9)에 복치되었다가305) 1785년(정조 9) 이전에 혁거되었다.

1505년에 수성금화사는 『경국대전』에 규정된 도제조(1)·제조(2)가 1637년(인조 15)에 혁거되었고,306) 곧 복치되었다가 1746년(영조 22) 이전에

293) 『선조실록』 권42, 26년 9월 계축, 권62, 28년 9월 갑자.
294) 『증보문헌비고』 권224, 직관고 11 문소전·연은전 ;『속대전』 권1, 이전 경관직 제전.
295) 『연산군일기』 권60, 11년 11월 병신.
296) 『중종실록』 권9, 6년 1월 무신, 권10, 6년 7월 신유.
297) 『중종실록』 권26, 11년 9월 갑진.
298) 『속대전』 권1, 이전 경관직 종학.
299) 『연산군일기』 권61, 12년 1월 병신.
300) 『중종실록』 권1, 1년 10월 무신.
301) 『증보문헌비고』 권223, 직관 10 소격서.
302) 『명종실록』 권18, 10년 2월 정축.
303) 『인조실록』 권23, 8년 3월 기유.
304) 『속대전』 권1, 이전 경관직 소격서.
305) 『선조실록』 권62, 28년 4월 갑자 ;『효종실록』 권20, 9년 12월 기묘.

관아와 함께 혁거되면서 소멸되었다.

(5) 신치·혁거 후 복치

1648년(인조 26)에 세손강서원은 관아설치와 함께 師(종1, 1)·傅(종1, 1)가 설치되었고,[307] 1649년(효종 즉위)에 혁거되었다가 1759년(영조 35)에 관아 복설과 함께 사·부가 복치되고 곧 翊善(종4)·贊讀(종6) 각1직이 증치되면서[308] 사(1)·부(1)·우익선(1)·우찬독(1)으로 정비되어『대전통편』에 등재된 후 후대로 계승되었다.

1584년(선조 17)에 전설사는『경국대전』에 규정된 제조(1)가 혁거되었다가 1746년 이전에 복설되어[309] 후대로 계승되었다.

(6) 삭감·혁거 후 복치

1505년(연산군 11)에 홍문관은『경국대전』에 규정된 영사(정1, 1)·대제학(정2, 1)·제학(종2, 1)이 관아와 함께 혁거되었다가 1506년(중종 1)에 관아와 함께 복치되었고, 1865년(고종 2)에 직제학이 도승지의 겸직으로 전환된[310] 후 후대로 계승되었다.

1505년(연산군 11)에 세자시강원은『경국대전』에 규정된 사1(정1, 영의정), 부1(정1, 의정), 이사1(종1, 찬성), 좌·우빈객(정2, 각1), 좌·우부빈객(종2, 각1)이 관아와 함께 혁거되었다가 1520년(중종 15)에 관아와 함께 복치되

---

306)『인조실록』권34, 15년 3월 정미 ;『증보문헌비고』권224, 직관고 11, 수성금화사.
307)『인조실록』권49, 26년 9월 신축.
308)『증보문헌비고』권225, 직관 12 세손강서원.
309)『선조실록』권17, 6년 5월 정미 ;『속대전』권1, 이전 경관직 전설사.
310)『연산군일기』권58, 11년 7월 경신 ;『중종실록』권1, 1년 9월 기묘 ;『고순종실록』
    고종 2년 11월 4일.

었고,311) 곧 당하관 4직(관직불명)이 증치되었다가 선조 즉위 후에 2직이 감소되었으며, 1646년(인조 24)에 兼輔德·兼弼善·兼文學·兼司書·兼說書 각1직이 신치되면서312) 사(1)·부(1)·이사(1)·좌·우빈객(각1)·좌·우부빈객(각1)·겸보덕(종3, 1)·겸필선(정4, 1)·겸문학(정5, 1)·겸사서(정6, 1)·겸설서(정7, 1)로 정비되어『속대전』에 등재된 후 후대로 계승되었다.

1637년(인조 15) 사섬시는『경국대전』에 규정된 제조(2)가 관아가 제용감에 병합될 때 혁거되어 1645년(인조 23)에 관아와 함께 복설되었다가313) 1785년(정조 9) 이전에 관아와 함께 혁거되었다.314)

그리하여 문반 육조아문의 녹직은『경국대전』에 규정된 충익부 등 69아문 353직에서 상서원 등 46아문 333직(성종 17~영조 22)→ 상서원 등 45아문 311직(영조 23~고종 2, 묘·전·능 제외)으로 변천되면서 운영되었다. 체아직은『경국대전』에 규정된 내의원 등 8아문 83관직에서 내의원 등 7아문 68직(성종 17~영조 22)→ 내의원 등 7아문 51직(영조 23~고종 2), 무록직은『경국대전』에 규정된 사용원 등 20아문 98직에서 사용원 등 13아문 45직(성종 17~영조 22)→ 사용원 등 13아문 40직(영조 23~고종 2, 묘·전·능 제외)으로 각각 변천되면서 운영되었다. 겸직은『경국대전』에 규정된 홍문관 등 53아문 138직 이상에서 홍문관 등 아문 143직 이상(성종 17~영조 22)→ 홍문관 등 아문 121직 이상(영조 23~고종 2)으로 변천되면서 운영되었다.

이를 볼 때 조선 중후기 육조속아문 문반 경직은 녹직, 체아직, 무록직 모두 아문기능 약화로 인한 관아 혁거·강격과 재정절감·관제정비 등에서 지속적으로 많은 관직이 감소되었고, 특히 녹직은 정무아문의 관직은 묘·전·능관이 지속적으로 많이 설치되었음과는 달리 크게 감소되면서 운영되었다.

---

311)『연산군일기』권58, 11년 7월 경신 ;『중종실록』권1, 1년 9월 기묘.
312)『증보문헌비고』권225, 직관 12 세자시강원.
313)『인조실록』권34, 15년 3월 정미 ; 권46, 23년 1월 임진.
314)『대전통편』권1, 이전 경관직 사섬시.

『경국대전』이 반포된 1485년(성종 16)으로부터 『대전회통』이 반포된 1865년 (고종 2)까지에 걸친 문반 육조속아문 겸직 변천을 관아별과 시기별로 종합하여 제시하면 다음의 표와 같다.

〈표 4-6〉 조선 중·후기 육조속아문 문반겸직 변천 일람표(*은 무정수)[315]

	『경국대전』	성종 17~고종2	『대전회통』(고종2)
弘文館	領事 1(정1, 의정), 大提學 1(정2), 提學1(종2)→	→연산군11 혁, 중종1 복→	영사 1, 대제학 1, 제학 1, 직제학 1(도승지겸)
藝文館	領事 1(정1, 의정), 大提學 1(정2), 提學1(종2), 直提學1(정3, 도승지), 應敎 정4, 홍문관)→	→	영사 1, 대제학 1, 제학 1, 직제학 1(녹직), 응교 1
世子 侍講院	師(정1, 영의정), 傅(정1, 의정), 貳師(종1, 찬성), 左·右賓客 각1(정2), 좌·우부빈객 각1(종2)→	→연산군11 혁, 중종15 복→ 인조24 치 兼輔德(종3)·兼弼善(정4)·兼文學(정5)·兼司書(정6)·兼說書(정7) 각1→	사 1, 이사 1, 좌·우빈객 각1, 좌·우부빈객 각1, 겸보덕·겸필선·겸문학·겸사서·겸설서 각1
世孫 講書院		인조22 치 師 1(종1)·傅 1(종1), 효종 즉위 혁, 영조35 복치→	사·부 각1(종1)
成均館	知事 1(정2), 同知事2(종2)→	→	지사 1, 동지사 2
尙瑞院	正 1(정3, 도승지)→	→	정 1
春秋館	領事(정1, 영의정), 監事(정1, 좌·우의정), 知事 2(정2), 同知事 2(종2), 修撰官*(정3), 編修官*(정3~종4), 記注官*(정5품), 記事官*(정6~정9)→	→	영사 1, 감사 2, 지사 2, 동지사 2, 수찬관*, 편수관*, 기주관*, 기사관*
承文院	都提調 3(의정), 提調*(종1~종2), 副提調*(정3당상)→	→	도제조 3, 제조*, 부제조*
校書館	提調 2, 判校 1(정3), 博士(정7) 이하 2(의정부사록·奉常寺直長 이하 겸)→	→영조 22 이전 校檢 1(정6),박사(정7)·저작(정8)·정자(정9)·부정자(종9) 각2 겸직전환→정조 6 혁 (교검 이하 이속 규장각)	
通禮院		영조22 이전 兼引義 6(隨品兼)→	겸인의 6
奉常寺	都提調 1, 제조 1→	→	도제조 1,제조 1
宗簿寺	都提調 2(尊屬宗親), 제조 2→	고종2 이전 혁	
司饔院	都提調 1, 제조 4, 부제조 5(1승지)→	→	도제조 1, 제조 4, 부제조5
內醫院	都提調 1, 제조 1, 부제조 1(승지)→	→	도제조 1, 제조 1, 부제조 1
尙衣院	제조 2, 부제조 1(승지)→	→	제조 2, 부제조 1
司僕寺	제조 2→	→	제조 2
軍器寺	都제조 1, 제조 2→	→	도제조 1, 제조 2

司贍寺	제조 1→	인조15 혁, 인조23 복→정조9 이전 혁	
軍資監	도제조 1, 제조 1→	→	도제조 1, 제조 1
掌樂院	제조 2→	연산군11 증치 당상관 4, 중종1 삭감→	제조 2
觀象監	영사 1(정2, 영의정), 제조 2	영조22 이전 天文學(2)·地理學(1)·命課學(1) 각 치 兼敎授→	영사 1, 제조 2, 천문학겸교수 2, 지리학겸교수 1, 명과학 겸교수 1
典醫監	제조 2→	→	제조 2
司譯院	도제조 1, 제조 2→	→	도제조 1, 제조 2
濟用監	제조 1→	→	제조 1
膳工監	제조 2→	→	제조 2
宗學	導善(정4) 이하 4 성균사성 이하 전적이상겸)→	연산군11 혁→중종1 복→중종6 혁→중종11 복→영조22 이전 혁	
修城禁火司	도제조 1, 제조 2→	인조15 혁→곧 복→영조22 이전 혁	
典設司	제조 1→	선조17 혁→영조22 이전 복→	제조 1
司䆃寺	제조 1→	→	제조 1
司宰監	제조 1→	→	제조 1
典艦司	도제조 1, 제조 1→	중종6 혁	
典涓司	제조1(繕工監提調)→	영조22 이전 혁	
昭格署	제조 1→	연산군12 혁→중종1 복→중종11 혁→중종16 복→명종10 이전 혁→인조8 복→영조22 이전 혁	
宗廟署	도제조 1, 제조 1→	→	도제조 1, 제조 1
社稷署	도제조 1, 제조 1→	→	도제조 1, 제조 1
景慕宮		영조22 이전 제조 1→	제조 1
濟用監	제조 1→	→	제조 1
平市署	제조 1→	→	제조 1
典牲署	제조 1→	→	제조 1
內資寺	제조 1→	인조15 혁	
內贍寺	제조 1→	→	제조 1
禮賓寺	제조 1→	선조16 이전 치 兼正(정3) 1→영조22 이전 삭감→	제조 1
氷庫	제조 1→	→	제조 1
掌苑署	제조 1→	→	제조 1
司圃署	제조 1→	→	제조 1
司畜署	제조 1→	제조 1(호판)→	제조 1
造紙署	제조 2→	제조 2(1 총융사)→	제조 2
惠民署	제조 2→	영조22 이전 감 제조 1→정조9 이전 증 제조 1→	제조 2
圖畵署	제조 1→	→	제조 1

典獄署	부제조 1(승지)→	→	부제조 1
活人署	제조 1→	→	제조 1
瓦署	제조 1→	→	제조 1
歸厚署	제조 1→	선조 28 혁	
4學	教授(종6)·訓導(정9) 각2(성균관전적 이하 겸)→	연산군 11 감 교수·훈도 각4→중종 1 복→영조22 이전 감 교수·훈도 각4→	교수·훈도 각1
文昭殿	도제조 2, 제조 2→	선조25 혁	
延恩殿	제조 2(문소전제조겸)→	선조25 혁	
永禧殿		철종1 도제조 1, 제조1→	도제조 1, 제조 1
華寧殿		정조15 이전 치 제조 1(水原留守), 슈(종5) 1(水原判官)→	제조 1, 영 1
長生殿		정조9 이전 치 도제조 1(영의정), 제조 3(호·예·공판), 낭청3(호·예·공조낭관)→	도제조 1, 제조 3, 낭청 3
합계*1	138(당상 101, 참상 16, 참하 8)	143(당상 89, 참상 15, 참하 13, 영조 22)	121(당상 95 참상 31, 참하, 19, 고종 2)

*1 직질별 관직수는 뒤 〈별표 3〉 참조

5. 京官職의 變遷과 政治運營

1) 京官職의 變遷과 兼堂上官職의 本職

(1) 京官職의 變遷

조선 중·후기 경관직의 변천은 1485년(성종 16)~1591년(선조 24)에는 1506년(연산군 12)에 연산군의 난정과 관련되어 관아가 혁거되는 등과 관련되어 많은 관직이 혁거·삭감되기도 하나 동년 중종 즉위와 함께 복구된 뒤에는 六曹屬衙門 관직은 거의 그대로 계승되었고,316) 直啓衙門 관직도

---

315) 『조선왕조실록』 성종 16~철종 14년조 ; 『고순종실록』 고종 1~2년조 ; 『증보문헌비고』 권216~권222 ; 『속대전』·『대전통편』·『대전회통』 권1, 이전 경관직 등에서 종합.
316) 녹직은 수문장 15·사옹원직장 1직이 증치되고 선공감부정·사재감부정·내자시판관·

1555년(명종 10) 備邊司에 이어 捕盜廳이 설치(명종 15)되고, 江華가 유수부로 승격(인조 5)되면서 소수의 녹직·겸직이 설치되었을 뿐[317] 큰 변화 없이 계승되었다.

그러나 1592년(선조 25)~1746년(영조 22)에는 直啓衙門은 備邊司가 1592년 왜란을 기해 議政府를 제치고 최고 정치·군사기관이 되면서 副提調가 신치되고 例兼提調 6직이 증치되었으며,[318] 연이어 관아의 지위가 높고 강력한 기능을 행사한 宣惠廳(광해군 즉위)·訓練都監(선조 26)·扈衛廳(인조 1)·御營廳(인조 2)·禁軍廳(현종 7)·禁衛營(숙종 8)·經理營(숙종 36~영조22)·堤堰司(현종 3)에 정1~정3품 당상관의 겸직 30여 직이 설치되었다(경기관찰사·유수 예겸직 제외).[319] 六曹屬衙門은 관아의 지위약화·재정절감과 제도정비에 따라 제시·감 정3품 정 이하의 녹직·체아직 20(353→ 333)·15직(83→68)과 도제조·제조 12직이 혁거·삭감되었고,[320] 새로이 조성된 殿·陵에 종5품 이하 40관직이 설치되었다.[321]

이어 1747년(영조 23)~1864년(고종 1)에도 직계아문은 奎章閣(정조 즉위)·濬川司(영조 36)·壯勇營(정조 17~순조 2)·總理營(순조 2)·水原留守府(정조 17)·廣州留守府(정조 19)가 신치되고 그 최상층에 정1~종2품관이 겸하는 都提調·提調 10여직이 설치되었고, 육조속아문도 왕실과 관련된 묘·전·능에 종5품 이하의 관직이 다수 설치되었다.[322]

제용감판관·충익부도사 각1직이 삭감되었다. 앞 〈표 4-4〉에서 종합.

317) 녹직은 비변사에 11직이 설치되었고, 겸직은 비변사 7직 이상(도제조 3이상, 제조 4이상)이 설치되었다. 앞 〈표 4-1, 2〉에서 발췌.

318) 증치된 예겸제조는 형조판서, 훈련·금위대장, 강화·개성유수, 대제학이다(『증보문헌비고』 권216, 직관고 3 비변사, 반윤홍, 앞 책, 70~72쪽).

319) 증치되거나 신치된 관직은 도제조 10, 제조 10, 대장 3직(2 정1품, 1 종2)이다. 각 관직이 속한 관아는 앞 〈표 4-2〉 참조.

320) 뒤 〈별표 3〉에서 종합.

321) 증치된 관직은 영 8, 직장 5, 별검 9, 참봉 18직이다. 앞 〈표 4-4, 5〉에서 종합.

322) 당상 겸직은 도제조 3, 제조 9, 직제학 2직이고, 능관은 영 21·직장 4·봉사 3직이

이처럼 조선 중·후기, 특히 1592년(선조 25) 이후에는 직계아문은 새로이 설치된 비변사·5군영 등 관아의 운영이 정1~종2품 겸직을 중심으로 운영되었기에 본직은 큰 변화가 없었지만 정1~종2품 겸직은 크게 증가하였다. 육조속아문은 본직·겸직은 제시·감 등의 관직이 크게 삭감된 반면에 예조속아문인 묘·전·릉·원 관직은 이들이 계속하여 조성된 까닭에 크게 증가되었다. 이 시기에 신설된 관아의 기능과 관직을 정리하면 〈표 4-7〉과 같다.

〈표 4-7〉 조선 중·후기 중요 신설관아 기능과 관직[323]

	기능	정1~정3당상관	정3품 이하	비고(출전)
備邊司	摠領中外軍國機務	都提調(정1, 전·현직 의정겸), 提調(종2이상, 이·호·예·형·병판, 양도유수, 대제학 등*1[324] 겸), 부제조1(정3겸)	郎廳12(종6)	『속대전』
宣惠廳	掌出納大同米·布·錢	도제조3(정1, 3의정겸), 제조2(2품이상겸, 1 호판)	낭청4(종6)	『속대전』
堤堰司	句管修飭各道堤堰修理	도제조3(정1, 3의정겸), 제조2(비변사당상겸)	낭청1(비변사낭청겸)	『속대전』
濬川司	掌疏濬都城內川渠	도제조3(정1, 3의정겸), 제조6(종2이상, 병판, 한성판윤, 훈련·금위·어영대장, 비국당상1겸), 都廳1(정3당상, 어영청천총겸)	낭청3(정7)	『대전통편』
江華留守府	掌治江都	留守2(종2, 1경기관겸)	經歷1(종4)	『대전통편』
水原留守府	掌治華城	유수2(정2, 1경기관겸)	判官1(종5)	『대전회통』
廣州留守府	掌治南(漢山)城	유수2(정2, 1경기관겸)	판관1(종5)	『대전회통』
奎章閣	掌奉列朝製御筆璿譜世譜誥命當宁御眞御製御筆	提學2(종1~종2겸), 直提學2(종2~정3당상겸)	直閣1(정3~종6)	『대전통편』
訓練都監	掌軍士試才練藝武經習讀之事	도제조1(정1, 겸), 제조2(정2, 호·병판 겸), 大將1·중군1(종2)	別將2·千摠2·別局將3(정3), 종4품 이하 생략(이하 동)	『속대전』

증치되고 별검 7·참봉 11직이 감소되었다. 앞 〈표 4-3, 4, 5〉에서 종합(제조에는 『대전회통』에는 언급이 없지만 정조말에 강력한 군사기능을 발휘한 장용영 1직을 포함하였다. 장용영제조에 대해서는 박범, 2019, 「정조 후반 장용영의 군영화 과정」, 『사림』 70, 150~152쪽 참조).

禁衛營	掌守御宮城	도제조1(정1겸), 대장1(병판겸)	별장1·천총4(정3)	『속대전』
御營廳	掌守御都城	도제조1(정1겸), 제조1(정2, 병판겸), 대장1·中軍1(종2)	별장2·천총2(정3)	『속대전』
守禦廳	掌南漢山城	使1·中軍1(종2)	천총2(정3)	『속대전』
摠戎廳	句管水原城事務	사1·중군1(종2)	천총2(정3)	『속대전』
經理廳	句管北漢山城事務	도제조1(정1, 영의정겸), 제조1(종2, 비변사당상겸)	管城將1(정3)	『속대전』
扈衛廳 (3청)	掌扈衛	대장각1(정1, 전·현직의정, 국구 중겸)	별장 각1(정3)	『속대전』
左, 右捕盜廳	掌緝捕盜賊奸細分更夜巡	각 대장1(종2)	각 從事官3(종6)	『속대전』
管理營	掌大興山城	사1(종2, 개성유수겸)	中軍1(정3)	『속대전』
鎭撫營	掌江華城	사1(종2, 강화유수겸)	中軍1·鎭營將5(정3)	『속대전』
龍虎營	掌陪扈入直	別將2(종2), 將7(정3, 겸사복2·내금위3·우림위장2), 군관16(정3)		『대전통편』

(2) 兼堂上官職의 本職

조선 중·후기에 신설된 직계·군영아문과 당시에 운영된 육조속아문 정1~종2품직을 겸대한 관직의 본직을 보면 다음의 표와 같이 3 유수부·수어청·총융청·포도청을 제외한 비변사·선혜청·5군영 등 10개 정치·경제·군사의 중추가 된 아문의 최고위 관직인 정1~종2품직은 영·좌·우의정, 이·호·예·병·형조판서, 개성·강화유수, 훈련·금위·어영대장과 전직의정, 정1~종2품관의 겸직이었다.

〈표 4-8〉 조선 중·후기 직계·군영아문 정1~종2품직 겸직 관직325)

	직계아문	군영아문	육조속아문(『대전회통』)	비고(계)
領議政	都提調(備邊司, 宣惠廳, 堤堰司, 濬川司), 經筵領事	經理廳都提調	領事(弘文·藝文·春秋館, 觀象監), 世子侍講院師	10
左議政	도제조(비, 선, 제, 준)		世子侍講院傅(또는 우의정), 春秋館監事	5~6
右議政	도제조(비, 선, 제, 준)		춘추관감사	5~6

---

323) 졸고, 앞 「조선 중·후기 중앙관아 변천연구」, 28쪽 〈표 7〉 전재.
324) 『대전통편』에는 이 관직에 훈련·금위·어영대장, 개성·강화유수가 추가되었다.

前職 3議政	비변사도제조			1
전·현직 議政		扈衛3廳大將(각1)		1
정1품		訓練都監·禁衛營·御營廳都提調(각1)	都提調[奉常寺·司饔院·內醫院·軍器寺·軍資監·司譯院·宗廟署·社稷署·景慕宮(각1)	12
종1~종2	奎章閣提學(2), 宣惠廳提調(1), 五衛都摠管·副摠管(합10)		知事(경연3·성균관1·춘추관2·훈련관1), 同知事(경연3·성균관2·춘추관2), 大提學·提學(홍문·예문관 각1), 世孫講書院師·傅(각1), 提調司饔院(4), 尙衣院 등 8아문 각2), 奉常寺 등 21아문 각1)]	74
吏曹判書	備邊司堂上			1
戶曹判書	비변사당상, 선혜청제조	훈련도감제조	禮賓寺提調(또는 참판)	3~4
禮曹判書	비변사당상		圖畵署提調	2
兵曹判書	비변사당상, 준천사제조	훈련도감제조, 금위·어영대장		4
刑曹判書	비변사당상			1
京畿 觀察使	留守(江華, 水原, 廣州)			3
開城留守	비변사당상	管理營使		2
江華留守	비변사당상	鎭撫營使		2
備邊司 堂上	제언사·준천사제조(각1)	經理廳提調(1)		3
訓練大將	비변사당상, 준천사제조			2
禁衛大將	비변사당상, 준천사제조			2
御營大將	비변사당상, 준천사제조			2

이렇듯 조선후기에 신설되어 운영된 직계아문과 군영아문의 정1~종2품관직, 즉 최고위 관직은 그 대부분이 겸직이었고, 그 겸직을 구체적으로 보면 영·좌·우의정은 최고의 정치·군사기구인 비변사와 최고의 재정기관인 선혜청 등 5~10여에 이르는 정1품아문과 홍문관 등 문한기구의 최고위 직을 겸대하였고, 병조판서는 비변사당상·준천사제와 훈련도감 등 3군영 대장을 겸하였고, 개성·강화유수와 훈련·금위·어영대장은 비변사당상과 준천사제

---

325) 『속대전』·『대전통편』·『대전회통』 권1, 이전 경관직·권4, 병전 경관직에서 종합 [( )는 인원].

조 등을 당연직(예겸직)으로 겸대하였다. 또 전직 의정과 현직 정1~종2품관 직자도 호위청·훈련도감·금위영·어영청의 제조와 수십에 달하는 육조속아 문의 도제조·제조 등을 겸대하였다.[326]

2) 政治運營

조선 중·후기 정치운영은 1485년(성종 16)~1574년(선조 7)에는 시기별로 다소의 차이는 있지만 1485~1564년(명종 19)에는 공신, 외척, 국왕의 신임을 받는 재상이 정치주도기관인 의정부·육조의 당상관으로서 국정운영을 주도 하였다.[327] 1565년(명종 20)~1574년(선조 7)에는 훈구파와 사림파가 의정부 ·육조 당상관직과 이조·병조·사헌부·사간원·홍문관 낭관직을 토대로 정치 권력을 분점하였다.[328]

1575년(선조 8)~1863년(철종 14)을 보면, 우선 1575~1591년(선조 24)에는 정치주도권을 장악한 사림파가 동인과 서인으로 분파한 후 의정부·육조·삼 사직을 분점하면서 정치 주도권을 다투었다. 왜란이 일어난 1592년(선조 25) 이후에는 다소의 차이는 있지만 다음의 표와 같이 최고의 정치·군사·재정 ·수도방어 기관인 비변사·육조·선혜청·5군영 등을 주도하거나 장악한 동인 (선조 17~광해군 14)→ 서인(인조 즉위~현종 15)→ 남인(숙종 즉위~5)→ 서인(숙종 6~14)→ 남인(숙종 15~19)→ 노론·소론(숙종 20~26)→ 노론(숙종 27~47)→ 소론(경종 1~4)→ 노론·소론(영조 1~37)→노론(영조 38~철종 14) 이 정치·경제·군사 등 모든 국정을 주도하였다.[329] 그 중에서도 1801년(순조

---

326) 졸고, 위「朝鮮 中·後期 中央官衙 變遷研究」,『朝鮮史研究』29, 29쪽〈표 8〉전재.
327) 졸저, 2011,「朝鮮前期의 議政府와 政治」, 계명대학교출판부, 310~322쪽 ; 金宇基, 2001, 『朝鮮中期 戚臣政治研究』. 集文堂, 27~48쪽.
328) 이수건, 2003,「사림의 득세」,『한국사』30, 27~32쪽.
329) 이영춘, 1998,「붕당정치의 전개」,『한국사』30, 94~119쪽 ; 홍순민, 앞 논문, 153~176 쪽 등에서 종합.

1)~1834년(순조 34)·1850년(철종 1)~1863년(철종 14)에는 안동김씨, 1835년 (헌종 1)~1849년(헌종 15)에는 풍양조씨가 각각 전 시기를 통해 비변사 도제조·제조·유사당상·8도구관당상직의 다수를 차지하면서330) 국정을 전단하였다. 즉 비변사·선혜청 등의 정1~종2품직을 겸대한 관직자를 보면 그 대부분은 정치를 주도한 당파(세도정치기에는 안동김씨와 풍양조씨가 중심이 된 노론) 元老(勢道者)와 重進들이었다.331) 이를 정리하면 다음의 표와 같다.

〈표 4-9〉 조선 중·후기 신설아문 운영기의 정치주도세력332)

	東人(선조17~ 광해군14)	西人(인조 즉위~현종15)	南人 (숙종1~5)	서인 (숙종6~14)	남인 (숙종15~19)	老論·少論 (숙종20~26)
		인조반정 (광해 14)	甲寅換局 (즉)333)	庚申換局 (6)334)	己巳換局 (15)335)	甲戌換局 (20)336)
備邊司	명종15→	→	→	→	→	→
宣惠廳	광해 즉→	→	→	→	→	→

330) 『비변사등록』순조 2년 6월~철종 13년 3월 의천시 당상좌목에서 종합. 의천시 천거자는 참가자의 반 정도(나머지는 불천)에 불과하였는데 그 면면을 보면 대개가 좌목의 위차가 높은 예겸제조였고, 위차가 높은 예겸제조의 반 수 정도가 안동김씨와 풍양조씨 가문의 인물이었다. 의천에 참가한 비변사제조 총 수와 안동김씨와 풍양조씨 가문의 인물 수를 표집하여 제시하면 다음과 같다.

시기	참가 자수	안동 김씨 총수	안동 김씨 예겸	풍양 조씨 총수	풍양 조씨 예겸	비고	시기	참가 자수	안동 김씨 총수	안동 김씨 예겸	풍양 조씨 총수	풍양 조씨 예겸	비고
순조2,7		3	2				헌종11,7		4	1	6	3	
9,1		6	3				14,6		4	1	4	3	
16,11		6	2				철종1,6		5	3			
23,3		5	3				8,9	51*	10	2			*도제8, 제43
30,12		4	2				10,9	49*	11	5			*도6, 제43
헌종4,7		7	2	2	2		13,3	49*	12	5			*도5, 제44

331) 1800년(순조 즉위)~1863년(철종 14)의 64년간에 걸쳐 노론의 집권을 뒷받침한 안동김씨·풍양조씨 등 15가문이 점유하였던 관직이 각각 당상관은 202/675명(30%), 비변사 당상은 285/114(40%), 비변사 운영당상 이상 의정은 94/201(47%)였다(홍순민, 1990, 「정치집단의 성격」,『조선정치사 1800~1863』상, 청년사, 241쪽 〈표 1〉). 이에 미루어 1800년 이전에도 당파의 속성이 권력독점인 등에서 크게 다를 바가 없다고 본다.

堤堰司		현종3→	→	→	→	→
江華留守府		인조3→	→	→	→	→
訓練都監	선조26→	→	→	→	→	→
禁衛營				숙종6→	→	→
御營廳		인조2→	→	→	→	→
守禦廳		인조4→	→	→	→	→
摠戎廳		인조2→	→	→	→	→
扈衛廳		인조1→	→	→	→	→
龍虎營		현종7→	→	→	→	→
左·右捕盜廳	명종15→	→	→	→	→	→

	노론(숙종27~47)	소론(경종1~경종4)	노론·소론(영조 즉위~37)	노론(영조38~*2)	비고(주도기간)
	張禧嬪獄事(27)[337]	辛壬士禍(1)[338]	蕩平策(즉)[339]	思悼世子被禍(38이후,[340] 순조1년 이후는 세도정치*)	*安東金氏-순조1~34 철종1~14 豊壤趙氏-헌종1~15[341]
비변사	→	→	→	고종2	
선혜청	→	→	→	→	
제언사	→	→	→	고종2	
濬川司			영조30→	고종2	
奎章閣				정조즉→	
강화유수부	→	→	→	→	
水原				정조17→	

332) 한충희, 위 「조선 중·후기 중앙관아 변천연구」 26~27쪽 〈표 6〉 전재(李銀順, 1988, 『朝鮮後期黨爭史硏究』, 일조각, 67~124쪽 ; 홍순민, 1998, 「붕당정치의 동요와 환국의 빈발」, 『한국사』 30, 국사편찬위원회, 153~176쪽 ; 우인수, 2015, 「영남 남인의 형성」, 『조선후기 영남 남인 연구』, 경인문화사, 4~11쪽 ; 이희환, 2015, 『조선정치사』, 도서출판 혜안, 66~387쪽 등에서 종합).

333) 효종이 승하하자 모후인 인조계비 莊烈王后의 상복을 둘러싼 논쟁에서 남인의 주장이 관철되면서 서인이 실각하고 남인이 집권한 사건.

334) 숙종이 남인(濁南)의 권력편중을 견제하면서 왕권을 강화하기 위하여 福善君 柟과 영의정 許積의 서자 許堅 등의 역모고발을 계기로 남인이 실각하고 서인이 집권한 사건.

335) 淑媛 張氏가 낳은 왕자 昀의 원자책립을 두고 이를 반대한 서인이 실각하고 남인이 집권한 사건.

336) 閔黯·張希載 등의 불법사로 仁顯王后 閔氏가 복위되고 왕비 장씨가 禧嬪으로 강봉되면서 남인이 실각하고 서인이 집권한 사건.

留守府					
廣州 留守府				정조19→	
훈련도감	→	→	→	→	
금위영	→	→	→	→	
어영청	→	→	→	→	
수어청	→	→	→	정조10	
총융청	→	→	→	정조17 壯勇營	
壯勇營				정조17→순조2 總理營	
總理廳				순조2→	
扈衛廳	→	→	→	→	
용호영	→	→	→	→	
좌, 우 포도청	→	→	→	→	

3) 京官職 變遷과 政治運營

겸직제는 조선초기에는 국왕의 의도 하에 의정부·육조 등의 당상관으로 하여금 육조속아문의 都提調·提調 등을 겸직시킴으로서 경비를 절감하고 소수의 당상관을 통제하면서 원활하게 국정을 운영하고 강력한 왕권을 행사하려는 의도에서 실시되었고, 상당한 효과를 거두었다.342) 그러나 조선 중·후기에는 그 겸직의 범위가 육조속아문에서 최고 정치·경제·군사아문과

337) 희빈장씨가 인현왕후를 저주하여 죽게 하였다는 혐의로 사사되면서 소론이 실각하고 노론이 집권한 사건.
338) 경종 1년 집정대신의 왕제 昑의 왕세제책봉에 이어 대리청정 주장을 계기로 노론이 실각하고 소론이 집권한 사건.
339) 영조가 朋黨을 불식시키고 인사를 고루 등용하여 정치를 안정시키고 왕권을 강화하려는 정책으로 소론이 등용되면서 노론과 소론이 균형을 이루게 된 정책.
340) 사도제자 愃이 정신착란으로 인한 난행으로 사사된 사건을 계기로 권력을 분점한 소론이 몰락하고 노론이 정치를 주도하게 된 사건.
341) 왕의 외척이 선대 국왕의 유촉을 받아 어린 국왕의 위임을 받아 국정을 총관한 정치형태. 안동김씨의 세도를 연 金祖淳은 순조의 국구이고, 풍양조씨의 세도를 연 趙萬永은 헌종의 국구이다.
342) 한충희, 2014, 『조선의 패왕 태종』, 계명대학교출판부, 115~117쪽 ; 한충희, 앞 책, 124~135쪽.

군영대장의 문반직에까지 확대되었고, 또 왕권이 약화되고 정치가 동인·서인·노론 등에 의해 주도되었다.[343] 이에서 조선초기와는 달리 겸직제가 겸직이 설치된 직계·군영아문과 함께 당파에 의해 점유되고 주도되면서 약화된 왕권을 고착시키고 당파가 중심이 된 정치·군사운영의 토대가 되었다고 하겠다.

그런데 비변사 등의 설치는 北虜南倭(비변사), 전세개혁(선혜청), 왜란극복(훈련도감), 국왕의 호위강화(호위청·금위영·어영청), 호란을 기한 도성 내·외 방어강화(강화유수부), 정조의 정치개혁·왕권강화(규장각·수원유수부) 등에 기인되었다. 그러나 이 경우에 있어서도 인조 초에 국왕호위부대로 설치되고 도성을 방어하기 위하여 설치되어 군영아문의 중추가 된 호위청과 어영·총융·수어청은 반정의 元勳인 李貴와 金瑬 등의 私募人과 護衛軍官을 주축으로 설립되고 이귀·김류 등이 대장이 되어 지휘하고[344] 그 영향력이 후대로 계승되었기에[345] 서인(노론)이 장기간 집권하는 군사·경제적 토대가 되었다.[346] 또 숙종은 換局,[347] 영조는 蕩平策,[348] 정조는 규장각을 통해 측근세력을 강화하고 장용영을 설치하여 모든 군영아문을 지배하는[349]

---

343) 이은순, 앞 책 ; 홍순민, 1998, 「붕당정치의 동요와 환국의 빈발」, 『한국사』 30, 국사편찬위원회 ; 오수창, 1997, 「세도정치의 전개」, 『한국사』 31, 국사편찬위원회 참조.

344) 차문섭, 1997, 「중앙 군영제도의 발달」, 『한국사』 30, 국사편찬위원회, 281~282쪽.

345) 남인은 집권한 숙종 1~5년에 서인이 주도하고 있는 군권을 장악하기 위해 大興山城을 축조하면서 심혈을 기하였으나 훈련도감·어영청만 그 영향 하에 두었을 뿐 수어·총융청은 여전히 서인의 주도하에 있었다(차문섭, 위 논문, 285쪽). 또 정조도 즉위와 함께 군권을 장악하기 위해 노력하였으나 왕 17년에야 장용영의 설치와 함께 5군영의 군권을 장악할 수 있었고, 그나마 홍서와 함께 장용영이 총리영으로 축소·개편되면서 좌절되었다(박범, 앞 논문, 147~155쪽 ; 박광용, 앞 논문, 73쪽).

346) 환국과 집권당파의 교체는 앞 주 332), 341) 참조.

347) 영조대의 탕평책은 탕평타파를 긍정하는 緩論과 탕평타파 보다 사림의 정치원칙인 각 붕당의 원칙 자체가 탕평타파 보다도 더 중요하다는 峻論 중에서 완론탕평이었다. 구체적인 내용은 박광용, 1997, 「정조대 탕평정책과 왕정체제의 강화」, 『한국사』 32, 73~98쪽 참조.

348) 규장각과 장용영의 정치·군사적 의의는 박범, 앞 논문, 147~156쪽 참조.

등으로 왕권의 강화를 도모하였다. 그러나 숙종, 영조, 정조의 이러한 정책은 단기적으로는 효과를 보기도 하나 정권을 주도한 당파의 세력이 강고하고 또 이들이 군왕에 대한 충성이나 공익보다도 당파의 이익을 우선시하였기에[350] 큰 효과를 보지 못하였다. 그나마 정조가 훙서한 이후에는 연이어 유약한 순조·헌종·철종이 계위함에[351] 따라 외척(국구)이 중심이 된 세도정치가 행해지면서 왕권이 더욱 약화되었다.

이렇게 볼 때 명종 15년 비변사의 설치 이후 순조대까지 설치되면서 운영된 수십여(예겸직 20여, 그 외 계차직) 직계·군영아문의 겸직은 당시의 급변하는 정치·군사·사회·경제에 대응하면서 조선왕조를 안정·지속시키는 토대가 되었다. 그러면서도 그 대다수 아문의 최고위 관직이 겸직이고 겸직의 대부분이 정치를 주도한 당파의 원로·중신에 의하여 점유되면서 집권당파의 정치·경제·군사적 토대가 되었다고 하겠다. 조선 중·후기 직계·군영아문의 변천과 정치동향을 종합하여 제시하면 다음의 표와 같다.

〈표 4-10〉 조선 중·후기 직계·군영아문, 중요 속아문의 변천과 정치동향 일람표 (*은 육조속아문)[352]

	신치아문	승격아문	강격아문	혁거아문	중요사건	국정중추 관아 및 주도세력
성종16 ~선조24	羽林衛, 左·右 捕盜廳			*忠翊司, 典設司 定虜衛	中宗反正	議政府, 6曹
선조25 ~ 영조22	備邊司, 訓練都監, 宣惠廳, 御營廳, 摠戎廳, 濬川司, 扈衛廳, 禁軍廳, 禁衛營, 守禦廳, 經理營, 鎮撫營, 管理營/宣傳官廳, 守門將廳	*世子侍講院	*內資寺(숙종대 ?), 內瞻寺, 司畜司, 濟用監, 司宰監, 禮賓寺, 膳工監	兼司僕, 內禁衛, 羽林衛, *忠翊司, 內瞻寺, 豊儲倉, 宗學, 修城禁火司	倭亂, 胡亂 仁祖反正, 甲寅·庚申·己巳·甲戌辛巳辛壬換局, 蕩平策(英祖)	備邊司, 6曹·宣惠廳·訓練都監 등 軍營衙門(堂上官)

---

349) 박광용, 1997, 「정조대 탕평정책과 왕정체제의 강화」, 『한국사』 32, 73~98쪽.
350) 오종록, 1990, 「중앙군영의 변동과 정치적 기능」, 『조선정치사 1800~1862』, 청년사, 425~449쪽.
351) 그 재위시의 연령을 보면 순조는 11세, 헌종은 9세, 철종은 19세였는데 특히 철종은 몰락한 왕족으로 교육을 받지 못한 까닭에 정무판단 능력이 전혀 없었다.

	22아문					
영조23 ~정조9	奎章閣/世孫講書院, 世孫衛從司	宣惠廳, 堤堰司, 濬川司		經理營, *典艦司, 校書館, 掌隷院	蕩平策(正祖)	위 官衙·奎章閣 堂上官
정조10 ~고종1	壯勇營(정조17), 總理營	華城留守府, 廣州留守府		摠戎廳, 壯勇營(순조2), *宗簿寺(고종1)	勢道政治(순조1 이후, 安東金·豊壤趙氏)	위 관아·규장각 당상관
계	22아문	6~	9~	15~		

6. 결어－조선 중·후기 경관직 변천의 특징

조선 중·후기 경관 문반직 변천의 배경이 된 것은 주로는 왜란·호란 이후에 급변하는 정치·경제·군사 상황을 토대로 한 備邊司·宣惠廳·5軍營 등의 설치였고, 부분적으로는 정치운영과 관련된 六曹屬衙門의 기능약화·관아혁거와 왕실과 관련된 廟·殿·陵·園의 조성이었다.

조선 중·후기 직계아문 文班 祿職(正職), 遞兒職, 無祿職은 왜란 이전까지는 『경국대전』에 규정된 161, 12, 5직이 큰 변동 없이 계승되었고, 왜란 이후에도 비변사 등의 설치에 따라 겸직이 크게 증가되었음과는 달리 각각 10여 직 삭감·증치되거나 1~2직이 삭감되면서 150~160여, 8~10, 3직으로 변천되었다.

조선 중·후기 직계아문 文班 兼職은 왜란 이전까지는 『경국대전』에 규정된 24직이 큰 변동 없이 계승되었다. 그러나 왜란 이후에는 비변사·선혜청 등 10여 아문과 훈련도감 등 5군영이 연이어 설치되고 이들 관아의 최고 관직이 정1~종2품 문반겸직이 됨에 따라 정1~종2품 겸직이 크게 증가되면서 70~80여직(계차제조 20~30여직 포함)이 되었고, 고종 2년에 비변사·선혜청이 의정부에 합속되고 준천사가 서반아문이 되면서 50~60여직이 삭감되면서 22직으로 감소되었다.

조선 중·후기 육조속아문 문반 녹직은 왜란 이전까지는 『경국대전』에

---

352) 졸고, 「조선 중·후기 중앙관아 변천연구」, 32쪽 〈표 1〉 전재.

규정된 350여 직이 큰 변동 없이 계승되었고, 왜란 이후에도 그 총 관직수는 소폭으로 감소되면서 330~310여직으로 운영되었다. 그러나 왜란 이후에는 정무아문 관직은 속아문의 기능약화로 인한 관아 혁거·강격, 경비절감·관제 정비로 인한 관직 삭감 등과 관련되어 60여 직이 감소되었고, 그 반면에 왕실과 관련된 묘·전·능관은 40직이 증가되었다.

조선 중·후기 육조속아문 문반 체아직과 무록직은 왜란 이전까지는 『경국 대전』에 규정된 84직과 91직이 큰 변동 없이 계승되었다. 그러나 왜란 이후에는 속아문의 기능약화로 인한 관아 혁거·강격, 경비절감·관제정비로 인한 관직 삭감 등과 관련되어 각각 20~40여직과 40~50여직이 삭감되면서 70~50여직과 50~40여직으로 변천되었다.

조선 중·후기 육조속아문 문반 겸직은 왜란 이전까지는 『경국대전』에 규정된 140여 직이 큰 변동 없이 계승되었으나 왜란 이후에는 속아문의 기능약화로 인한 관아 혁거·강격, 경비절감·관제정비로 인한 관직 삭감 등과 관련되어 140여~120여 직으로 삭감되면서 운영되었다.

조선 중·후기를 통해 운영된 정1~종2품 당상관 겸직은 왜란 이전에는 직계아문은 24직이고 육조속아문은 101직이었다. 그러나 선조 25~고종 1년에는 비변사·선혜청·훈련도감 등 10여 직계·군영아문이 설치되고 그 최상위 관직이 정1~종2품관의 겸직이 된 반면에 관아의 혁거 등과 관련되어 다수의 육조속아문 정1~종2종 겸직이 혁거·삭감됨에 따라 그 겸직수가 직계아문은 70~80여직으로 증가하였고, 육조속아문은 90~95여직으로 감소 되었다. 고종 2년에는 비변사·선혜청이 의정부에 합속되고 준천사가 무반아 문이 됨에 따라 육조속아문은 변동이 없었지만 직계아문은 60여 직이 삭감되 면서 20여 직이 되었다.

조선 중·후기에는 운영된 정1~종2품 겸직은 3의정·6조판서(공판 제외)· 대제학·4유수·5군영대장이 중심이 된 정1~종2품관이 각각 1~10여직을 겸대 하였다.

조선 중·후기에 정치를 주도한 관아·정치세력은 성종 16~명종 22년에는 의정부·육조나 훈구파·외척이었고, 선조 1~정조 24년에는 사림파와 동인·서인이나 노론이었으며, 순조 1~철종 14년에는 安東金氏와 豊壤趙氏가 중심이 된 노론이었다.

조선후기에 정치를 주도한 동인, 서인, 노론은 다수의 의정부·6조·5군영·유수부 당상관직을 점유하고 이를 토대로 도제조·제조·대장을 겸하고 최고의 정치·군사·경제기구인 비변사·선혜청·5군영을 지휘하였다. 즉 조선 중·후기, 특히 왜란 이후에는 동인, 서인, 노론, 세도정치가문의 중진들이 영·좌·우의정과 이·호·예·병·형판, 5군영 대장 등으로서 정치·경제·군사를 주도한 비변사·선혜청·5군영의 최고위(정1~종2) 수십여 직을 점유하면서 정치를 주도하거나 전단하였다.

요컨대 조선 중·후기 경관 문반직 변천의 핵심이 된 비변사·선혜청·5군영 등의 정1~종2품 관직은 정치를 주도하거나 전단한 당파, 세도가문에 의해 점유되면서 그 영향력을 지속·강화시켜 나가는 토대가 되었다고 하겠다.

〈별표 1〉

조선 중·후기 직계아문 문반 녹·체아·무록·겸직 변천 종합(◐ : 체아직, ○ : 무록직, * : 무정수)353)

	『경국대전』	『속대전』(『대전통편』)	『대전회통』(정조10~고종1 설치)354)	비고
宗親府	大君·君(무품), 君(정1~종2), 都正(정3당상), 正(정3), 副正(종3), 守(정4), 副守(종4), 令(정5), 副令(종5), 監(정6, 이상 宗親, 무정수), 典籤1(정4)·典簿1(정5, 이상 朝官)→	→	대군·군, 영종정경·판종정경, 군, 지종정경·종정경, 도정, 정, 부정, 수, 부수, 영, 부령, 감(이상 종친, 무정수), 전첨1, 전부1(이상 조관)	직계아문 정1품 아문
議政府	領·左·右議政 각1(정1), 左·右贊成 각1(종1), 左·右參贊 가1(정2), 舍人 2(정4), 檢詳 1(정5), 司祿 2(정8)→	감 사록 1→	영·좌·우의정 각1, 좌·우찬성 각1, 좌·우참찬 각1, 사인 2, 검상 1, 公事官11(종6, 문관 2 侍從啓差, 무관 9 참상 5, 참외 4), 사록 1	
備邊司		都提調*(정1, 시·원임의정), 例兼提調 14(종1~종2, 吏·戶·禮·兵·刑判, 大提學, 刑判, 訓鍊·御營·禁衛大將, 摠戎·守禦使, 開城·江華〈증 水原·廣州留守〉), 副提調1 (정3당상겸), 郎廳 12 (1, 兵曹武備司正郞)), 有司堂上 4(제조), 8道句管堂上 8(유사당상겸 각2도)→	혁(속 의정부)	
宣惠廳		도제조 3(정1, 의정), 제조 3(정2, 1 호판), 낭청 3(종6)→	이속 서반	
堤堰司		도제조 3(의정), 제조 3(비국당상), 낭청 1(5~6품, 비변사 낭청)→	혁(속 의정부)	
濬川司		도제조 3(의정), 제조 6(비변사제조, 병판, 한성판윤, 3군문대장), 都廳 1(정3당상, 御營廳千摠), 낭청 3(5~6품, 3道參軍)→	이속 서반	
忠勳府	君*(정1~종2), 經歷 1(종4), 都事1(종5)→	혁 경력→	군*(정1~종2), 도사 1	
儀賓府	尉(정1~종2), 副尉(정3당상), 僉尉(정3)~종3)(이상 무정수), 경력 1(종4), 도사 1	→	위(정1~종2,) 부위(정3당상), 첨위(정3)~종3)(이상 무정수), 도사 1	

---

353) 앞 〈표 4-2, 3〉에서 종합.

		(종5)→			
	敦寧府	領事 1(정1), 判事 1(종1), 知事 1(정2), 同知事 1(종2), 都正 1(정3당상), 正 1(정3), 副正 1(종3), 僉正 2(종4), 判官(종5, 2), 主簿(종6, 2), 直長(종7, 2), 奉事(종8, 2), 參奉(종9, 2)→	혁 부정·첨정·봉사, 감 판관·주부·직장·참봉 각1〈혁정〉→	영사 1, 판사 1, 지사 1, 동지사 1, 도정 1, 판관 1, 주부 1, 참봉 1	
	義禁府	判事(종1)·知事(정2)·同知事(종2) 4원(겸직), 經歷(종4)·都事(종5) 10→	혁 경력·도사, 置 녹관 종6·종9 도사 각5→	판사(종1)·지사(정2)·동지사(종2) 4(겸관), 도사10(종6-5, 종9-5)·	종1
6曹	吏曹	判書(정2, 1), 參判(종2, 1), 參議(정3당상, 1), 正郎(정5, 3), 佐郎(정6, 3)→	→	판서·참판·참의 각1, 정랑·좌랑 각3	정2
	戶曹	판서(정2, 1), 참판(종2, 1), 참의(정3당상, 1), 정랑(정5, 3), 좌랑(정6, 3), 算學敎授(종6, 1), 別提(종6, 2), 算士(종7, 1), 計士(종8, 2), 算學訓導(정9, 1), 會士(종9, 2)→	감 별제·계사·회사 각1→	판서·참판·참의 각1, 정랑·좌랑 각3(회계사 정랑·좌랑 구임), 산학교수·별제·산사·계사·산학훈도·회사각1	
	禮曹	이조와 동→	→	이조와 동	
	兵曹	판서(정2, 1), 참판(종2, 1), 참의(정3당상, 1), 參知(정3당상, 1), 정랑(정5, 4), 좌랑(정6, 4)→	→	판서·참판·참의·참지 각1, 정랑·좌랑 각4	
	刑曹	판서(정2, 1), 참판(종2, 1), 참의(정3당상, 1), 정랑(정5, 4), 좌랑(정6, 4), 律學敎授(종6, 1), 別提(종6, 2), 明律(종7, 1), 審律(종8, 1), 律學訓導(정9, 1), 檢律(종9, 2)→	감 정랑·좌랑·별제 각1→	판서·참판·참의 각1, 정랑·좌랑 각3, 율학교수·별제·명률·심률·율학훈도·검률 각1	
	工曹	이조와 동→	→	이조와 동	
	漢城府	判尹(정2, 1), 左·右尹(종2 각1), 庶尹(종4, 1), 判官(종5, 2), 參軍(정7, 3, 1은 通禮院引儀 겸)→	감 판관 1·참군 2, 치 주부1→	판윤 1, 좌·우윤 각1, 서윤 1, 판관 1, 주부 1, 참군 1(통례원인의 겸)	
	水原留守府		유수 2(종2, 1 경기관), 경력 1(종4)→ (혁)→	〈정조17 留守 2(정2, 1 경기관), 判官 1(종5), 檢律 1(종9)〉	
	廣州留守府			〈정조 19 留守 2(정2, 1 경기관), 判官 1(종5), 檢律 1(종9)〉→	
	奎章閣		〈提學 2(종1~종2겸), 直提學→		종2

		2(종2~정3상겸), 直閣 1(정3~종6), 待敎 1(정7~정9) 본각), 判校 1(정3겸), 校理 1(종5), 博士 2(정7), 著作 2(정8), 正字 2(정9), 副正字 2(종9) (외각)→		
司憲府	大司憲(종2, 1), 執義(종3, 1), 掌令(정4, 2), 地平(정5, 2), 監察(정6, 24)→	감 감찰11→	대사헌 1, 집의 1, 장령 2, 지평 2, 감찰 13	
開城府	留守(종2, 1〈경기관찰사〉), 經歷 1(종4), 都事 1(종5), 敎授 1(종6)→	혁 도사→	〈치 분교관·검률 각1 (종9)〉→유수 2(1〈경기관찰사〉), 경력 1, 교수 1, 분교관 1, 검률 1	
江華 留守府		유수 2(종2, 1, 경기관찰사), 경력 1(종4)→	〈치 분교관·검률 각1 (종9)〉→유수 2(1〈경기관찰사〉), 경력 1, 분교관 1, 검률 1	
承政院	都·左·右·左副·右副·同副承旨 각1(정3당상), 注書 2(정7)→	치 事變假注書 1(정7)→	도·좌·우·좌부·우부·동부승지 각1, 주서 2, 사변가주서 1	정3품 당상
司諫院	大司諫 1(정3당상), 司諫1(종3), 獻納 1(정5), 正言2(정6)→	→	대사간 1, 사간 1, 헌납 1, 정언 2	
經筵	領事 3(정1, 의정겸), 知事3(정2겸), 同知事3(종2겸), 參贊官 7(정3당상, 7〈6승지, 홍문관부제학〉), 侍講官(정4겸)·侍讀官(정5겸)·檢討官(정6겸)·司經(정7겸)·說經(정8겸)·典經(정9겸)(이상 무정수)→	→	영사 3, 지사 3, 동지사 3, 참찬관 7, 시강관·시독관·검토관·사경·설경·전경(이상 무정수)	
합계*1	본직(녹직 161, 체아직 12, 무록직 4), 겸직 24	본직(녹직 153, 체아직 8, 무록직 3), 겸직 52	본직(녹직 162, 체아직 10, 무록직 3), 겸직 22	

*1 각 시기의 녹직, 체아직, 무록직의 직질별 관직수는 뒤 〈별표 3〉 합계 참조.

---

354) 관직명과 직질은 『경국대전』과 같은 것은 한글로 제시하거나 생략함.

조선 중·후기 육조속아문 문반 녹·체아(◑)·무록(○)·겸직 변천 종합(* 무정수)355)

속조	관아	『경국대전』	『속대전』(〈대전통편〉)	『대전회통』(〈정조 10~고종 1년〉)	비고*1
이조속아문	忠翊府	都事 2(종5)	연산군 12 혁 도사→ 중종 1 복→명종 1 혁 →광해군 8 복→? 혁 →숙종 6 복→숙종 27 혁(속 충훈부)		정3품 아문
	內侍府	尙膳 2(종2), 尙醞·尙茶 각1(정3), 尙藥 2(종3), 尙傳 2(정4), 尙冊 3(종4, 1 鷹坊遞兒, 2 大殿薛里), 尙弧 4(정5), 尙帑 4(종5), 尙洗 (정6), 尙燭 4(종6) 尙煊 4(정7), 尙設 6(종7), 尙除 6(정8), 尙門 5(종8), 尙更 6(정9) 尙苑 5(종9)	→	→	종2
	尙瑞院	正 1(정3, 도승지겸), 判官 1(종5), 直長 1(종7), 副直長 2(종8)	감 판관·부직장 각1 →	정 1(정3, 도승지겸), 판관 1, 직장 1, 부직장 2	정3
	宗簿寺	도제조 2(존속종친), 제조 2, 正 1(정3), 僉正 1(정4), 主簿 1(종6), 直長 1(종7)	혁 첨정→	혁(속 종친부)	
	司饔院	정 1(정3), 첨정 1(종4), 판관 1(종5), 주부 1(종6), 직장 2(종7), 봉사 3(종8), 참봉 2(종9)	가 봉사 1, 혁 판관, 감 참봉 2→	정 1, 제거·제검 4, 첨정 1, 주부 3, 직장 2, 봉사 3	정3
	內需司	典需 1(정5), 별좌(5품)·별제(6품) 20, 副典需 1(종6), 典會 1(종7), 典穀 1(종8), 典貨 2(종9)	→	전수 1, 별좌 2, 별제 2, 부전수 1, 전회 1, 전곡 1, 전화 2	정5
호조	內資寺	提調 1, 正 1(정3), 副正 1(종3), 僉正 1(종4), 判官 1(종5), 主簿 1(종6), 直長 1(종7), 奉事 1(종8)	혁 정·부정·첨정·판관→	제조 1, 주부·직장·봉사 각1	정3
	內贍寺	內資寺와 같음	혁 정, 부정, 첨정, 판관→	제조 1, 주부·직장·봉사 각1	종6
	司䆃寺	제조 1, 정 1(정3), 부정 1(종3), 첨정 1(종4), 주부 1(종6), 직장 1(종7)	영조 22 이전 혁 정·부정→	제조 1, 첨정·주부·직장 각1	종4
	司贍寺	司䆃寺와 같음	치 부정, 혁 봉사·참봉 〈혁 관아〉		
	軍資監	都提調 1, 제조 1, 정 1(정3), 부정 1(종3), 첨정 2(종4), 판관 3(종5), 주부 3(종6), 직장 1(종7), 奉事 1(종8)	혁 부정·부봉사·참봉 각1, 감 첨정·판관·주부 각1→	도제조 1, 제조 1, 정·판관·주부·직장·봉사 각1	정3

355) 앞 〈표 4-4, 5〉에서 종합.

		8), 副奉事 1(종9), 參奉 1(종9)			
	濟用監	제조 1, 정 1, 부정 1, 첨정 1, 판관 1, 주부 1, 직장 1, 봉사 1, 부봉사 1, 참봉 1(생략된 관품은 앞 관아 참조, 이하도 같다)	혁 정·부정·첨정·참봉, 치 판관 1→	제조 1, 판관·주부·직장·봉사·부봉사 각1	종5
	司宰監	제조 1, 정 1, 부정 1, 첨정 1, 주부 1, 직장 1, 참봉 1	혁 정, 치 봉사 1→	첨정·주부·직장·봉사 각1	종4
	豊儲倉	守 1(정4), 주부 1, 직장 1, 봉사 1, 부봉사 1	혁(속 장흥고)		
	廣興倉	수 1, 주부 1, 봉사 1, 부봉사 1	→	수·영·직장·봉사 각1	정4
	典艦司	도제조 1, 제조 1, 提檢(종4)·別坐(5품)·別提(6품) 5, 水運判官 2(종5)	혁		
	平市署	제조 1, 令 1(종5), 직장 1, 봉사 1	→⟨치 主簿 1(종6)⟩→	제조 1, 영·주부·직장·봉사 각1	종5
	司醞署	령 1, 주부 1, 직장 1, 봉사 1	혁		
	義盈庫	영 1, 주부 1, 직장 1, 봉사 1	혁 영→	주부·직장·봉사 각1	종6
	長興庫	義盈庫와 같음	혁 영→	제조 1, 주부 2, 봉사 1	종6
	司圃署	司圃 1(정6), 別提(6품)·別檢(8품) 7	혁 별제, 치 직장1→	제조 1, 별제 2, 직장 1	종6
	養賢庫	주부 1(성균관전적 겸), 직장 1(성균관박사 겸), 봉사 1(성균관학정 겸)	→	주부·직장·봉사 각1 (성균관관 겸)	종6
	五部 (東·西·南·北·中部)	주부 각1, 참봉 각2	치 都事(종6)·奉事(종8) 각1→	도사·봉사·참봉 각1	종6
예조	弘文館	領事 1(정1, 의정겸), 大提學 1(정), 提學 1(종2)(이상 겸관), 副提學 1(정3당상), 直提學 1(정3), 典翰1(종3), 應敎 1(정4), 副應敎1(종4), 校理 2(정5), 副校理 2(종5), 修撰 2(정6), 副修撰 2(종6), 博士 1(정7), 著作 1(정8), 正字 2(정9)	→	영사~부제학, 직제학 1(도승지겸), 전한~정자	정3당상
	藝文館	영사 1(정1, 의정), 대제학 1 (정2), 제학 1(종2)(이상 겸관), 직제학 1(정3, 도승지), 應敎 1(정4, 홍문관 교리~직제학 중 겸), 奉敎2(정7), 待敎 2(정8), 檢閱 4(정9)	⟨혁 직제학⟩→	영사 1(의정), 대제학 1(정2겸), 제학 1(종2겸), 직제학 1(정3),응교 1(홍문직제학 이하), 봉교 2, 대교 2, 검열 4	정3
	成均館	지사 1(정2), 동지사 2(종2)(이상 겸관), 大司成 1(정3당상), 司成 2(종3), 司藝3(정4), 直講 4(정5), 典籍13(정6), 博士 3(정7), 學正3(정8), 學錄 3(정9), 學諭3(종9)	치 兼司成 1(종3)→	지사 1·동지사 2(겸), 대사성 1, 제주 1, 사성 2, 겸사성 1, 사예 3, 사업 1, 직강 4, 전적 13, 박사·학정·학록·학유 각3	정3당상
	春秋館	영사 1(정1, 영의정겸), 감사 2(정1, 좌·우의정겸), 지사 2(정2), 동지사 2(종2) (이상 겸직), 修撰官(정3)	→		정3

	·編修官(정3~종4)·記注官(정·종5) ·記事官(정6~정9)*			
承文院	도제조 3(의정), 제조*, 부제조*, 判校 1(정3), 參校 2(종3), 校勘 1(종4), 校理1(종5), 校檢 1(정6), 博士 2(정7), 著作 2(정8), 正字2(정9), 副正字 2(종9)	→	도제조 3, 제조·부제조*, 판교 1, 교검 1, 박사·저작·정자·부정자 각2	정3
通禮院	左·右通禮 각1(정3), 相禮1(종3), 奉禮 1(정4), 贊儀1(정5), 引儀 8(종6, 6 겸관)	가 인의 2, 치 겸인의 6→⟨가 인의 6⟩→	좌·우통례 각1, 상례 1, 익례 1, 찬의 1, 인의 8, 겸인의 8, 가인의 6	정3
奉常寺	정 1 , 부정 1, 첨정2, 판관 2, 주부 2, 직장 1, 봉사 1, 부봉사 1, 참봉 1(주부 이상 6원 구임)	→	정·첨정·판관 각1, 주부 2, 직장(승문참외)·봉사(성균참외)·부봉사(성균참외)·참봉(교서참외) 각1	정3
校書館	제조 2, 判校 1(정3, 겸), 校理 1(종5), 별좌·별제 4〇, 博士2(정7), 著作 2(정8), 正字 2(정9), 副正字 2(종9)	혁 판교·별좌·별제· 치 兼校理3(종5) (⟨移屬 奎章閣(外閣)⟩)		
內醫院	도제조·제조·부제조(승지겸) 각 1, 정 1, 첨정 1, 판관 1, 주부 1, 직장 3, 봉사 2, 부봉사 2, 참봉 1(모두 체아직)	→ 감 직장 2 →	도제조·제조·부제조 (승지겸) 각1, 정·첨정·판관·주부·직장 각1 〇, 봉사·부봉사 각2 〇, 참봉 1〇	정3
禮賓寺	제조 1, 정 1, 부정 1, 提檢(정4)·별좌·별제 6〇, 첨정 1, 판관 1, 주부 1, 직장 1, 봉사 1, 참봉 1	제조 1(호판), 혁 정·겸정·부정·첨정·판관, 가 참봉 1→	제조 1, 주부 2, 직장 1, 참봉 2	종6
掌樂院	제조 2, 정 1, 첨정 1, 주부 1, 직장 1	제조 2(1 의정)→	제조 2(1 의정), 정 1, 첨정 1, 주부 2(첨정 이하 2원 겸)	정3
觀象監	영사 1(영의정), 제조 2, 정 1, 부정 1, 첨정 1, 판관 2, 주부 2, 天文·地理學教授각1(종6), 직장 2, 봉사 2, 부봉사 3, 天文·地理學訓導 각1(정9), 命科學訓導 2(정9), 참봉 3	혁 부정, 감 판관·주부· 명과학훈도·참봉 각1, 치 天文學(2)·지리학(1)·명과학(1) 겸교수→	영사(1, 영의정), 제조 2, 정·첨정·판관 각1 (〇, 1 녹직), 주부 1〇, 천문·지리학교수 각1, 천문학교수 3, 명과학 겸교수 1, 직장·봉사 각2〇, 부봉사 1〇, 천문·지리학훈도 각1, 명과학훈도 1, 참봉 2 〇	정3
典醫監	제조 2, 정 1, 부정 1, 첨정 1, 판관 1, 주부 1, 醫學教授 2(종6,), 직장 2, 봉사 2, 부봉사 4, 醫學訓導 1(정9), 참봉 5(교수·훈도 외 체아)	부정, 감 의학교수· 봉사각1, 부봉사 2, 참봉 3, 치 馬醫 2(종9)〇→	제조 2, 정·첨정·판관·주부 각1〇, 의학교수 1, 직장 1·부봉사 2 〇, 의학훈도 1, 참봉 2·마의 각2〇	정3

司譯院	도제조 1, 제조 1, 정 1, 부정 1, 첨정 1, 판관 2, 주부 1, 한학교수 4(종6, 2 문신 겸), 직장 2, 봉사 3, 부봉사 2, 漢學訓導 4(정9), 蒙學·女眞學訓導 각2(정9), 참봉 2	혁 부정, 감 판관·직장·봉사 각1→	도제조 1, 제조 2, 정· 첨정·판관·주부 각1 ◐, 한학교수 4·직장 1· 봉사 2·부봉사 2·한학 훈도 4·몽학·왜학훈 도·참봉 각2◐	정3
世子侍講院	師 1(정1, 영의정겸), 傅 1(정1, 의정 겸), 貳師 1(종1, 찬성겸), 左·右賓客 각1(정2), 左右副賓客 각1(종2)(이상겸직), 輔德 1(종3), 弼善 1(정4), 文學 1(정5), 司書 1(정6), 說書 1(정7)	치 贊善(정3)·翊善 (정4)·諮議(정7) 각 1〈兼輔德(종3)·兼弼善(정4)·兼文學(정5) ·兼司書(정6)·兼說書 (정7) 각1〉→	사 1(영의정), 부 1(의 정), 이사 1(찬성), 좌· 우빈객 각1, 좌우부빈 객 각1(이상겸직), 찬선·보덕·겸보덕·진선·필선·겸필선·문학·겸문학·사서·겸사서·설서·자의 각1	정3
世孫講書院		〈師·傅 각1(종1), 左·右 諭善 각1(종2~정3), 左·右翊善 각1(종4), 左·右勸讀 각1(종5), 左·右贊讀 각1(종6)〉→	사·부 각1(겸), 좌·우 유선·좌·우익선·좌· 우권독·좌·우찬독 각 1	
宗學	導善 1(정4)·典訓 1(정5)·司誨 2(정6)(성균관 사성~전적 겸)	혁		
昭格署	제조 1, 令 1(종5), 별제 2(文官)◯, 참봉 2	혁		
宗廟署	도제조 1, 제조 1, 영 1, 직장 1, 봉사 1, 부봉사 1(직장 이하 1원 구임)	가 영 1, 혁 봉사→	도제조 1, 제조 1, 영 2, 직장 1, 부봉사 1,	종5
社稷署	도제조 1, 제조 1, 영 1, 참봉2	가 영1, 치 직장 1, 혁 참봉〈가 영 1〉→	〈혁 직장·참봉〉→ 도제조 1, 제조 1, 영 3	종5
景慕宮		〈도제조 1, 제조 1, 영 1(문관), 직장 1, 봉사 1〉→	〈가 영 2, 혁 직장·봉사〉→ 도제조 1, 제조 1, 영 3	종5
氷庫	제조 1, 별좌·별제·별검 4◯	혁 별좌→	제조 1, 별제·별검 각2 ◯	종6
典牲署	제조 1, 주부 1, 직장 1, 봉사 1, 참봉 2	혁 참봉→	〈치 판관 1〉→ 제조 1, 판관·직장 각1	종6
司畜署	제조 1, 司畜 1(종6), 별제 2◯	혁 사축, 제조 호판 예겸→	혁(아문)	
惠民署	제조 2, 주부 1, 의학교수 2(1 문관 겸), 직장 1, 봉사 1, 의학훈도 1, 참봉 4	감 제조 1, 의학교수 1〈가 제조 1〉→	제조 2, 주부·의학교수·직장·봉사·의학훈도 각 1◐(직장 이상 1 녹직), 참봉 4	종6
圖畵署	제조 1, 별제 2◯	〈혁 별제〉→	〈치 兼敎授 1(종6)〉→ 제조 1, 겸교수 1	종6
活人署	제조 1, 별제 4◯, 참봉 2(의원체아직)	감 별제 2→	제조 1, 별제 2, 참봉 2	종6

	歸厚署	제조 1, 별제 6○	감 별제 4 〈혁 아문〉		
	四學(東·西·南·北·中學)	교수 각2(종6)·훈도(정9) 각2(성균관전적 이하 겸)	감 교수·훈도 8→	교수 4(1 시종겸), 훈도 4	종6
	諸殿	도제조 2(문소전, 존속종친), 제조 2(문소전), 참봉2(문소전)	슈 1(종5), 別檢 2(종8)○, 參奉 7(종7)〈치 도제조 1(영의정), 제조 3(호·예·공판), 낭청 3(호·예·공 낭관), 영 2, 별검 2, 참봉 3)→	1묘 7전 도제조 2, 제조 5, 영 8, 별검 2(, 참봉 2(, 낭청 3356)	
	諸陵	參奉(종9) 12릉 각2357)	영 8, 직장 5, 별검 8, 참봉 57→	47릉 영 29, 직장 9, 봉사 3, 별검 2, 참봉 47358)	
	諸園			5원 영 2, 참봉 2, 수봉관 4○	
병조	五衛(義興·龍驤·虎賁·忠佐·忠武衛)	將 12(종2겸), 上護軍 9(정3), 大護軍 14(종3), 護軍 12(정4), 副護軍 54(종4), 司直 14(정5), 副同直 123(종5), 司果15(종6), 部長 25(종6), 副果 176(종6), 司正 5(정7), 副正 309(종7), 司猛 16(정8,), 副同猛 483(종8), 司勇 42(정9), 副同勇1, 939(종9)(대호군, 부호군, 부사직, 부사과, 부사정, 부사맹, 부사용은 체아직)	降 將 정3당상, 감 상호군 1·대호군 2·호군 8·사직 3·부사직 23·부장 5·부사정 60·사맹 1·부사맹 27·사용 18·부사맹 1,358, 가 부호군 22·사과 6, 부사과 1·사정 15→	장 15(정3겸), 상호군 8, 대호군 12, 호군 4○, 부호군 69, 사직 11○, 부사직 102, 사과 21○, 부장 25, 부사과 183, 사정 20○, 부사정 250, 사맹 15○, 부사맹 208, 사용 24○, 부사용 460,	무관 정3 당상
	訓鍊院	知事 1(정2겸), 都正 2(정3당상, 1겸직), 正 1), 副正 2, 僉正 2, 判官 2, 主簿 2, 參軍 2(정7), 奉事 2	가 첨정 2, 판관 6, 주부 16→	지사 1(정2겸), 도정 2(1겸), 정1, 부정 2, 첨정 12, 판관 18, 주부 38, 참군 2, 봉사 2	무관 정3 당상
	司僕寺	제조 2, 정 1, 부정 1, 첨정 1, 판관 1, 주부 2(판관이상 2 구임)	→	제조2(1, 의정), 정·첨정·판관 각1, 주부 2	문관 정3
	軍器寺	도제조 1, 제조 2, 정 1, 부정 1, 첨정 2, 別坐·別提 2, 판관 1, 주부 2, 직장 1, 봉사 1, 부봉사 1, 참봉 1(주부 이상 2 구임)	혁 정·부정·별좌·별제→	도제조 1, 제조 2(1 병판·병참판, 1 무장), 첨정·판관·주부 각2, 직장·봉사·부봉사·참봉 각1	문관 종4
	선전관청	宣傳官 8(정3·종3·종4·종5·종6·종7·종8·종9 각1)	21(정3당상 1·종6 3·종9 17), 兼宣傳官 55(종6품 43〈5 문신, 38 무신), 종9 12〈무신〉)→	25(정3당상 4, 참상 3, 종9 17), 겸선전관 52(문신 2, 무신 50), 문신 겸 2(종6), 무신겸 50(참상 38, 종9 12)	무관
	典設司	제조 1, 守 1(정4), 提檢(4품)·別坐·別提 5	혁 제검·별좌, 치 제조 1, 別檢 1(종8)○→	제조 1, 별제 2·별검 1○	문관 종6

	世子翊衛司	左·右翊衛(정5), 左·右司禦(종5), 左·右翊贊(정6), 左·右衛率(종6), 左·右副率(정7), 左·右侍直(정8), 左·右洗馬(정9) 각1	→	좌·우익위, 좌·우사어, 좌·우익찬, 좌·우위솔, 좌·우부솔, 좌·우시직, 좌·우세마 각1	무관 정5
	世孫衛從司		左·右長史 각1(종6), 左·從史 각1(종7)→	좌·우장사, 좌·우종사 각1	종6
	守門將廳	守門將(無定官, 서반 4품 이하 輪次 守闕門)	23(종6 5, 종9 18)→	29(종6 15, 종9 14)	
공조	尙衣院	제조 2, 부제조1(승지), 정 1, 첨정 1, 별좌·별제 2, 판관 1, 주부 1, 직장 2	판관·별좌, 감 별제·직장 각1→	제조 2, 부제조 1(승지), 정·첨정·주부·별제○·직장 각1	정3
	膳工監	제조 2, 정 1, 부정 1, 첨정 1, 판관 1, 주부 1, 직장 1, 봉사 1, 부봉사 1, 참봉 1(판관 이상 1 구임)	혁 정·첨정·판관·직장·참봉, 복치 부정 1, 가 監役官·假監役官 각3○→	제조 2, 부정 1, 주부 1, 봉사 2, 부봉사 1, 감역관·가감역관 각3○	종3
	修城禁火司	도제조 1, 제조 2, 提檢 4(3 사복시·군기시·선공감정겸), 별좌 6○(4 의금부경력·병·형·공조정랑 각1겸), 별제 3○(1 한성부판관 겸)	혁(관아)		
	典涓司	제조 1(선공감제조 겸), 별검·별제 5○, 직장 2, 봉사 2, 참봉 6	혁(관아)		
	掌苑署	제조 1, 掌苑 1(종6), 별제 1○	장원, 치 봉사 1→	제조 1, 별제 2○, 봉사 1	종6
	造紙署	제조 2, 司紙 1(종6), 별제4(종6)○	혁 제조·부제조 각1→정조 9 이전 증 제조 1(총융사겸)→	제조 2, 별제 3○	종6
	瓦署	제조 1, 별제 3○	감 별제 1→	제조 1, 별제 2○	종6
	합계*2	본직 534(녹직 353, 체아직 83, 무록직 98), 겸직 138	본직 446(녹직 333, 체아직 68, 무록직 45), 겸직 143	본직 402(녹직 311, 체아직 51, 무록직 40), 겸직 121	

*1 아문의 격은 『대전회통』에 의함
*2 각 시기의 녹직, 체아직, 무록직의 직질별 관직수는 뒤 〈별표 3〉 합계 참조.

---

356) 도제조 2(영희·장생전), 제조 3(영희·장생·화령전), 영 7(조경묘·경기전·장령전 각1, 준원·영희전 각2), 별검 2(조경묘·장영전 각1), 참봉 2(경기·영희전 각1).

357) 12릉은 건원릉(태조), 제릉(태조비 한씨), 정릉(태조계비 강씨), 후릉(정종, 정종비 김씨), 헌릉(태종, 태종비 민씨), 영릉(세종, 세종비 심씨), 현릉(문종, 문종비 권씨), 광릉(세조, 세조비 윤씨), 경릉(덕종), 창릉(예종, 예종비 한씨), 공릉(예종비 한씨), 순릉(성종비 한씨)이다.

358) 능별 능관의 직명과 직질은 앞 〈표 4-4〉 참조.

〈별표 3〉
조선 중·후기 겸직 문반 관직·관아 변천 종합(↑은 이상, *은 무정수)359)

			정1			종1			종1~종2			정2			종2			정3당상		
			경국대전	속대전	대전회통	경	속	회	경	속	회	경	속	회	경	속	회	경	속	회
본직	녹직	직계아문	4	4	4	3	3	3				10	12	12	11	12	12	15	15	15
		육조속아문	0	0	0	0	0	0				0	0	0	0	0	0	3	2	2
		계	4	4	4	3	3	3				10	12	12	11	12	12	18	17	17
	체아직	직																		
		속																		
		계																		
	무록직	직																		
		속																		
		계																		
	합계	직	4	4	4	3	3	3				10	12	12	11	12	12	15	15	15
		속	0	0	0	0	0	0				0	0	0	0	0	0	3	2	2
		계	4	4	4	3	3	3				10	12	12	11	12	12	18	17	17
겸직		직	7	16	3	1	1	1	0	25	2	4	4	4	5	6	5	7	7	7
		속	21	17	20	1	1	3	59	51	48	5	5	7	6	5	8	9	10	9
		계	28	33	23	2	2	4	59	76	50	9	9	11	11	11	13	16	17	16

			당상관 소계			정3			종3			정4			종4			정5			종5			정6		
			경	속	회	경	속	회	경	속	회	경	속	회	경	속	회	경	속	회	경	속	회	경	속	회
본직	녹직	직	43	46	46	1	1	1	3	2	3	5	5	5	11	3	4	24	24	23	12	4	7	46	35	33
		속	3	2	2	19	11	11	19	7	4	9	8	5	20	10	10	13	11	7	30	29	60	23	23	15
		계	46	48	48	20	12	12	22	9	7	14	13	10	31	13	14	37	35	30	42	33	67	69	58	48
	체아직	직				0	0	0	0	0	0	0	0	0	0	0	0	0	0	0				0	0	0
		속				4	4	4	3	3	0	0	0	0	0	0	0	4	4	4				5	3	4
		계				4	4	4	3	3	0	0	0	0	0	0	0	4	4	4				5	3	4
	무록직	직				0	0	0							0	0	0				0	0	0			
		속*				2	2	0							11	1	0				23	5	0			
		계				2	2	0							11	1	0				23	5	0			
	합계	직	43	46	46	1	1	1	3	2	3	5	5	5	11	3	4	24	24	23	12	4	7	46	35	33

359) 졸저, 앞 『朝鮮初期 政治制度와 政治』, 113~116쪽 〈표 4-2〉, 120쪽 〈표 4-3〉, 124쪽 〈표 4-4〉, 133쪽 〈표 4-7〉, 134쪽 〈표 4-8〉, 『속대전』·『대전회통』 권1, 이전 경관직에서 종합.

표 (상단 계속)

계	속	3	2	2	23	15	15	24	12	4	9	8	5	35	15	14	13	11	7	58	37	64	23	23	15
계	계	46	48	48	24	16	16	27	14	7	14	13	10	46	18	18	37	35	30	70	41	71	69	58	48
겸직	직	24	49	20	0	0	0	0	0	0	0	0	0	0	0	0	0	0	0	0	0	0	0	0	0
겸직	속	101	89	95	4	4	4	0	0	1	2	3	3	0	0	1	1	1	3	0	0	2	1	0	3
겸직	계	125	138	115	4	4	4	0	0	1	2	3	3	0	0	1	1	1	3	0	0	2	1	0	3

표 (참상·참하관)

			참상						참하관															
			종6			소계			정7			종7			정8			종8			정9			
			경	속	회	경	속	회	경	속	회	경	속	회	경	속	회	경	속	회	경	속	회
본직	녹직	직	2	22	11	104	96	87	4	3	5	2	2	2	2	2	3	2	20	5	0	5	2
본직	녹직	속	53	43	40	186	142	152	10	11	9	26	26	26	12	11	8	20	24	20	36	27	22
본직	녹직	계	55	65	51	290	238	239	14	14	14	28	28	28	14	13	11	22	44	25	36	32	24
본직	체아직	직	0	0	0	0	0	0				2	2	0				4	2	0	2	2	0
본직	체아직	속	6	3	8	22	14	20				13	11	6				13	11	8	12	10	14
본직	체아직	계	6	3	8	22	14	20				15	13	6				17	13	8	14	12	14
본직	무록직	직	4	3	0	4	3	0	0	0	0				0	0	0				0	0	0
본직	무록직	속	50	25	16	86	33	16	0	0	1										5	5	5
본직	무록직	계	54	28	16	90	36	16	0	0	1										5	5	5
본직	합계	직	6	25	11	108	72	87	4	3	5	4	4	0	2	2	3	6	2	5	2	7	2
본직	합계	속	109	71	64	294	184	188	10	11	9	39	37	7	12	11	8	38	35	28	48	37	36
본직	합계	계	115	96	75	402	256	275	14	14	14	43	41	7	14	13	11	44	37	33	50	44	38
겸직		직	0	2	2	0	2	2	1	1	0	0	0	0	0	0	0	0	0	0	0	0	0
겸직		속	9	5	14	16	15	31	0	1	4	1	0	1	1	1	3	1	1	1	8	5	9
겸직		계	9	7	16	16	17	33	1	2	4	1	0	1	1	1	3	1	1	1	8	5	9

표 (참하관 계속·기타·계·비고)

			참하관						기타			계			비고
			종9			소계									
			경	속	회	경	속	회	경	속	회	경	속	회	
본직	녹직	직	2	1	10	12	33	27	3			159	175	163	
본직	녹직	속	60	90	69	164	189	154	3			353	333	311	
본직	녹직	계	62	91	79	176	222	181	6			512	508	474	
본직	체아직	직	4	2	0	12	8	8				12	8	8	
본직	체아직	속	25	22	11	63	54	31				83	68	51	
본직	체아직	계	29	24	11	75	62	39				95	76	59	
본직	무록직	직	0	0	0	0	0	0	0			4	3	3	*제거(3품)·제검(4)·별좌(5)·별제(6)·별검(8)는 모두 종품으로 분류함.
본직	무록직	속	12	12	12	17	17	18	6			98	45	40	
본직	무록직	계	12	12	12	17	17	18	6			102	48	43	
본직	합계	직	6	3	10	24	41	35	3			175	186	174	
본직	합계	속	97	124	102	220	301	303	9			534	446	402	
본직	합계	계	103	127	112	244	342	338	12			709	632	576	
겸직		직	0	0	0	0	0	0	0			24	52	22	

속	0	5	6	8	13	19			2	138	143	121	
계	0	5	6	8	13	19			2	162↑	195↑	143↑	

제5장 朝鮮 中·後期 郡縣의 變遷과 國防·地方統治

1. 서언

조선시대의 지방정치기구에는 道와 郡縣이 있었다. 도는 중앙정부의 위임을 받아 관내 군현(백성)을 지휘·감독하던 최상층 지방정치기구였고, 군현은 외관이 파견되어 지방민을 통치하던 府尹府·大都護府·牧·郡·縣 등 지방행정기구였다. 한편 조선시대의 정치운영을 보면 왕권의 강약, 議政府나 備邊司의 대두 등과 관련되어[1] 차이는 있지만 대개 왕을 정점으로 議政府·六曹나 備邊司·六曹 등 중앙정치기구, 8도·부윤부 이하 군현 즉, 지방정치기구가 담당하였다.

조선초기 道와 府尹府 이하 군현은 이러한 국가통치 기능과 관련되어 일제시기부터 연구자의 주목을 받았고, 이후 현재까지 도·군현을 포함한 지방제도를 다룬 수십 편의 논저가 발표되었다.[2] 지방제도에 대한 연구는

---

1) 조선초기의 정치는 태조 1~정종 2년에는 都評議使司·義興三軍府가 중심이 된 국정이 운영되었고, 정종 2~태종 13년과 세종 18~단종대에는 議政府署事制의 실시와 함께 의정부가 국정을 지휘하였으며, 예종대·성종 즉위~6년에는 대왕대비 윤씨의 지휘를 받으면서 院相이 국정을 지휘하였다. 태종 14~세종 17년과 세조대·성종 7년 이후에는 六曹職啓制가 실시되면서 국왕이 육조를 지휘하면서 국정을 총괄하였다(한충희, 2006, 『조선초기의 정치제도와 정치』, 계명대학교출판부, 383~499쪽).

2) 그 구체적인 내용은 任先彬, 1998, 「朝鮮初期 外官制度 硏究」, 韓國精神文化硏究院 韓國學大學院 博士學位論文, 2~6쪽 참조.

1923년 麻生武龜가 중앙과 지방제도의 연혁을 개관하면서 시작되었으나,[3]
본격적인 연구는 1962년 李相佰의「朝鮮王朝의 政治的構造」(『韓國史-朝鮮前期
篇』, 을유문화사)로부터 시작되었다. 이 이후의 연구 중 본 장과 관련된
즉, 도·군현제와 도나 군현제를 주제로 한 대표적인 연구를 보면 李樹健의
지방행정제도·군현제정비,[4] 張炳仁의 관찰사,[5] 李存熙의 지방행정제도·관
찰사·외관제,[6] 金東洙의 군현제개편·군현승강과 읍호개정,[7] 任先彬의 외관
제,[8] 韓忠熙의 도와 군현제정비[9] 등이 있다.

그런데 이들 도·군현제 관계 연구를 보면 도의 명칭·영역정비, 군현의
통폐합·읍호개정·조직·기능·운영 등이 종횡으로 분석되면서 8도-군현
체제의 정비·조직·운영상 등이 규명되었다. 또 그 연구시기를 보면 대부분
이 조선개국으로부터 성종대(『경국대전』)까지, 즉 조선초기에 국한되었
다.[10] 이점에서『경국대전』에 법제화된 조선초기의 군현제가 이후 어떻게
변천되면서 조선말까지 계승·운영되었는가에 대한 연구가 필요하다고
본다.

본 장은 이전 필자가 발표한「朝鮮初期 道制와 郡縣制 整備 硏究」의 후속작업

3) 麻生武龜, 1923,「中央及地方制度沿革史」,『朝鮮史講座』分類史.
4) 이수건, 1989,『朝鮮時代 地方行政史』, 民音社, 1971 ;「朝鮮初期 郡縣制整備에 대하여」,
  『嶺南史學』1.
5) 장병인, 1978,「朝鮮初期의 觀察使」,『韓國史論』4, 서울대 국사학과.
6) 이존희, 1990,『朝鮮時代地方行政制度史研究』, 一志社, 1981 ;「鮮初 地方統治體制의
  整備와 界首官」,『東國史學』15·16합호 ; 1984,「朝鮮王朝의 留守府經營」,『韓國史研究』
  47 ; 1989,「朝鮮前期의 外官制」,『國史館論叢』8.
7) 김동수, 1990,「朝鮮初期의 郡縣制 改編作業」,『全南史學』4 ; 1991,「鮮初期 郡縣의
  昇降 및 名號의 改正」,『全南史學』5.
8) 임선빈, 앞 논문.
9) 한충희, 2004,「朝鮮初期 道制와 郡縣制 整備 硏究」,『啓明史學』14.
10) 대부분의 연구가 조선초기를 대상으로 하였지만 이존희는 조선후기 왕도의 방어의
  핵심이 되었던 유수부를 주제로 그 설치·조직·경제기반·경영을 검토하였다(위「조선
  왕조의 유수부경영」).

으로 朝鮮中·後期(연산군 1~고종 2년11))를 대상으로 지금까지에 걸친 연구성
과를 수렴하고『朝鮮王朝實錄』,『新增東國輿地勝覽』,『邑誌』,『經國大典』·『續大
典』·『大典通編』·『大典會通』을 검토하면서 먼저 군현변천의 배경을 살핀다.
그 다음으로 설치·혁거·복치되고 읍호가 승격되고 강격된 군현을 살피며,12)
마지막으로 군현변천이 당시의 국방·지방통치와 어떻게 관련되었는가를
살피기로 한다.

이러한 연구를 통하여 연산군 1년으로부터 고종 2년까지, 즉 조선 중·후기
군현제의 정비과정과 그 구체적인 변화상이 조명되고, 지방정치기구를 중심
한 국방·지방통치를 천착하는 한 기초가 될 것이라고 생각된다.

2. 郡縣變遷 背景

1) 設置·革去와 復置

(1) 설치

군현의 신설은 다음에 제시된 예와 같이 지방통치와 관련되어 대읍에

---

11) 조선왕조의 시기구분은 크게 임진왜란을 기준으로 한 전·후기, 정치운영과 관련된
   초·중·후·말기로 구분된다. 본 장에서는 이러한 시기구분과 법전(『대전회통』)의
   편찬, 군현제 연구성과와 관련하여 중기는 연산군 1~선조 24년, 후기는 선조 25~고종
   2년으로 설정하고『경국대전』에 규정된 군현을 기준으로 하여 이후『대전회통』(고종
   2)에 정착되기까지의 군현변천을 검토한다. 조선왕조의 시기구분은 고영진, 1995,
   「조선사회의 정치·사상적 변화와 시기구분」,『역사와 현실』15 참조.
12) 설치·혁거·복치되고 읍호가 승격되고 강격된 군현은 그 기준을『경국대전』이전
   외관조에 수록된 군현으로 하여 그 이후에 설치·혁거·복치·승격·강격된 군현이고,
   이 중 복치는 혁거되었다가 재설치된 군현이다. 또 2회 이상에 걸쳐 승·강격된
   군현은 강·승격으로 파악한다.

속해있던 현이 분리되면서(①), 2개 이상의 군현이 통합되면서(②), 국방을 강화하기 위해 군현을 설치하면서(③) 있게 되었다.

① 인조 15년에 경주부 속현인 慈仁이 현감관이 되었다.[13]
② 효종 2년에 황해도 牛峰縣과 江陰縣이 합쳐 金川郡이 되었다.[14]
③ 북방강화와 관련되어 숙종 10년에 茂山都護府가 설치되었고, 정조 11년에 長津鎭이 長津都護府로 개편되었다.[15]

(2) 혁거

군현의 혁거는 다음에 제시된 예와 같이 국가에 반역하거나 군왕에게 불충한 인물의 출신 군현(①), 중죄인의 출신(②), 도적이 흥기한 군현(③), 군현의 통합(④), 변란으로 인해 피폐한 군현(⑤)을 각각 혁파하면서 있게 되었다.

① 영조 5년에 安陰縣이 전년에 반란을 일으킨 鄭希亮으로 인해 혁거되었다.[16]
② 숙종 13년에 交河縣이 죄인의 태생지라 하여 혁거되어 坡州牧에 병합되었다.[17]
③ 명종 17년에 문화현이 도적 임꺽정의 본거지라 하여 혁파되었다.[18]

---

13) 『경상도읍지』 자인현 연혁.
14) 『효종실록』 권7, 2년 8월 기사.
15) 『정조실록』 권24, 11년 7월 기사·8월 무술.
16) 『경상도읍지』 안의현 건치연혁. 안음현은 영조 12년에 복치되었고, 영조 43년에 안의현으로 개칭되었다.
17) 『경기도읍지』 교하군 연혁.
18) 『황해도읍지』 문화현 건치연혁.

④ 효종 2년에 牛峰縣과 江陰縣이 통합되어 金川郡이 되면서 우봉현과 강음현
  이 혁거되었다.[19]

⑤ 선조 30년에 정유재란으로 피폐해진 珍原縣이 주민의 "자립이 어려우니
  長城縣에 통합해 달라" 는 요청에 따라 혁거되어 장성현에 합병되었다.[20]

(3) 복치

군현의 복치는 다음의 예와 같이 효율적인 군현통치를 위해 모반·불충·불
효 등으로 혁거된 군현이 "10년이 경과되면 다시 복구한다"[21]는 규정에
따라 복치(①), 군현의 통합으로 혁거되었던 군현이 다시 분리(②), 단종의
복위에 따라 단종복위도모와 관련되어 혁파되었던 군현(③), 중종초의 연산
군폐정에 대한 개혁(④) 등에서 있게 되었다.

① ㉠ 영조 12년에 7년 전에 鄭希良難으로 혁거된 安陰縣,[22] ㉡ 중종 1년에
  연산군 11년에 鄕人이 내시 김계경을 살해한 일로 혁거된 慈山郡,[23]
  ㉢ 현종 9년과 현종 1년에 그 10여 년 전에 양인 부모를 살해하고 종이
  주인을 살해한 일로 혁거된 陽根郡과 居昌縣令官이[24] 각각 복치되었다.

② 효종 6년에 인조 24년에 통합되어 恩山縣이 된 恩津·尼山·連山縣이 복치되
  었다.[25]

---

19) 『효종실록』 권7, 2년 8월 기사.
20) 『전라도읍지』 장성부 건치연혁. 장성현은 효종 6년에 왜적의 방어를 위해 수축한
   立巖山城을 주관하는 진관이 되면서 도호부로 승격되었다.
21) 『숙종실록』 권20, 15년 1월 경오 復降州革縣準(十)年數者 忠原(縣)爲忠州 定川(縣)爲定州
   (革)砥平(縣)還爲縣, 외.
22) 『경상도읍지』 안음현 연혁.
23) 『평안도읍지』 자산군 연혁.
24) 『경기도읍지』 양근군 연혁 ;『경상도읍지』 거창군 연혁.
25) 『인조실록』 권47, 24년 5월 병오 ;『효종실록』 권14, 6년 1월 무자.

③ 숙종 9년에 단종이 복위됨에 따라 세조 3년 단종복위사건으로 인해 혁파되어 榮川郡에 병합되었던 順興都護府가 복설되었다.[26]

④ 중종 1년에 연산군 10년에 연산군의 유흥소가 되면서 혁파되었던 楊州牧과 坡州牧이 복설되었다.[27]

　이처럼 조선 중·후기 군현은 군현의 통합·분리·피폐, 국방·중죄인 발생 등과 관련되어 설치되고 혁거되었으며, 군현의 통합·혁거된 후 10년이 경과되는 등으로 복치되었다. 또 이러한 사유와 관련되어 변천된 군현수를 보면 신치된 군현은 그 수가 적기는 하지만 군현의 분리와 국방이 중심이 되었고, 혁거는 군현의 통합·피폐와 중죄인의 발생이 중심이 되었으며, 복치는 통합된 군현의 분리와 혁거된 후 10년이 경과된 군현이 중심이 되었다.[28] 그런데 이 중 중심이 된 군현의 통합·분리·피폐와 혁파된 후 10년이 경과된 군현의 복치는 효과적이고 원활한 지방통치, 중죄인 출신 군현의 혁파는 조선왕조의 정치·사회체제를 유지하기 위한 것에서 기인되었다. 이를 볼 때 조선 중·후기 군현의 혁파와 복치는 주로 조선왕조의 정치·사회체제를 유지하기 위한 군현의 통합·분리·피폐, 중죄인과 관련된 군현의 연대책임과 한시적인 징벌에서 기인되었다고 하겠다.

---

26) 『경상도읍지』 순흥부 건치연혁.

27) 『경기도읍지』 양주목·파주목 건치연혁.

28) 신치되고 혁거·복치된 군현의 배경과 군현수는 다음의 표와 같다(『조선왕조실록』, 『신증동국여지승람』, 『증보문헌비고』, 『경기도읍지』 등에서 종합).

	군현 분리	군현 통합	국방 강화	불충인 등 출신지	피폐	준년(10년) 경과	기타·불명	합계
신치	3*1	1	4*2					8
혁거		20		11	15		9	55
복치	29					13	8	50

2) 昇格과 降格

(1) 승격

군현의 승격은 다음에 제시된 예와 같이 수도와 국경방어 강화(①), 왕비출신지·왕릉소재지·왕의 태 봉안지 등 왕실연고지(②), 감영·수영소재지(③), 변란에 주민이 전공을 세운 군현(④), 변란시에 주민이 충절을 보인 군현(⑤), 『조선왕조실록』을 소장한 군현(⑥), 읍호가 강격된 후 10년이 경과하면 다시 복구시킨다는 규정에[29] 따라 승격한 군현(⑦), 복위된 단종 연고지(⑧) 등이 읍격이 승격되거나 강격되었던 읍격이 다시 복구되면서 있게 되었다.

① ㉠ 숙종 28년에 북방의 방어강화와 관련되어 慈山郡이 도호부로 승격되었다.[30] ㉡ 광해군 10년에 수도방어와 관련되어 江華都護府가 府尹府로 승격되었다가 인조 5년에 다시 留守府로 승격되었고,[31] 숙종 20년에 通津縣이 현내에 축조한 文殊山城의 관장과 관련되어 도호부로 승격되었다.[32]

② ㉠ 효종 1년에 왕비 仁宣王后 張氏의 성관지인 豊德郡이 도호부로 승격되었고,[33] ㉡ 인조 10년에 金浦縣이 그 5년 전에 長陵(인조의 생부 元宗陵)이 양주에서 관내로 遷葬됨에 따라 군으로 승격하였으며,[34] ㉢ 중종 4년에 加平縣이 관내에 소재한 중종태실로 인해 군으로 승격되었다.[35]

---

29) 앞 주 21) 참조.
30) 『숙종실록』 권36, 28년 5월 병오.
31) 『광해군일기』 권129, 10년 6월 ; 『강화부읍지』 건치연혁.
32) 『숙종실록』 권27, 20년 9월 무인.
33) 『황해도읍지』 풍덕부 연혁.
34) 『인조실록』 권26, 10년 5월 을사 ; 『경기도읍지』 김포군 연혁.
35) 『중종실록』 권4, 2년 10월 병술 ; 『경기도읍지』 가평군 연혁.

③ ㉠ 광해군 10년에 永平縣이 抱川縣을 병합하여 경기도감영지가 되면서 대도호부로 승격하였고,36) 숙종 45년에 甕津縣이 황해도수영이 되면서 도호부로 승격하였다.37)

④ 선조 31년에 蔚山郡이 왜란시에 군내 의병의 전공으로 도호부로 승격하였다.38)

⑤ 선조 34년에 昌原都護府가 왜란시에 부민이 합심하여 성을 지키고 전란 중 1명도 왜군에게 항복하지 않은 행의로 大都護府로 승격되었다.39)

⑥ 인조 11년에 茂朱縣이 妙香山史庫에 봉안된 實錄이 현내의 赤裳山史庫에 옮겨져 수장됨에 따라 도호부로 승격되었다.40)

⑦ 효종 4년에 강격된 후 10년이 경과된 公山·錦山·龍潭縣이 "강격된 후 10년(준년)이 경과하면 복구한다"는 법규41)에 따라 公州牧, 錦山郡, 龍潭縣 令官으로 승격되었다.42)

⑧ ㉠ 숙종 24년에 寧越郡이 그 15년 전에 복위된 단종릉(長陵)의 소재지라 하여 도호부로 승격되었고,43) 숙종 25년에 단종비 송씨의 본관지인 礪山郡이 도호부로 승격되었다.44)

---

36) 『경기도읍지』 영평군 연혁.
37) 『황해도읍지』 옹진부 연혁.
38) 『경상도읍지』 울산부 연혁.
39) 『경상도읍지』 창원부 연혁.
40) 『충청도읍지』 무주부 연혁.
41) 『중종실록』 권91, 30년 9월 정유 ; 『효종실록』 권14, 6년 1월 무자 ; 『정조실록』 권19, 8년 1월 계해, 외.
42) 『효종실록』 권14, 6년 1월 무자.
43) 『강원도읍지』 영월부 건치연혁.
44) 『전라도읍지』 여산부 연혁.

(2) 강격

군현의 강격은 다음에 제시된 예와 같이 반란지·대역죄인 출신지(①), 불효·종이 주인을 살해하는 등 강상죄 발생지(②), 殿牌亡失地(③), 감·병·수영 이설(④), 폐왕 연고지(⑤)인 군현이 각각 현감관 등으로 강격되었다.

① ㉠ 숙종 23년에 가평군이 李永昌의 반란으로 현감관이 되었고,[45] ㉡ 영조 40년에 長淵都護府가 부민이 가렴주구를 일삼은 屯監(둔전감독관)을 살해한 일, 순조 12년에 宣川府와 鐵山府 수령이 홍경래군에게 항복한 일로 각각 현으로 강격되었으며,[46] ㉢ 영조 31년에 역적태생지라 하여 春川府, 忠州牧, 陽川縣令官이 모두 縣監官으로 강격되었다.[47]

② ㉠ 중종 38년에 安城郡과 義城縣令官이 주민이 범한 강상죄로 현감관으로 강등되었고,[48] ㉡ 영조 12년에 星州牧이 관아노비가 목사를 살해한 일로 현으로 강격되었다.[49]

③ 현종 2년에 昌原大都護府가 殿牌의 투실로 현으로 강격되었다.[50]

④ ㉠ 중종 4년에 永興府尹府가 함흥으로 감영이 이전됨에 따라 대도호부로 강격되었고,[51] ㉡ 성종 20년에 경상우도수영이 설치에 따라 도호부로 승격된 巨濟가 수영이 烏牙浦로 이전됨에 따라 현으로 강격되었다.[52]

---

45) 『경기도읍지』 가평군 연혁.
46) 『황해도읍지』 장연현 연혁, 평안도읍지 선천부·철산부 연혁.
47) 『영조실록』 권85, 31년 6월 계묘.
48) 『중종실록』 권100, 38년 4월 을유.
49) 『영조실록』 권42, 12년 10월 을축.
50) 『경상도읍지』 창원부 연혁. 전패는 조선시대에 각 고을의 객사에 봉안한 왕을 상징하는 '殿'자를 새긴 나무 패인데, 동지·신정·국왕탄일 등 조하와 기타 하례의식이 있을 때 수령 이하의 관원과 백성들이 이를 받들고 경배하였다.
51) 『함경도읍지』 영흥부 연혁.
52) 『경상도읍지』 거제부 연혁.

⑤ ㉠ 중종 1년에 연산군의 외향으로 인해 승격되었던 咸安都護府와 왕비 愼氏의 본관지라 하여 승격된 居昌郡이 군과 현으로 강격되었고,[53] ㉡ 인조 1년에 광해군이 왜란시에 세자로서 廟社를 받들고 현에 撫軍司를 설치하고 군민을 위무한 일로 승격되었던 伊川都護府가 현으로 강격되었다.[54]

이처럼 조선 중·후기 군현은 내외방어·왕실존숭·전란 유공군현 표창·강격된 후 10년 경과 등으로 승격되었고, 반란·불충·중죄인 출신지와 감영이설 등으로 강격되었다. 그런데 이러한 사유와 관련되어 강격되고 승격된 군현을 보면 각각 반란·중죄인·강상죄 발생과 내외방어·왕실존숭·강격된 후 10년 경과 등 이었다. 또 그 중 중심이 되는 사유를 보면 강격의 반란·중죄인·강상죄인은 조선의 정치·사회체제를 유지·강화하기 위한 것이었다. 승격은 왕실존숭과 체계적이고 효율적인 내외방어·지방통치를 위한 것이었다. 이를 볼 때 조선 중·후기의 군현의 강격과 승격은 주로 조선왕조의 정치·사회체제 유지와 왕실존숭·국방·지방통치의 강화에서 기인되었다고 하겠다. 강격되고 승격된 군현의 배경과 군현수를 정리하면 다음의 표와 같다.

〈표 5-1〉 조선 중·후기 강격·승격군현 배경과 수[55]

	반란 군현	중죄인 출신지	강상죄 발생지	전패 망실	감영 등 이설	내외 방어	감병영 소재지	전공	왕실 존숭	준년(10년) 경과	기타 및 불명	합계
강격	8	22	15	2	4						18	67
승격						27	3	4	14	47	2	97

---

53) 『중종실록』 권1, 1년 9월 을미.
54) 『강원도읍지』 이천부 건치연혁.
55) 『조선왕조실록』, 『신증동국여지승람』, 『증보문헌비고』, 『경기도읍지』 등에서 종합, 중복군현 제외.

3. 郡縣의 設置·革去와 復置

1485년(성종 16) 반포된『경국대전』에는 慶州·全州·永興·平壤府尹府 이하 4 大都護府·20 牧·44 都護府·82 郡·33 縣令官·141 縣監官의 총 329개 군현이 있었다.[56] 이때의 군현이 이후 조선의 마지막 법전인『대전회통』이 반포되는 1865년(고종 2)까지 즉 조선 중·후기에[57] 어떠한 변천을 거치면서 운영되었겠는가? 여기에서는 그 중 이 시기에 설치, 혁거, 복치된 군현을 살펴본다.

1) 設置

조선 중·후기에 설치(신치)된 군현은 인조 15년에 경주부윤부의 속현인 慈仁에 현감관을 설치하면서 비롯되었고,[58] 이후 1865년(고종 2)까지 漆谷都護府(인조 18)·金川郡(효종 2)·英陽縣(숙종 1)·順興都護府(숙종 9)·茂山都護府(숙종 10)·長津都護府(정조 11)·厚州都護府(순조 22) 등 8개 군현이 설치되었다.[59]

2) 革去

조선 중·후기에 혁거된 군현은 연산군 11년에 楊州牧·坡州牧이 혁거되면서 비롯되었고,[60] 이후 고종 2년까지 55개 군현이 혁거되었다. 이 시기에 혁거된 군현을 왜란, 정치운영, 법전편찬 등과 관련하여 성종 17~선조 24년·선조

---

56) 한충희, 앞 논문, 202~203쪽.
57) 시기구분의 기준은 앞 주 11) 참조.
58)『인조실록』권28, 11년 1월 경자,『경상도읍지』자인현 연혁.
59) 뒤 5장 〈별표〉에서 종합. 장진은 장진진이 승격되면서 설치되었다.
60)『경기도읍지』양주목·파주목 건치연혁.

25~인조 27년·효종 1~영조 22년·영조 23~정조 9년·정조 10~고종 2년으로
구분하여[61] 살펴보면 다음과 같다.

⟨표 5-2⟩ 조선 중·후기 혁거 군현 일람표⟨( ) 복치 제외⟩[62]

	목	도호부	군	현령관	현감관	합계
성종 17~선조 24년	4(0)	0	3(0)	0	2(0)	9(0)
선조 25~인조 27	1(0)	0	1(0)	5(0)	24(2)	31(2)
효종 1~영조 22	0	0	2(1)	1(1)	13(1)	16(3)
영조 23~정조 9	0	0	1(0)	0	0	1(0)
정조 10~고종 2	0	1(1)	0	0	0	1(1)
합계	5(0)	1(1)	7(1)	6(1)	39(3)	55(6)

성종 17~선조 24년에는 위에서 언급된 양주·파주목을 포함하여 다음의
표와 같이 4목·3군·2현감관의 9군현이 혁거되었다. 선조 25~인조 27년에는
1목·1군·5현령관·24현감관의 31군현이 혁거되었다. 효종 1~영조 22년에는
2군·1현령관·13현감관의 16군현이 혁거되었다. 영조 23~정조 9년과 정조
10~고종 2년에는 각각 1개 군현이 혁거되었다.

그런데 다음 절에서 분석되었음과 같이 성종 17~선조 24년 등의 시기에
혁파된 군인은 10년(만9년)이 경과된 뒤에는 성종 16~선조 24년·영조 23~정
조 9년에는 혁파된 군현 모두가 복치되었고, 선조 25~인조 27년·효종 1~영조
22년에는 각각 4 군현(그 중 2군현은 효종 7년에 복치)과 2 군현을 제외한
모두가 복치되었으며, 정조 10~고종 2년에는 혁파된 1곳이 복치되지 않은
등 총 6개 군현을 제외한 49개 군현이 복치되었다.

또 조선 중·후기에는 뒤의 ⟨표 5-6⟩과 같이 총 55개 군현이 혁거되었는데,
이를 도별로 보면 각각 경기도는 11개, 충청도는 9개, 경상도는 15개, 전라도
는 9개, 강원도는 1개, 황해도는 4개, 함경도는 1개, 평안도는 2개 군현으로
경상도가 가장 많고 경기, 충청·전라, 황해, 평안, 강원·함경도의 순서였다.

---

61) 시기구분 기준은 앞 주 11) 참조.
62) 5장 ⟨별표⟩에서 종합.

즉 경기도와 하삼도는 혁거와 복치 등 군현의 변동이 심하였고, 강원·황해도
와 양계는 큰 변동이 없었다. 이를 볼 때 다수의 군현이 혁거·복치된 선조
25~정조 9년의 경기·충청·경상·전라도는 지방통치에 상당한 혼란과 부작용
을 야기하였을 것으로 추측된다. 그렇기는 하나 이 경우에도 조선 중·후기를
통하여 그 군현민에 대한 징계와 관련되어 혁파된 군현의 대부분이 10여
년 뒤에 복치되었기에 그 부작용은 단기간에 그쳤기에 군현제의 운영에
큰 변동이 없었고, 또 군현제에 토대한 지방통치에 크게 영향을 미치지
못하였다고 하겠다.

3) 復置

조선 중·후기에 복치된 군현은 중종 1년에 연산군 10년에 혁거되었던
楊州牧·坡州牧을 복치하면서 비롯되었고, 이후 고종 2년까지 혁파된 55개
군현 중 50개 군현이 복치되었다. 이 시기에 복치된 군현을 성종 17~선조
24년·선조 25~인조 27년·효종 1~영조 22년·영조 23~정조 9년·정조 10~고종
2년으로 구분하여 살펴보면 다음과 같다.

〈표 5-3〉 조선 중·후기 복치 군현 일람표〈( )는 혁파 군현, 중복 제외〉[63)]

	목	도호부	군	현령관	현감관	합계
성종17~선조24	4(4)	0	3(3)	0	2(2)	9(9)
선조25~인조27	1(1)	0	1(1)	5(5)	22(24)	29(31)
효종1~영조22	0	0	1(2)	0(1)	12(13)	13(16)
영조23~정조9	0	0	1(1)	0	0	1(1)
정조10~고종2	0	0(1)	0	0	0	0(1)
합계	5(5)	0(1)	6(7)	5(6)	36(39)	50(55)

성종 17~선조 24년에는 위의 표와 같이 4목·3군·2현감관의 9군현이 복치

---

63) 5장 〈별표〉에서 종합.

되었고, 선조 25~인조 27년에는 1목·1군·5현령관·22현감관의 29군현, 효종 1~영조 22년에는 1 군·12 현감관의 13 군현, 영조 23~정조 9년에는 1 군현이 각각 복치되었으며, 정조 10~고종 2년에는 복치된 군현이 없었다.

그런데 이처럼 복치된 군현수를 〈표 5-2〉의 혁파된 군현수와 비교하여 보면 성종 17~선조 24년·영조 23~정조 9년에는 혁파된 모든 군현이 복치되었고, 선조 25~인조 27년·효종 1~영조 22년에는 2개와 1개 군현을 제외한 대부분의 군현이 복치되었으며, 정조 10~고종 2년에는 복치된 군현은 없지만 혁파된 군현이 1개에 불과하기 때문에 별 의미가 없다. 이를 볼 때 조선 중·후기를 통하여 혁파된 대부분의 군현이 10여 년 뒤에 복치되었다고 하겠는데, 이것은 각종 범죄와 관련된 군현을 징계하여 도모하기는 하였지만 조선의 군현은 인구수의 다과와 토지의 넓이[64] 를 토대로 설정되었기에[65] 효율적이고 합리적인 지방통치를 위해서는 영구적으로나 장기적으로 혁파할 수 없었음에서 기인되었다고 하겠다.

이상에서 조선왕조는 조선 중·후기를 통하여 왕조의 정치·사회체제를 유지하고 강화하기 위하여 반란·불충·강상죄를 범한 인물의 출신 군현을 혁파하였고, 혁파된 군현은 10년이 지난 뒤에 복치하여 효율적이고 원활한 지방통치를 도모하였다.

---

64) 이존희, 위 책, 185쪽(『세종실록』 권2, 즉위년 12월 갑진 ;『문종실록』 권8, 1년 6월 무진, 외). 조선초기에는 현이 1,000호 이상이 되면 군, 군이 1,000호 이상이 되면 도호부로 승격되었다. 부윤부는 조선왕조의 근거지와 역대 왕조의 서울이었고, 목·대도호부는 고려중기 이래로 각도의 계수관이거나 중심이 된 고을이었다.

65) 『世宗實錄地理志』와 이 이후에 편찬된 지리지와 읍지의 군현영역을 보면 4계가 산과 하천으로 명기되었다. 이 점은 군현의 읍호와 영역이 인구·전결과 지형을 토대로 상정되고 운영되었음을 잘 보여준다고 하겠다.

240

4. 郡縣의 昇格과 降格

1) 昇格

조선 중·후기 군현의 승격은 성종 20년에 巨濟縣令官이 都護府로 승격되면서 비롯되었고, 이후 고종 2년까지 72개 현감관 등 97개 군현이 현령관~부윤부로 승격되었다(중복 제외). 이 시기에 혁거된 군현을 왜란, 정치운영, 법전편찬 등과 관련하여 성종 17~선조 24년·선조 25~인조 27년·효종 1~영조 22년·영조 23~정조 9년·정조 10~고종 2년으로 구분하여 살펴 보면 다음과 같다.

〈표 5-4〉 조선 중·후기 승격 군현 일람표[66]

	현감관→현령관~대도호부	현령관→군~대도호부	군→도호부, 부윤	도호부→목~부윤부	목→부윤부	부윤부→유수부	합계(중복제외)
성종16~선조24년	9[*1]	1(도호부)	6[*2]	2(목·대도호부)	1	0	19(18)
선조25~인조27	21(20)[*3]	3(군·도·대도)	7[*4]	3(목·대도·부윤)	1	2	37(33)
효종1~영조22	43(36)[*5]	3(도)	6(도)	1(부윤)	1	0	54(47)
영조23~정조9	9[*6]	0	0	0	0	1	10(9)
정조10~고종2	17(15)[*7]	0	0	0	0	0	17(15)
합계	92(72)	7	21(19	6(5)	3	3(2)	137(97)

*1 군 2·도호부 4·목 3　　　　　　*2 도호부 4·목 1·부윤 1
*3 현령 1·군 4·도호부 10·목 5　　*4 도호부 6·목 1
*5 군 11·도호부 14·목 9·대도호부 2　*6 군 3·도호부 5·목 1
*7 군 6·도호부 2·목 6·대도호부 1

성종 17~선조 24년에는 다음의 표와 같이 忠州牧이 강격된 維新縣 등

---

66) 5장 〈별표〉에서 종합.

9개현이 군·도호부·목에 승격되었고, 거제현령관이 도호부, 咸興郡 등 6개 군이 도호부·목·부윤부, 江陵都護府와 原州都護府가 대도호부와 목, 廣州牧이 부윤부에 각각 승격되는 등 18개 군현이 현령관 이상에 승격되었다.

선조 25~인조 27년에는 臨陂 등 20개 현이 현령관·군·도호부·목에 승격되었고, 永平 등 3개 현령관이 군·도호부·대도호부, 江華 등 7개 군이 도호부·목, 강화 등 3개 도호부가 목·대도호부·부윤부, 義州牧이 府尹府로 승격되었으며, 江華·廣州府尹府가 留守官으로 승격되면서 경관이 되는 등 33개 군현이 승격되었다.

효종 1~영조 22년에는 醴泉 등 36개 현이 군·도호부·목·대도호부로 승격되었고, 三和 등 3개 현령관이 도호부, 慈山 등 6개군이 도호부, 慶州都護府가 부윤부, 慶州牧이 부윤부로 승격되는 등 47개 군현이 승격되었다.

영조 23~정조 9년에는 長淵 등 9개 현이 군·도호부·목으로 승격되었고, 廣州府尹府가 留守府로 승격되면서 경관이 되는 등 9개 군현이 승격되었다.

정조 10~고종 2년에는 大靜 등 15개 군이 군·도호부·목·대도호부로 승격되었다.

이처럼 성종 17~고종 2년에는 총 97개의 현감관·현령관·군·도호부·목·부윤부가 현령관~부윤부와 경관인 유수부에 승격하였다. 그런데 이 시기에 강격된 군현은 총 65개였다. 이를 볼 때 조선중기를 통해서 승격 군현 중 65개 군현은 강격된 후 복구되면서 있게 된 승격이었고, 그 외의 32개 군현은 『경국대전』에 규정된 읍격 보다 승격되었다고 하겠다. 이때의 32개 군현은 조선 중·후기를 통하여 운영된 군현수가 329~321였음을 감안할 때 조선 중·후기에는 군현이 승격되면서 군현제가 변천되는 경향이 현저하였다고 하겠다.

2) 降格

조선 중·후기에 강격된 군현은 성종 25년에 巨濟都護府가 縣令官으로 강격되면서 비롯되었고, 이후 고종 2년까지 67개 군현이 강격되면서 운영되었다. 이 시기에 혁거된 군현을 왜란, 정치운영, 법전편찬 등과 관련하여 성종 17~선조 24년·선조 25~인조 27년·효종 1~영조 22년·영조 23~정조 9년·정조 10~고종 2년으로 구분하여 살펴보면 다음과 같다.

〈표 5-5〉 조선 중·후기 강격 군현 일람표[67]

	유수→ 부윤부	부윤부→ 대도호부, 목, 도호부	대도호부, →도호부, 군, 현감관	목→ 도호부, 군, 현	도호부→ 군, 현	군→ 현	현령관→ 현감관	합계 (중복 제외)
성종17~ 선조24	0	1(대도호부)	3(부,2)	4(부1·군1·현2, 3)	7(군3·현3)	0	0	15(13)
선조25~ 인조27	1	0	1(군)	8(현, 6)	4(현, 3)	4	1	21(18)
효종1~ 영조22	0	2(목·부, 1)	2(현)	10(현, 7)	10(현, 9)	11(10)	0	35(29)
영조23~ 정조9	0	0	1(현)	2(현)	4(현)	3	0	10(10)
정조10~ 고종2	0	0	0	7(6, 현)	6(현)	1	0	17(16)
합계	1	3(2)	7(4)	29(11)	32(27)	19(16)	1	98(67)

성종 17~선조 24년에는 다음의 표와 같이 永興府尹府가 大都護府로 강격되었고, 江陵 등 2개 대도호부가 도호부, 忠州 등 4개 목이 도호부·군·현, 7개 도호부가 군·현으로 강격되는 등 13개 군현이 강격되었다.

선조 25~인조 27년에는 경관이던 廣州留守府가 府尹府로 강격되면서 외관이 되었고, 鈴平大都護府가 군, 忠州 등 6개 목·利川 등 2개 도호부·咸陽 등 4개 군·臨陂縣令官이 현감관이 되는 등 18개 군현이 강격되었다.

---

67) 5장 〈별표〉에서 종합.

효종 1~영조 22년에는 慶州府尹府가 목과 도호부로 강격되었고, 江陵 등 2대도호부·淸州 등 7목·仁川 등 9개 도호부·瑞山 등 10개 군이 현감관이 되는 등 29개 군현이 강격되었다.

영조 23~정조 9년에는 江陵大都護府·淸州牧이 현감관이 되었고, 利川 등 6개 도호부·瑞山 등 3개 군이 현감관이 되는 등 10개 군현이 강격되었다.

정조 10~고종 2년에는 淸州 등 5개 목이 현감관이 되었고, 順天 등 5개 도호부와 安岳郡이 현감관이 되는 등 16개 군현이 강격되었다.

이들 강격된 군현의 복구(승격)를 보면 강릉도호부 등 65개 군현은 강격되기 이전의 읍격으로 복구되었고, 영흥대도호부와 안변도호부의 2개 군현은 원래의 읍격으로 복구되지 않고 그대로 계승되었다. 이를 볼 때 조선 중·후기에는 왕조의 정치·사회체제를 유지하고 강화하기 위하여 그에 저촉된 행위를 한 인물의 출신지를 징계하기 위하여 대대적으로 강격하였지만 효율적인 지방통치상 10여 년이 경과한 뒤에는 불가피하게 원래의 읍격으로 복구시켰다고 하겠다.

이상에서 조선 중·후기의 군현은 왕조의 정치·사회를 유지하면서도 효율적인 지방통치와 국방을 위해 중죄를 범한 인물의 출신군현을 강격하나 일정기간이 경과한 뒤에는 복구할 수밖에 없었고, 국방을 강화하고 왕실의 위엄을 높이기 위해 다수의 연변과 내륙요충지 및 왕실연고지를 승격시켰다고 하겠다.

5. 郡縣變遷과 國防·地方統治

1) 郡縣變遷과 國防

조선 중·후기에는 위에서 살핀 바와 같이 8개 군현이 설치되고, 55개 군현이 혁거되고, 3개 군현이 경관으로 전환되었으며, 50개 군현이 복치되고, 97개 군현이 승격되며, 67개 군현이 강격되었다. 이처럼 변천된 군현의 변천시기를 보면 다음의 표와 같이 성종 16~선조 24년에는 9개 군현이 혁거되었다가 복치되었고, 15개 군현이 강격되고 18개 군현이 승격되는 등 27개 군현이 변천되었다. 선조 25~인조 27년에는 2개 군현이 설치되었고, 31개 군현이 혁거되었고 27개 군현이 복치되었으며, 18개 군현이 강격되고 34개 군현이 승격 및 1군현이 경관으로 전환되는 등 70개 군현이 변천되었다. 효종 1~영조 22년에는 4개 군현이 설치되었고, 17개 군현이 혁거되고 16개 군현이 복치되었으며, 29개 군현이 강격되고 47개 군현이 승격 및 1군현이 경관이 되는 등 68개 군현이 변천되었다. 영조 23~정조 9년에는 1개 군현이 혁거되었다가 복치되었고, 10개 군현이 강격되고 8개 군현이 승격되는 등 11개 군현이 변천되었다. 정조 10~고종 2년에는 2개 군현이 설치되고 1개 군현이 혁거되었으며, 17개 군현이 강격되고 22개 군현이 승격 및 1군현이 경관이 되는 등 26개 군현이 변천되었다.

〈표 5-6〉 조선 중·후기 군현 시기별 변천 일람표(( )는 중복 제외)[68]

	성종16~ 선조24년	선조25~ 인조27	효종1~ 영조22	영조23~ 정조9	정조10~ 고종2	합계
설치	0	2	4	0	2	8
혁거	9(9)	31(31)	18(17)	1(1)	1(1)	60(55)
경관	0	2(1)	1	0	1	4(3)
복치	9(9)	27(27)	17(16)	1(1)	0	54(50)
강격	17(15)	21(18)	34(29)	10(10)	18(17)	100(67)
승격	19(18)	36(34)	54(47)	8(8)	24(22)	141(97)
계	28(27)	72(70)	71(68)	11(11)	26(26)	208(152)

이때 승격된 97개 군현을 보면 48개 군현이 강격되었다가 승격되었고, 5개 군현이 승격되었다가 강격되었고, 43개 군현이 승격되거나 강격·승격된

68) 계는 중복을 제외한 수이고 ( )는 각각 선조 24년·인조 27년·『속대전』·『대전통편』·『대전회통』에 규정된 군현수이다.

뒤 다시 승격되었다. 이 중 승격되거나 강격·승격된 뒤 다시 승격된 43개 군현의 승격된 배경은 63%인 27개 군현이 국방이었고, 70%인 30개 군현이 선조 25~영조 22년이었으며, 72%인 31개 군현이 경기·경상·전라·평안도였 다.[69]

한편 조선 중·후기의 군사제도와 국방정책을 보면 왜란과 호란의 수습, 왜란과 호란에서 제기된 도성·경기지방과 경상·전라·함경도 지역이 중심이 된 연안·남북내륙의 요충지에 대한 방어를 강화하기 위하여 임시기구이던 備邊司를 상설기구로 개편하고 최고의 정치·군사기구로 운영하였고,[70] 5위 제를 5군영제로 개편하였다.[71] 개성부 이외에 강화·수원·광주를 유수부로 승격하여 도성방어의 거점으로 삼았고,[72] 경상·전라·함경도를 중심한 전국 의 연안·내륙 요충지에 다수의 성곽을 수축하고 군·현을 도호부로 승격하였 다.[73] 또 왕실의 존숭과 관련되어 왕릉의 관리하는 능관을 종9품의 참봉

---

69) 5장 〈별표〉 참조.
70) 비변사는 중종 5년에 삼포왜란을 기해 설치되었고, 선조 25년 임진왜란이 일어나자 상설기관이 되고 의정부를 제치고 최고의 정치·군사기구가 되었으며, 이후 고종 2년 의정부에 병합되면서 소멸되기까지 선혜청·6조·5군영 등을 지휘하면서 국정을 통령하고 주도하였다(비변사의 설치배경과 조직·기능은 潘允洪, 2003, 『朝鮮時代 備邊司研究』, 景仁文化社 ; 李在喆, 2001, 「朝鮮王朝의 留守府經營」, 『朝鮮後期 備邊司研 究』, 集文堂 참조).
71) 5군영은 왜란 중인 선조 27년에 수도경비·군사훈련을 위하여 훈련도감을 설치하면서 비롯되었고, 이후 인조 2년에 수도방어를 위한 어영청과 경기도방어를 위한 총융청, 인조 4년에 남한산성을 방어하기 위한 수어청, 숙종 8년에 궁중수비를 위한 금위영이 설치되면서 종결되었고, 이후 정조 17년에 수어청의 혁파를 시작으로 고종 31년 훈련도감이 혁파되기까지 조선후기 중앙군의 중추가 되었다(5군영의 설치배경과 운영·기능은 차문섭, 1998, 「중앙 군영제도의 발달」, 『한국사』 30 참조).
72) 강화유수부는 인조 5년에 부윤부, 수원유수부는 정조 17년에 도호부, 광주유수부는 인조 1년과 영조 26년에 각각 부윤부로 승격되면서 성립되었고, 이후 한말까지 계속되었다(이존희, 앞 책, 269~296쪽에서 종합).
73) 대표적인 예로 선조 37년 인동현에 천생산성, 인조 18년 팔거현에 가산산성을 축조하 고 각각 인동현과 팔거현을 도호부로 승격하여 주관시킨 것 등이 있다. 그 외에 조선후기에 수축된 산성과 그로 인해 승격된 군현은 車勇杰, 1980, 「朝鮮後期 防禦施設 의 整備過程」, 『韓國史論』 7, 국사편찬위원회 ; 1981, 「朝鮮後期 防禦施設의 變化過程」,

2인에서 종5품 영 이하 2인으로 승격시키는가 하면,[74] 조선초기와 같이 국왕태 봉안지·왕비출신지 등의 군현을 승격시키고 국왕의 생부 분묘 소재지 등 왕실관련 군현을 승격하였다.[75]

이를 볼 때 조선 중·후기에 43개 군현이 현감관에서 군 이상으로 승격되게 된 것은 대개는 왜란과 호란 이후에 남방의 북방의 침입으로부터 도성·경기와 연안·남북내륙의 방어를 강화하기 위한 국방책에서 기인되었고, 부분적으로는 왕실을 존숭하기 위한 의례적인 왕실관련지의 승격에서 기인되었다고 하겠다. 즉 조선 중·후기의 군현승격은 도성과 연안·남북요충지의 방어강화와 왕실존숭에서 기인되었다고 하겠다.

2) 郡縣變遷과 地方統治

앞에서 검토하였듯이 조선 중·후기에는 63개 군현이 신치·혁거·혁거후 복치되고 3개 군현이 유수부로 승격하면서 경관이 되었으며, 97개 군현이 강격·승격·강격후 승격·승격후 강격되었다. 이처럼 변천된 군현을 도별로 보면 다음의 표와 같이 경기도가 33개 군현 중 24개 군현이 변천하여 변천된 군현의 비율이 73%로 가장 높고, 황해도(64%), 경상도(46%), 전라도(45%), 함경도(44%), 평안도(43%), 충청·강원도(35%)의 순서였으며, 전국적으로는 321개 군현 중 152개 군현 47%가 변천을 겪었다.

『韓國史論』 9 참조.

74) 숙종 32년까지는 각릉에 참봉 2인을 두어 관리하다가 숙종 33년에 齊陵 등에 종7품 直長·종9품 參奉 각1인, 獻陵 등에 종8품 奉事·참봉 각1인을 두어 관리하였고(그 외의 厚陵 등은 참봉 2인), 고종 2년까지 令(종5)·참봉 각1인, 직장·참봉 각1인, 봉사·참봉 각1인, 別檢(종8)·참봉 각1인, 직장 1인, 참봉 1인을 두어 관리하는 것으로 개정되었다(『증보문헌비고』 권224, 직관고 11 諸陵官조 ; 『대전회통』 권1, 이전 경관 직 각릉조에서 종합).

75) 앞 2)-(1)-② ㉠~㉢ 참조. 조선 중·후기를 통해 10여 군현 이상이 승격되었다.

〈표 5-7〉 조선 중·후기 도별 혁거·복치 군현 일람표76)

	신치·혁거·복치					강격·승격·강승·승강					합계 (총군현수)
	신치	혁거	경관	혁거·복치	계	강격	승격	강격·승격	승격·강격	계	
경기도	0	1	3	11	13	0	8	5	0	13	24(33)
충청도	0	0	0	10	9	0	4	5	1	10	19(54)
경상도	3	1	0	16	18	0	8	6	1	15	33(71)
전라도	0	0	0	8	9	0	6	10	1	17	25(56)
강원도	0	0	0	1	1	0	2	6	0	8	9(26)
황해도	1	3	0	1	5	0	2	6	1	9	14(22)
함경도	3	0	0	1	4	2	4	2	0	8	11(25)
평안도	0	0	0	2	2	0	9	8	1	18	18(42)
계	8	5	3	50	63	2	43	48	5	97	152(321)

한편 조선시대의 道名은 관내 군현을 대표하는 두 읍호(首府, 界首官)의 첫 글자에서 기인되었다. 그런데 조선 중·후기에는 도명의 토대가 된 계수관이 군현의 변천에 따라 혁파·복구되는가 하면 자주 읍호가 강격·승격되었다. 이러한 군현의 변천과 관련되어 경기·경상·평안도와 영안도는 변동없이, 영안도는 중종 4년에 함경도로 개칭된 후 조선말까지 변동없이 계승되었지만 그 외의 충청·전라·강원·황해도는 다음에 제시된 강원도의 예와 같이 수시로 차례에 걸쳐 개칭되면서 계승되었다.

江原道는 1395년(태조 4)에 강원도가 되었고,77) 이후 현종 6년까지 이 명칭이 그대로 계승되다가 현종 7년에 江陵大都護府가 縣으로 강격되면서 原州牧과 襄陽都護府가 계수관이 되면서 原襄道로 개칭되었으며,78) 이어 숙종 18년에 原州牧이 縣으로 강격되면서 숙종 1년에 현에서 대도호부로 승격되었던 江陵과 襄陽이 계수관이 되면서 江襄道가 되었다.79) 다시 숙종

---

76) 뒤 5장 〈별표〉에서 종합. 합계는 치·폐와 승·강이 중복된 군현은 중복을 제외한 수이고, 총군현수는『대전회통』(고종 2)에 규정된 군현 수이다.

77)『태조실록』권7, 4년 6월 을해.

78)『현종실록』권11, 7년 2월 계축 ;『강원도읍지』강릉대도호부·원주목·양양도호부 건치연혁.

79)『숙종실록』9년 ;『강원도읍지』강릉대도호부·원주목·양양도호부 건치연혁.

18년에 원주가 목으로 승격되면서 강릉과 원주가 계수관이 되면서 강원도로 개칭되었고, 또다시 1782년(정조 6)에 강릉대도호부가 현으로 강격되면서 원주목과 春川都護府가 계수관이 되면서 原春道로 개칭되었다. 최종적으로 정조 14년에 강릉이 대도호부로 승격되면서 원주와 함께 계수관이 되면서 강원도로 개칭되어 조선말까지 계승되었다.[80]

〈표 5-8〉 조선 중·후기 도명 변천 일람표[81]

	충청	전라	강원	황해		충청	전라	강원	황해
성종16 『경국대전』	충청	전라	강원	황해	숙종15	충청			
중종37	청공				숙종18			강원	
명종4	청홍				숙종20	충홍			
광해군8				황연	영조17		전광		
인조1				황해	영조31	청홍			
인조23		전남			영조40	충청			
효종4	공청				정조2	공홍			
효종7	충홍				정조6			원춘	
현종7			원양		정조10	충청			
현종8	충청				정조14			강원	
숙종6	공청				순조4	공홍			
숙종7	공홍				순조17~ 철종13	공청~ 공홍[82]			
숙종9			강양		고종2 『대전회통』	충청	전라	강원	황해

그런데 조선 중·후기 지방통치를 보면 중앙과 군현의 중간에 위치한 도(관찰사)가 국왕의 위임을 받아 관내의 부윤부 이하 수령을 지휘·감독하면서 도정을 총괄하였고, 부윤부 이하 군현(수령)은 도(관찰사)의 지시·감독을

---

80) 『조선왕조실록』 숙종 18년·정조 6년·정조 14년조 ; 『강원도읍지』 강릉대도호부·원주목·춘천도호부 건치연혁.

81) 『조선왕조실록』 ; 『신증동국여지승람』 충청도읍지 충주건치연혁 ; 『충청북도사』 등에서 종합.

82) 순조 17 공청, 순조 26 공충, 헌종 1 충청, 철종 13 공홍도(『순조실록』 권15, 17년 4월 신유 ; 26년 10월 을해 ; 『철종실록』 권14, 13년 7월 정미).

받으면서 관내의 지방행정을 총괄하였다.[83] 이와 관련되어 도와 군현의 조세·공물의 부과·수납, 군역의 부과를 보면 도(감·병·수사)가 매월 국왕에게 바치는 진상은 도가 관할 군현으로부터 조달하였는데, 이때 군현은 배당받은 진상물을 감·병·수영이나 계수관 등 도회소까지 운송하여 납부하였다.[84] 군현은 전결의 수에 따라 부과받은 액수를 주민에게 배정하여 수납받아 수로나 해로로 서울까지 운송하기 위해 집하하는 조창까지 운송하였다.[85] 군현은 국가와 감·병·수영으로부터 호를 대상으로 생산물·전결수·관아경비를 토대로 토산물로 배정된 공물을 주민에게 배정하여 수납받아 중앙이나 감·병·수영에 납부하였다.[86] 군현은 도로부터 도가 상정한 역을 배당받아 소경전의 다소에 따라 민호에 분정하여 차출하였다.[87] 이점에서 혁거·강격된 군현민과 군현의 변천으로 인한 감영의 이설과 계수관의 개정은 해당 군현민에게 과중한 물질적 부담과 신체적 노고를 야기시켰다고 하겠다.

이를 볼 때 계수관인 목의 혁거·강격과 도호부·군·현령관의 혁거·강격은 비록 10여 년의 기간에 걸치기는 하나 해당 군현으로 하여금 물질적·신체적 부담을 가중시키고, 효율적인 지방통치에 장애가 되었다고 하겠다. 특히 군현의 변천이 심하였던 경기·충청·경상·전라·평안도는 그 정도가 심하고, 황해·강원·함경도도 그 정도가 가볍지 않았다고 하겠다.

또 조선왕조는 왕조의 존속과 중앙집권체제를 유지하고 성리학적 사회질서를 유지하기 위하여 『속대전』·『대전통편』·『대전회통』을 반포하였고 반란

---

83) 張炳仁, 1978, 「朝鮮初期의 觀察使」, 『韓國史論』 4, 서울대학교 인문대학 국사학과, 158~184쪽.
84) 이재룡, 1994, 「진상」, 『한국사』 24, 466~472쪽.
85) 황해·강원도와 경상·전라·충청도의 전세수송과 관련되어 9개의 조창이 운영되었다 (함경·평안도는 군수에 충당하기 위해 仍留(현지에 보관)하였고, 경기도와 강원도 서부는 경창에 직납하였다). 9조창과 그 수세지역·조운로는 최완기, 1994, 「수상교통과 조운」, 『한국사』 24, 526쪽 〈표 1〉, 529쪽 〈지도 1〉 참조).
86) 이재룡, 1994, 「공물」, 『한국사』 24, 457~465쪽.
87) 이재룡, 1994, 「역」, 『한국사』 24, 476~491쪽.

을 일으키거나 강상죄를 범한 인물을 중형에 처하고 그 출신군현을 혁거·강격시키는가 하면, 수시로 전국에 교서를 내려 충효사상을 효유하고 『삼강행실도』·『소학』 등 유교윤리서를 간행하여 보급하였다.[88]

이러한 조선왕조의 노력에도 불구하고 위에서와 같이 반란을 일으키거나 강상죄와 관련되어 징치된 군현이 되었다. 이 중 혁파에 있어서는 또 읍호의 강격에 있어서는 영조 31년 문과 정시에서 李貞觀이 쓴 답지로 인해 이정관이 처형되고 영조 4년에 있었던 李麟佐의 난에 피죄된 몽협 등이 대역으로 재론되면서 이조가

> 역적 태생지를 의금부에서 조사한바 夢協은 春川府, 夢相은 楊州牧, 壽垣은 忠州牧, 寅濟는 양주목, 鳳로은 춘천부, 秀岳은 陽川縣(令官), 楡는 高陽郡 正觀은 海美縣이다. (해군현의) 수령은 파직하지 않는 것이 이미 관례가 되었으니 파직할 수 없고, 양주와 고양은 능침이 있는 곳이니 전례에 따라 읍호를 내릴 수 없으며, 춘천부사, 충주목사, 양천현령은 모두 현감관으로 내리며, 해미현은 (읍호를 내릴 수가 없으니) 반차를 여러 현의 최하에 두어 폄강한 뜻을 보이소서.[89]

라고 啓白하여 허락을 받았듯이 역적의 출신지인 춘천부·충주목·양천현령관은 현감관으로 강격되었고, 해미현은 내려갈 읍호가 없기에 위차가 조정되었으며, 양주목·고양군은 능침소재지이기 때문에 강격되지 않았다.

한편 殿牌를 투실한 군현에 있어서도 현종 1년까지는 현령관 이상은 읍호를 현감관으로 강격하고 현감관은 혁거하였지만 해 군현 수령은 "간민이 수령을 내쫓기 위해 자행하였다"[90] 하여 수령은 치죄하지 않았다. 그러나

---

88) 그중 유교윤리서 간행은 뒤 제6장 주 36) 참조.
89) 『영조실록』권85, 31년 6월 계묘. 현감관은 조선중기에는 혁파되었으나 조선후기에는 단지 위차만 조정되었다(그 사례는 등 참조).

현종 2년 이후에는 전패상실과 관련되어

> 충청도감사가 "溫陽郡에서 전패를 잃어 버렸다. 지금 본도에서는 2년간에 전패를 상실한 한 것이 4번이나 되었다"고 치계하였다. 예조가 "이전부터 전패를 상실한 것은 모두 수령을 쫓아내기 위한 것에서 연유되었다. 수령을 파직하지 않는 것이 이미 관례가 되었다. 단지 전패를 (새로) 만들어 봉안함이 합당하다" 고 하니 왕이 명을 내려 그에 따라 시행하라고 했다.[91]

고 하였고, 이때 온양군은 전패망실과 관련되어 읍호가 강격되지 않았다.[92] 이점에서 현종 2년 이후에는 전패망실이 수령을 쫓아내기 위해서 야기된 것이고 전패망실이 자주 발생하였기 때문에 전패망실과 관련된 징계가 완화되면서 군현의 강격·혁거가 실행되지 못한 것으로 추측된다. 이러한 현감관의 미 혁파·미 강격된 군현을 볼 때 혁거·강격되거나 될 만한 사유가 발생하지 않은 군현은 그렇게 많지 못하였다고 추측된다. 이점에서 조선 중·후기에는 조선왕조의 왕조유지, 통치체제의 정비, 성리학적 윤리관을 고양시키기 위한 반란·강상죄 등을 범한 인물의 출신지를 혁거·강격하는 등으로 징치하였지만, 10여 년이 경과하면 복치·승격하는 등과 관련되어 큰 효과를 거두지 못하고 만연된 것으로 추측된다.

 이를 볼 때 조선 중·후기에 전국에 걸친 대대적인 군현의 혁거·강격과 복치·승격, 이와 관련된 감영의 이설 등으로 인해 해 군현민은 10여 년간에 걸쳐 과중한 물질적·신체적 부담을 지는 등 지방행정에 많은 장애가 야기되었다고 하겠다. 그러면서도 감영의 이설은 새로이 감영이 설치된 대읍의 발전, 특히 도명의 변천이 빈번하였던 충청·강원도 등의 경우 대읍간의

---

90) 『현종실록』 권3, 1년 11월 갑자 ; 『현종개수실록』 권7, 2년 6월 정사.
91) 『현종개수실록』 권7, 2년 6월 정사.
92) 『현종개수실록』 권7, 2년 6월 정사 ; 『충청도읍지』 온양군 건치연혁.

균형잡힌 발전에 기여하였을 것으로 추측된다.

6. 결어 - 郡縣變遷의 意義

지금까지 조선 중·후기 군현의 변천배경, 변천, 군현변천과 국방·지방통치
를 살펴보았다. 이를 요약하면서 결론을 이어보면 다음과 같다.

1485년(성종 16)『경국대전』에 법제화된 조선초기의 군현은 이후『대전회
통』이 반포되는 1865년(고종 2)까지 수백회에 걸쳐 150여의 군현이 설치,
혁거, 복치, 승격, 강격되면서 운영되었다.

조선 중·후기 군현의 변천은 군현의 통합·분리와 국방강화·충절·피폐,
왕실의 존숭, 주민의 반역·불충·불효에 대한 징계와 효율적인 지방통치를
위해 강격·혁거된 후 10년이 경과한 군현을 복구시킨 것 등에서 기인되었다.

조선 중·후기를 통하여 8개 군현이 설치되고 55개 군현이 혁거 및 50개
군현이 복치되었으며, 97개 군현이 강격되고 65개 군현이 승격되었다. 이들
군현은 왜란·호란 후의 외침에 대한 방어강화 등과 관련되어 시기적으로는
대부분이 선조 25~영조 22년이었고, 그 중 읍격이 승격된 군현은 경기·경상·
전라·평안도에 집중되었다.

조선 중·후기에 혁거·복치된 군현은 대부분이 효율적인 지방통치와 관련
되어 혁거·강격된 군현은 10여 년이 경과한 뒤에 복치·승격되었고, 현감관은
강격의 사유가 발생하여도 그 읍격과 관련되어 강격되지 않고 위차가 도내
현감관의 최하위로 상정되었다.

조선 중·후기에는 왜란·호란과 관련되어 외적방어를 위해 군제를 개편하
고 도성·경기도와 연안과 남북의 요충지에 방어시설을 수축하고 소재지의
군현을 승격하여 이를 주관하게 하였고, 지속적으로 왕조·통치체제를 유지
하기 위해 법전을 정비하고 성리학적인 충효사상을 계몽하고 보급하였다.

조선 중·후기에는 정부의 지속적인 왕조·체제정비와 유교윤리관의 보급에도 불구하고 반란·강상죄 등 중죄인의 출현이 계속되면서 전체 군현의 반수 이상이 혁거·강격되는 징벌을 받았고, 그에 따라 징벌된 군현민은 물질·신체적으로 과중한 부담을 지는 등 효율적인 지방통치에 상당한 장애를 야기하였다.

이상에서 조선 중·후기에는 왕조·통치체제의 유지, 효율적인 지방통치, 국방의 강화도모와 관련되어 전 군현의 반수이상이 설치, 혁거, 혁거·복치, 강격, 승격, 강격·승격, 승격·강격되는 등의 변천을 겪었고, 이에 따라 일시적으로 효율적인 지방통치를 저해하였다고 하겠다.

요컨대 조선 중·후기에 전국적으로 광범하게 군현이 변천하게 된 것은 직접적으로는 반란·반역이나 강상죄를 범한 중죄인을 배출한 것 등에서 야기되었지만, 근본적으로는 왕조를 유지하고 국방을 강화하며, 중앙집권·유교적 신분질서를 유지 및 효율적인 지방통치에서 있게 되었다고 하겠다. 참고로 조선 중·후기에 군현의 변천내용과 표로 정리하여 제시하면 〈별표〉와 같다.

경국대전		성종17~선조24	선조25~정조9			정조10~고종1	고종2 『대전회통』
			선조25~인조27	효종1~영조22	영조23~정조9		
경기도	廣州牧	연산군11 혁, 중종6 복, 선조10 부윤부	인조1 유수부, 8 부윤부	영조26 유수부(경관)			
	驪州	→	→	→	→	→	여주목
	坡州	연1 혁, 중종1 복	→	→	→	→	파주
	楊州	연8? 혁, 중6 목	→	→	→	→	양주
	水原都護府	중21 군 30 부	→	→		정17 유수부	
	江華	→	광10 부윤부, 인5 유수부(경관)				
	富平	→	→	→	→	→	부평도호부
	南陽	→	→	→	→	→	남양
	利川	→	광5 현, 인1 부, 22 현	효4 부	정즉 현, 9 복	→	이천
	仁川	→	→	숙14 현, 현9 부	→	순12 현, 21? 복	인천
	長湍	→	→		→	→	장단
				숙20 통진도호부			통진
			인7 교동부	→	정조1현, 3 부		교동
		중38 죽산부, 선17 현	인7 죽산부	→	→	→	죽산
				효1 풍덕도호부	→	순28 혁	
	陽根郡	→	→	효10 혁?, 현9 복	정즉 혁, 9 복	→	양근군
	豊德	→	→	효1 부			
	安山	→	→	→	→	→	안산
	朔寧	→	→	→	→	→	삭령
	安城	→	→	→	→	→	안성
	麻田	→	→	→	→	→	마전
	高陽	연10 혁, 중1 복	→	→	→	→	고양
			인10 김포군				김포
				영7 교하군	→		교하
		중2 가평군	→	숙23 현, 33 군	→	→	가평
			인1 영평군	→	→	→	영평

경기도	龍仁 縣令官	→	인6 현감,관 15 현령관	→	→	→	용인현령관
	振威	→	→	→	→	→	진위
	永平	→	광10 대도호부, 인1 군				
	陽川	→	→	→	→	→	양천
	金浦	→	인10 군				
						정19 시흥 현령관	시흥
	砥平 縣監官	→	→	숙6 혁, 15 복			지평현감관
	苞川	→	선26 혁, 28 복, 광10 혁(영평부), 인1 복	→	→	→	포천
	積城	→	→	→	→	→	적성
	果川	→	→	→	→	→	과천
	衿川	→	선26 혁, 28 복	→	→	정19 개시 흥현령관	
	喬桐	→	→	숙종20 도호부			
	通津	→	→	숙20 도호부			
	交河	→	→	숙13 혁, 16 현, 영7 군			
	漣川	→	→	현3 혁, 숙10 복	→	→	연천
	陰竹	→	선26 혁, 28 복	→	→	→	음죽
	陽城	→	→	→	→	→	양성
	陽智	→	→	→	→	→	양지
	加平	중2 군	→	숙23 현, 33 군			
	竹山	중38 부					
충청도	忠州牧	중35 芮城郡, 36 복, 명5 維新縣, 22 목	광5 忠原縣, 14? 목, 인6 현, 15 목, 23 현	효4 목, 숙6 현, 15 목	영31 현, 40? 목	순7 현, 16? 목	충주목
	清州	연11 혁, 중? 복	→	효종7 서원현, 8 목, 숙종6 현, 15 목, 영조4 현, 16 목	정조1 현	순12 목, 26 현, 헌종1 목, 철종13 현, ? 목	청주
	公州	→	인24 공산현	효1 공주목,	→	→	공주
	洪州	→	→	현2 洪陽縣, 11? 목	→	순12 현, 21? 목	홍주
				현1 청풍부	→	→	청풍도호부
	林川郡	→	→	→	→	→	임천군
	丹陽	→	→	→	→	→	단양
	清風	→	→	현1 부			

도	군현						현지명
충청도	泰安	→	→	→	→	→	태안
	韓山	→	→	→	→	→	한산
	瑞川	→	→	→	→	→	서천
	沔川	→	→	→	→	→	면천
	天安	→	→		→	→	천안
	瑞山	→	→	숙21 현, 39 군 영9 현, 18 군	정즉 현 9 군	→	서산
	槐山	→	→	→	→	→	괴산
	沃川	→	→	→	→	→	옥천
	溫陽	→	→	→	→	→	온양
						철12 대흥군	대흥
						순12 보은군	보은
						고1 덕산군	덕산
	文義 縣令官	→	→	→	→	→	문의현령관
	鴻山 縣監官	→	→	→	→	→	홍산현감관
	堤川	→	→	→	→	→	제천
	德山	→	→	→	→	고1 군	
	平澤	→	선29 혁, 광2 복	→	→	→	평택
	稷山	→	→	→	→	→	직산
	懷仁	→	→	→	→	→	회인
	定山	→	→	→	→	→	청산
	靑陽	→	→	현9 혁, 15 복	→	→	청양
	延風	→	→	→	→	→	연풍
	陰城	→	선25 혁, 광10 복	현3 혁, 4 복	→	→	음성
	淸安	→	→	→	→	→	청안
	恩津	→	인24 혁(은산, 은진+이성+연산)	효7 복 (은진, 이성, 연산현)	→	→	은진
	懷德	→					회덕
	鎭岑	→					진잠
	連山	→	인24 혁	효7 복	→	→	연산
	尼山	→	인24 혁	효7 복	영52 노성		노성
	大興	→	→	→	→	철12 군	
	扶餘	→	→	→	→	→	부여
	石城	→	→	→	→	→	석성
	庇仁	→	→	→	→	→	비인
	藍浦	→	→	→	→	→	남포
	鎭川	→	→	→	→	→	진천

충청도	結城	→	? 혁, ? 복	→	→	→	결성
	保寧	→	→	현3 부, 6 현	→	→	보령
	海美	→	→		→	→	해미
	唐津	→	→		→	→	당진
	新昌	→	→	→	→	→	신창
	禮山	→	→	→	→	→	예산
	木川	→	→	→	→	→	목천
	全義	→	→	→	→	→	전의
	燕岐	→	→	숙6 혁, 11 복	→	→	연기
	永春	→	→	→	→	→	영춘
	報恩	→	→	→	→	순12 군	보은
	永同	→	→	→	→	→	영동
	黃澗	→	선26 혁, 광13 복	→	→	→	황간
	靑山	→	→	→	→	→	청산
	牙山	→	→	→	→	→	아산
경상도	慶州府尹府	→	→	효1 목, 현즉 부윤부, 6 도호부, 숙즉? 부윤부	→	→	경주부윤부
	安東大都護府	→	→	→	→	→	안동대도호부
			선34 창원대도호부	현2 현, 11 대도호부	→	→	창원
	尙州牧	→	광7 혁, ? 복	→	→	→	상주목
	晉州	→	→	→	→	→	진주
	星州	→	선37 新安縣, 광7 星山縣, 인1 목, 9 현, 18 목	영12 현, 21 목	→	→	성주
	昌原都護府	→	선34 대도호부				
	金海	→	→	→	→	→	김해
	寧海	→	→	→	→	→	영해
	密陽	중13 현, 17 부	→	→	→	→	밀양
	善山	→	→	→	→	→	선산
	靑松	→	→	→	→	→	청송
			선31 울산도호부	→	→	→	울산
		명2 동래도호부		→	→		동래
		성종20 거제도호부, ? 현	→	숙37 부	→	→	거제

경상도	郡縣名						현재지명
경상도				영5 거창도호부	→	정12 현, 23 부	거창
				숙30 하동도호부	→	→	하동
			선37 인동도호부	→	→	→	인동
	大丘	→	→	→	→	→	대구
	(順興, 혁)	→	→	숙9 도호부	→	→	순흥
			인18 칠곡도호부	→	→	→	칠곡
	陝川郡	→	→	→	→	→	합천군
	咸陽	→	인7 현	영5 부	→	정12 군	함양
	草溪	→	→	→	→	→	초계
	淸道	→	→	→	→	→	청도
	永川	→	→	→	→	→	영천
	醴泉	→	→	영5 현, 14 군	→	→	예천
	榮川(榮州)	→	→	→	→	→	영천
	興海	→	→	→	→	→	흥해
	蔚山	→	선31 도호부				
	梁山	→	선27? 혁, 36 복	→	→	→	양산
	咸安	연11 부, 중1 군	→	→	→	→	함안
	金山	→	인7 현, 19 군	→	→	→	김산
	豊基	→	→	→	→	→	풍기
	昆陽	→	→	→	→	→	곤양
	盈德縣令官	→	→				영덕현령관
	慶山	→	선34 혁, 41 복	→	→	→	경산
	東萊	명2 도호부					
	固城	→	→	→	→	→	고성
	巨濟	성20 부					
	義城	→	→	→	→	→	의성
	南海	→	→	→	→	→	남해
	開寧縣監官	→	선34 혁, 광2 복	→			개령현감관
	居昌	→	→	효9 혁, 현1복, 영5 부			
	三嘉	→	→	→	→	→	삼가
	宜寧	→	→	→	→	→	의령
	河陽	→	→	→	→	→	하양
	龍宮	→	→	→	→	→	용궁
	奉化	→	→	→	→	→	봉화

	清河	→	→	→	→	→	청하
	彦陽	→	선32 혁, 광4 복	→	→	→	언양
	漆原	→	선25 혁, 광9 복	→	→	→	칠원
	鎭海	→	→	→	→	→	진해
	河東	→	→	숙30 부			
	仁同	→	선27 혁 37 도호부				
	眞寶	→	→	→	→	→	진보
	聞慶	→	→	→	→	→	문경
	咸昌	→	선27 혁, 36 복	→	→	→	함창
	知禮	→	→	→	→	→	지례
	安陰	→	→	영5 혁, 12 복, 43 개 安義	→	→	안의
	高靈	→	선25 혁, ? 복	→	→	→	고령
	玄風	→	→	→	→	→	현풍
경	山陰	→	→	영43 개 山淸	→	→	산청
상	丹城	→	→	→	→	→	단성
도	軍威	→	→	→	→	→	군위
	比安	→	선27 혁, ? 복	→	→	→	비안
	義興	→	→	→	→	→	의흥
	新寧	중3 혁, 9복	→				신녕
	禮安	→	→	→	→	→	예안
	延日	→	→	→	→	→	연일
	長鬐	→	→	→	→	→	장기
	靈山	→	인9 혁, 15 복	→	→	→	영산
	昌寧	→	인8 혁, 15 복	→	→	→	창녕
	泗川	→	→	→	→	→	사천
	機張	→	선32 혁, 광9 복	→	→	→	기장
	熊川	중5 부, 16 현	→	→	→	→	웅천
			인15 자인현	→	→	→	자인
				숙1 영양현, 2 혁, 8 복	→	→	영양
	全州 府尹府	→	→		→	→	전주부윤부
전	羅州牧	→	인23 금성현,	효5 목, 영4 현, 13 목	→	→	나주목
라	濟州	→	→		→	→	제주
도	光州	성12 광산현, 연7 목	인2 현, 12 목	숙27 현, 33 목	→	→	광주
			인10 능주목	→	→	→	능주
	南原 都護府	→	→	영16 현, 17 부	→	→	남원도호부

	長興	→	→	효3 현, 10 부	→	→	장흥
	順天	→	→	→	→	정10 현, 11 부	순천
	潭陽	→	→	영4 현, 14 군, 38 현, 40 도호부	→	→	담양
				숙25 여산도호부	→	→	여산
				효6 장성도호부	→	→	장성
			인11 무주도호부	→	→	→	무주
	寶城郡	→	→	→	→		보성군
	益山	→	→	→	→		익산
	古阜	→	→	→	→		고부
	靈巖	→	→	→	→		영암
	靈光	→	인7 현, 16 군	→	영31 현, 40 군	→	영광
	珍島	→	→	현3 현, 12 군	→	→	진도
	樂安	→	→	→	→	→	낙안
전	淳昌	→	→	→	→	→	순창
라	錦山	→	인24 현	효1 군	→	→	금산
도	珍山	→	→	→	→	→	진산
	金堤	→	→	→	→	→	김제
	礪山	→	→	숙25 도호부			
						고1 대정군	대정
						고1 정의군	정의
	昌平縣令官	→	→	→	→	→	창평현령관
	龍潭	→	→	→	→	→	용담
	臨陂	→	인35 현감관	효6 현령관	→	→	임피
	萬頃	→	광12 혁, 인7? 복	→	→	→	만경
	金溝	→	→	→	→	→	금구
	綾城	→	선27 혁, 광3 복, 인3 능주목				
	光陽縣監官	→	선31 혁, ? 복	현1 혁, 10? 복	→	→	광양현감관
	龍安	→	→	→	→	→	용안
	咸悅	→	→	→	→	→	함열
	扶安	→	→	→	→	→	부안
	咸平	→	→	→	→	→	함평
	康津	→	→	→	→	→	강진
	玉果	→	→	→	→	→	옥과
	高山	→	→	→	→	→	고산
	泰仁	→	→	→	→	→	태인
	沃溝	→	→	→	→	→	옥구

전라도	南平	→	→	→	→	→	남평
	興德	→	→	→	→	→	흥덕
	井邑	→	→	→	→	→	정읍
	高敞	→	→	→	→	→	고창
	茂長	→	→	현2 군, ? 현	→	→	무장
	務安	→	→	→	→	→	무안
	求禮	→	→	→	→	→	구례
	谷城	→	선32 혁, 광1 복	→	→	→	곡성
	長城	→	→	효6 도호부			
	珍原	→	선33 혁				
	雲峯	→	선33 혁, 광3 복	→	→	→	운봉
	任實	→	→	→	→	→	임실
	長水	→	→	→	→	→	장수
	鎭安	→	→	→	→	→	진안
	茂朱	→	인11 도호부				
	同福	→	→	효6 혁, 현5 복	→	→	동복
	和順	→	선27 혁, 광5 복	→	→	→	화순
	興陽	→	→	→	→	→	흥양
	海南	→	→	-? 혁	? 복	→	해남
	大靜	→	→	→		고1 군	
	旌義	→	→	→		고1 군	
황해도	黃州牧	→	→	→		순24 黃岡縣, 33	황주목
	海州	→	광8 현, 인1 목	→	→	→	해주
	延安都護使	→	→	→	→	→	연안도호부
	平山	→	인6 현, 15 부	→	→	→	평산
	瑞興	→	→	현12 현	영38 군	→	서흥
	豊川	→	→	→	→	→	풍천
	谷山郡	→	→	현10 도호부	→	→	곡산
				숙45 옹진도호부	→	→	옹진
	鳳山	→	→	→	→	→	봉산군
	安岳	선22 현	41 군	→	→	순4 현, 13 군	안악
	載寧	→	→	→	→	→	재령
	遂安	→	→	효4 현, 현3 군	→	→	수안
	白川	→	→	→	→	→	배천
	信川	→	→	→	→	→	신천
				효2 금천군(우봉+강음)		→	금천
	新溪縣令官	→	→	→	→	→	신계현령관

도	군현						현대지명
황해도	雍津	→	→	숙45 도호부			
	文化	명종16 이전 혁	→	영조23년 이후 복	→	→	문화
	牛峯	→	→	효2 혁(금천군, 우봉+강음현)			
	長淵 縣監官	→	인1 부	→	영40 현, 49 부	순4 현	장연현감관
	長連	→	→	→	→	→	장연
	松禾	→	→	→	→	→	송화
	康翎	→	→	→	→	→	강령
	殷栗	→	→	현4 혁, 11 복, 숙14 혁, 16 복			은율
	江陰	→	→	효2 혁			
	兎山	→	→	→	→	→	토산
강원도	江陵 大都護府	중37 부, 명6? 복, 16 부, 선3? 복		현7 현, 숙1 대도호부	정6 현	정14 대도호부	강릉대도호부
	原州牧	중37 부, 명6? 복		숙9 현, 18 목, 영4 현, 13 목	→	→	원주목
	淮陽 都護府	→	→	→	→	→	회양도호부
	襄陽	→	광10 현, 인1 부	→	→	→	양양
	春川	→	→	→	영31 현, 40? 복	→	춘천
	鐵原	→	→	→	→	→	철원
	三陟	→	→	→	→	→	삼척
				숙24 영월도호부	→	→	영월
			광즉 이천도호부, 인1 현	숙13 부	→	→	이천
	平海郡	→	→	→	→	→	평해군
	通川	→	→	→	영38 현, 47 군	→	통천
	旌善	→	→	→	→	→	정선
	固城	→	인7 현, 16 군	→	→	→	고성
	杆城	→	→	→	→	→	간성
	寧越	→	→	숙24 부			
	平昌	→	→	→	→	→	평창
	金城 縣令官	→	→	→	→	→	금성현령관
	蔚珍	→	→	→	→	→	울진

도	지명						현재
	歜谷	→	선29 혁, ? 복	→	→	→	흡곡
	利川縣監官	→	광즉 부				
강원도	平康	→	→	→	→	→	평강현감관
	金化	→	→	→	→	→	김화
	狼川	→	→	→	→	→	낭천
	洪川	→	→	→	→	→	홍천
	楊口	→	→	→	→	→	양구
	麟蹄	→	→	→	→	→	인제
	橫城	→	→	→	→	→	횡성
	安峽	→	→	→	→	→	안협
영안도		중4 함흥부윤부	→	→	→	→	함흥부윤부
	永興府尹府	중4 대도호부	→	→	→	→	영흥대도호부
		중4 길주목(길성+명천현)	→	→	→	→	길주목
	安邊大都護府	중4 도호부	→	→	→	→	안변도호부
	鏡城都護府	→	→	→	→	→	경성
	慶源	→	→	→	→	→	경원
	會寧	→	→	→	→	→	회령
	鍾城	→	→	→	→	→	종성
	穩城	→	인8 현, 11 부	→	→	→	온성
	慶興	→	→	→	→	→	경흥
	富寧	→	→	→	→	→	부령
	北靑	→	→	→	→	→	북청
	德源	→	→	→	→	→	덕원
	定平	→	→	→	→	→	정평
	甲山	→	→	→	→	→	갑산
	三水郡	→	→	숙22 현, 36 부	→	→	삼수
		중17 이전 단천도호부	→	→	→	→	단천
			선38 명천도호부	→	→	→	명천
				숙12 무산부	→	→	무산
						정11 장진부	장진
						순22 후주부	후주
	文川	→	→	→	→	→	문천군
	高原	→	→	→	→	→	고원
	端川	중17이전 부					

264

영안도	咸興	중4 부윤부					
	洪原 縣監官	→	→	→	→	→	홍원현감관
	利城	→	→	→	정? 개 利原	→	이원
	吉城	중7 길주목					
	明川	중7 혁, 8 복	선38 부				
평안도	平壤 府尹府	→	→	→	→	→	평양부윤부
			선26 의주부윤부	→		→	→	의주
	寧邊 大都護府	→	→	→	→	→	영변대도호부
	安州牧	→	→	→		순12 현, 22 목	안주목
	定州	→	→	숙6? 定原縣, 15 복	→	순12 정원 현, ? 목	정주
	義州	→	선26 부윤부				
	江界 都護府	→	→	→	→	→	강계도호부
	昌城	→	→	→	→	→	창성
	成川	→	→	→	→	→	성천
	朔州	→	→	→	→	→	삭주
	肅川	→	→	현11 현, 숙4 부		→	숙천
	龜城	→	→	→	→	→	구성
	中和郡	→	선26 부	→	→	→	중화
				숙28 자산도호부	→	→	자산
		명18 선천 도호부, 19 군	인1 부	→	→	→	선천
			광14철산부, 인2 현, 11부	→	→	순12 현, ? 부	철산
			광12 용천부	→	→	순12 현, ? 부	용천
				경4 초산도호부	→	→	초산
				숙12 삼화도호부	→	→	삼화
				경? 함종도호부	→	→	함종
	祥原	→	→	→	→	→	상원군
	德川	→	→	→	→	→	덕천
	价川	→	→	→	→	순12 현, 21 군	개천
	慈山	연11 혁, 중1 복	→	숙28 부		→	
	嘉山	→	→	효4? 현. 현3 복	→	→	가산

지역	읍명						현재
평안도	宣川	명18 부					
	郭山	→	→	→	→	순12 현, 21군	곽산
	鐵山	→	광14 부				
	龍川	→	광12 부				
	順川	→	→	→	→	→	순천
	熙川	연11 혁, 중1 복	→	숙3 현, 13 군		→	희천
	理山	→	→	경4 초산도호부			
	碧潼	→	→	→	→	→	벽당
	雲山	→	→	→	→	→	운산
	博川	→	→	→	→	→	박천
	渭原	→	→	→	→	→	위원
	寧原	→	→	→	→	→	영원
	龍岡縣令官	→	→	→	→	순12 현, 21군	용강현령관
	三和	→	→	숙12 도호부			
	咸從	→	→	경? 도호부			
	永柔	→	→	→	→	→	영유
	甑山	→	→	→	→	→	증산
	三登	→	→	→	→	→	삼등
	順安	→	→	→	→	→	순안
	江西	→	→	→	→	→	강서
	陽德縣監官	→	→	→	→	→	양덕현감관
	孟山	→	→	→	→	→	맹산
	泰川	→	→	→	→	→	태천
	江東	→	→	→	→	→	강동
	殷山	명21 부	→	숙39 이전 현	→	→	은산
합계	府尹府	5(4)	5	5	5	5	5
	大都護府	3(4)	5	5	4	5	5
	牧	20(20)	17	20	19	20	20
	都護府	47(44)	63	65	65	64	54
	郡	79(82)	78	73	73	79	79
	縣令官	33(33)	31	27	27	28	28
	縣監官	139(141)	129	128	127	121	121
	계	329(329)	327	322	319	321	321

---

93) 『고려사』백관지 ;『조선왕조실록』태조 1년~성종 15년조(『세종실록』지리지 포함) ;『신증동국여지승람』;『경상도읍지』등에서 종합.

제6장 朝鮮 中·後期 邊鎮 變遷研究

1. 서언

조선 중·후기의 지방군사기구에는 세조대에 확정되고『경국대전』에 법제화된 '鎭管體制'가 준행되면서 육군과 수군이 있고, 육군과 수군은 도별로 '主鎭-巨鎭-諸鎭'이 등차적으로 편제되어 있었다.[1]

---

1) 진관체제는 세조 3년에 세조 1년 이래 전국에 걸친 군익도체제를 도별로 병마·수군절도사영 소재지를 主鎭, 거점이 되는 지역을 巨鎭, 거진 주변지역을 諸鎭, 즉 각도의 육군과 수군을 각각 '주진-거진-제진체제'로 편성하고 주진의 관장하에 제진 이하를 지휘하면서 도별로 외적을 방어한 군사제도였다. 진관의 편성은 다음의 표와 같다(閔賢九, 1983,『朝鮮初期의 軍事制度와 政治』, 韓國研究院, 236~258쪽 참조).

⟨진관편성표⟩

	육군				수군		
	주진(병영, 관찰사겸병마절도사, 병마절도사)	거진⟨첨절제사, ( )는 경직겸⟩	제진		주진(수영, 관찰사겸수군절도사, 수군절도사	거진(첨절제사)	제진 (동첨절제사, 만호)
			동첨절제사, 만호	절제도위			
경기도	1	4	14	21	3	1	5
충청	2	4	11	42	2	1	3
경상	3	6	20	46	3	2	19
전라	2	5	14	36	3	3	15
강원	4	3	11	14	1	1	4
황해	1	2	11	13	1	1	6
함경	3	6(6)	16	11	3	1	3
평안	2	19(6)	21	18	2	3	6
합계	15	49(12)	118	199	17	14	55 (절제도위 3)

(『경국대전』권4, 병전 외관직조, 민현구, 위 책, 252~258쪽에서 종합)

주진은 兵馬·水軍節度使가 주재하면서 관할 도의 군정을 총관하는 최상층 기구였고, 거진은 兵馬·水軍僉節制使가 주재하면서 주진의 지휘를 받아 관내의 군정을 지휘하는 중간 기구였고, 제진은 병마·수군 同僉節制使·萬戶와 兵馬節制都尉가 주진과 거진의 지휘를 받아 관내의 군정을 지휘하는 하층 기구였다.

이들 주진, 거진, 제진의 지휘관을 보면 『經國大典』과 그 이후의 법전에 각각 주진을 관장하는 절도사는 都觀察使(종2)의 겸직이거나 전임직이었고 (병마절도사는 종2품, 수군절도사는 정3품 당상관),[2] 거진을 지휘하는 첨절제사는 육군은 府尹(종2)·大都護府使(정3)·牧使(정3)·府使(종3)의 겸직이었고 수군은 전임직(종3품),[3] 제진을 지휘하는 동첨절제사 등은 동첨절제사는 육군은 牧使·府使·郡守(종4)의 겸직이고 수군은 전임직(종4),[4] 만호는 육군과 수군 모두 전임직(종4),[5] 병마절제도위는 현령(종5)·현감(종6)의 겸직으로 규정되었다.[6] 그런데 병마절제사·병마첨절제사·병마동첨절제사는 대부분의 경우는 부윤 이하의 겸직이었지만 일부, 특히 평안·함길도의 병마절제사 등은 『경국대전』등의 규정과는 달리 전임관이 제수되어 그 관내의 행정과 군사를 총관하였다.[7] 또 함경·평안도의 훈융진·만포진 등 12진 병마첨절제사는 무반경직의 겸직이었다.[8]

이를 볼 때 지방군사기구 특히 병마절제사·병마첨절제사·병마동첨절제

---

2) 『경국대전』·『대전통편』·『대전회통』권4, 병전 외관직 경기 등 8도 병마절도사·수군 절도사조.
3) 위 책 권4, 병전 외관직 경기도 兵馬僉節制使 四員 廣州鎭·水原鎭·楊州鎭·長湍鎭 竝守令 帶 諸道同, 경기 등 7도 수군첨절제사조.
4) 위 책 권4, 병전 외관직 경기도 兵馬同僉節制使 十四員 (중략) 竝守令帶 諸道同, 경기 등 5도 수군동첨절제사조.
5) 위 책 권4, 병전 외관직 영안도·평안도 병마만호, 경기 등 7도 수군만호조.
6) 위 책 권4, 병전 외관직 경기 등 8도 병마절제도위조.
7) 『경국대전』권4, 병전 외관직.
8) 『경국대전』권4, 병전 외관직.

사·병마절제도위는 수령의 겸직―지방행정기구와 표리를 이루면서 운영되었다고 하겠다. 즉 육군은 만호를 제외한 모두가 겸직이었고, 수군은 육군과는 달리 절제사 이하 모두가 전임직으로 제수되었다고 하겠다.

한편 지방군사기구의 소재지와 기능을 보면 내륙지방은 육군이 중심이 되면서 관할지역을 방어하였고, 평안·함길도 국경지방은 육군이 중심이 되면서 관할지역을 방어하였고 연해지방과 도서지방은 해군이 중심이 되면서 관할지역을 방어하였다.[9]

본 장에서는 이러한 지방군사기구의 운영과 관련하여 전임관으로 제수되고 북방 국경지방과 연안·도서지방에 설치된 병마·수군첨절제사·동첨절제사·만호가 지휘하는 거진·제진을 '邊鎭'으로 설정하고 성종 16년(『경국대전』)~고종 2년(『대전회통』)에 이르는 그 變遷背景, 設置와 革去, 昇格과 降格 그리고 邊鎭의 變遷과 國防을 『조선왕조실록』·『8도읍지』·『경국대전』 이후의 법전과 기존연구를 검토하고 정리하면서 고찰하고자 한다.

이 연구를 통하여 지금까지 고찰되지 않았던 조선 중후기 변진의 전모가 규명되고, 이를 통하여 선학의 조선초기 지방군사기구에 대한 연구와[10] 조선 중·후기 지방군현의 변천을[11] 계승하면서 조선 중·후기 변진이 중심이 된 지방군사기구와 지방행정 연구에 대한 관심을 고조시키고 이 분야 연구를 천착하는 한 토대가 되리라고 생각한다.

---

9) 민현구, 위 책, 258~259쪽, 〈조선초기 진관체제일람도〉 참조.
10) 본 장과 연관되는 대표적인 조선시대 군제연구는 다음과 같다.
    김우철, 2001, 『조선후기 지방군제사』, 경인문화사 ; 민현구, 1983, 『조선초기 정치제도와 정치』, 한국연구원 ; 방상현, 1991, 『조선초기 수군제도』, 민족문화사 ; 천관우, 1979, 『근세조선사연구』, 일조각 ; 최효식, 1995, 『조선후기 군제사연구』, 신서원 ; 차문섭 외, 1981, 『한국사론』 9 조선후기 국방체제의 제문제, 국사편찬위원회.
11) 한충희, 2011, 「조선중·후기 군현의 변천과 국방·지방통치」, 『인문학연구』, 45, 계명대학교 인문과학연구소.

2. 邊鎭의 變遷背景

1) 設置·革去와 兵種의 轉換

(1) 설치와 혁거

『경국대전』에 규정된 변진에는 수군첨절제사진 12소, 병마만호진 18소, 수군만호진 58소의 88진이 있었다. 이 변진이 이후『대전회통』이 편찬되는 1865년(고종 2)까지 신설, 혁거, 복치, 복치후 혁거되는 변화를 겪으면서 수군첨절제사진 12~27소, 수군동첨절제사진 0~16소, 병마만호진은 18~40소, 수군만호진 58~35소로 증감되는 변화를 겪으면서 운영되었다.[12]

이와 관련되어 조선 중·후기에 설치된 변진의 배경이 된 것은 국방에 요긴한 요해처(①), 수륙 방어강화(②), 축성된 산성의 관장(③), 연안지역의 효율적인 방어 도모(④) 등이었다(( )는 필자 보).

> ①『숙종실록』권3, 2년 4월 을축 新設神光牛岾恃寨三鎭 置僉使 且置萬戶於車嶺 以其關西要地也.
>
> ②『성종실록』권229, 20년 6월 계사 設置于固城置萬戶 于加背梁 (중략) 近年倭 變 皆出右縣 右縣置鎭則 敵不敢輕易來犯.
>
> ③『평안도읍지』龍灣(의주)誌 鎭堡 清水萬戶 初置萬戶 後爲權管 成宗二十四年 築城 後陞爲萬戶.
>
> ④『중종실록』권79, 30년 2월 을사 (置加德鎭) (중략) 加德島險阻至高之山也 巖石矗立船不得泊 (중략) 我國設置於此則已據倭路之要衝 兵力雖或不足 倭人 無如之何矣.

---

12) 6장 〈별표〉에서 종합(그 중『경국대전』,『속대전』,『대전통편』,『대전회통』에 규정된 변진수는 뒤 〈표 6-6〉 참조).

270

그런데 이들 사례(배경)에 대한 변진수를 보면 122진(뒤 〈표 6-1〉) 중 120여진이 ①·②·④에 속하였고, ③은 몇 진에 불과할 뿐만 아니라 그 지역의 방어를 강화하기 위한 것이었다.

조선 중·후기에 혁거된 변진의 배경이 된 것은 왜란시에 실함 등으로 인한 피폐(①), 수군의 효율적인 운영을 위한 관할지역 조정과 그와 관련된 이설(②), 수영설치(③) 등이었다.

① ㉠『영조실록』권73, 27년 1월 신축 故慶州之甘浦 寧海之丑山浦 興海之漆浦長
  鬐之泡伊浦 壬辰以後 知其爲無所用 (하략), ㉡『평안도읍지』寧遠郡鎭堡寧城
  鎭 崇德六年(1632, 인조 9) 自監營時屯別將 康熙二十年辛酉(숙종 7, 1681)
  設鎭爲僉使 過一年以殘廢 自兵營啓聞 革罷還設屯.
② ㉠『성종실록』권51, 38년 4월 정미 移鐵串鎭於注文島 改號注文島(同)僉使,
  ㉡『중종실록』권12, 5년 8월 정해 革罷薺浦僉使 (중략) 陞永登浦萬戶爲僉節
  制使 量除薺浦元軍分屬永登浦 以作巨鎭.
③『숙종실록』권61, 44년 6월 경진 所江(수군)僉(節制)使爲水(軍節度)使.

그런데 혁거된 74진을 사례별로 보면 대다수가 ①·②의 사유에 의한 것이고, ③은 1례에 불과하였다.

이상에서 변진의 설치는 북방과 남방의 요해처에 방어를 강화할 의도에서 기인되었고, 변진의 혁파는 왜란 등으로 인한 진의 피폐와 효율적인 방어를 위한 변진의 통·폐합에서 기인되었다고 하겠다.

(2) 복치·복치후 혁거

조선 중·후기에 복치된 변진은 요충지의 방어도모에서 기인되었고(①), 복치되었다가 혁거된 변진의 통합에서 기인되었다(②).

① 『중종실록』 권51, 19년 7월 경인 (영안도)森森坡堡 本是萬戶道 而以設黃土彦
之 故降爲權管 今見形勢則甫老知及寶化兩堡 各有敵路 而森森坡堡革爲權管 此
甚不可 請還爲萬戶 (하략).

② 『정조실록』 권20, 9년 7월 신유 森森坡萬戶在德堡革罷 合設在德萬戶.

그런데 복치되고 복치되었다가 혁거(복혁)된 배경은 위의 사례에 불과하
지만 앞에서 살핀바와 같이 변진의 신설은 연안과 내륙의 방어강화 도모에서
크게 기인되었고, 혁거는 1751년(영조 27)에 경상도연안의 긴요하지 아니한
수군진 20여를 혁파하고 그 군사를 他鎭에 보충하였다.[13] 이점에서 변진의
복치는 연변과 내륙의 방어강화, 복혁은 변진의 효율성 결여와 변진의 통합에
서 크게 기인되었다고 하겠다.

(3) 兵種轉換

조선 중·후기에는 彌串과 長串兵馬僉節制使鎭이 薪島와 長串水軍僉節制使鎭
이 되었고,[14) 월곶진수군첨절제사진 등 5진이 병마첨절제사진 등으로 전환
되었다.[15) 이처럼 병종전환의 중심이 된 것은 수진에서 육진으로의 전환이었
고, 또 그 시기와 소재지를 보면 대부분이 강화도와 그에 인접한 경기연안이었
다.[16) 그런데 병자호란 이후에는 강화도의 함락 및 인조가 삼전도에서
청에게 굴욕적으로 항복한 일과 관련되어 수도와 경기의 방어를 강화하기
위한 정책들이 차례로 시행되었다.[17) 이를 볼 때 조선후기 병종전환은

---

13) 『영조실록』 권73, 27년 1월 신축.
14) 『평안도읍지』 권4, 薪島鎭 我太宗四年改(彌州)號爲彌串鎭 置兵馬僉使 自戊辰改島 後陞置
水軍獨鎭除守將 水軍僉節制使兼防守將.
15) 『현종실록』 권11, 6년 12월 丁丑 月串龍津草芝三鎭 自先祖創置水軍僉(使)萬戶 而今欲改以
兵馬僉(使)萬戶 (하략). 그외는 장곶진, 제물량, 정포, 미곶진이다(6장 〈별표〉 참조).
16) 7진 중 미곶진(평안도)을 제외한 6진이 경기도에 위치하였다(6장 〈별표〉 참조).

호란 이후 陸鎭을 중심한 수도방어 도모에서 기인되었다고 하겠다.

2) 昇格·降格

조선 중·후기에 변진이 승격된 배경은 다음의 예와 같이 국방의 강화를 위한 緊重地의 군사력 강화(①), 변진내에 山城築城(②), 효율적인 방어를 위한 변진통합(③) 등이었다.

① ㉠『경기도읍지』永宗鎭邑誌 建置沿革 崇禎癸巳設鎭 初以水軍萬戶兼監牧官 康熙辛酉陞僉使 屬御營廳 海防緊重位號卑微 有違朝家設施之意, ㉡『영조실록』권102, 39년 9월 병인 草芝鎭實當海要衝 請陞萬戶爲僉使 從之.

②『함경도읍지』會寧鎭管 高嶺鎭 世宗辛酉創設竹堡萬戶 尋移于江邊禁山下爲兵馬萬戶 庚午萬戶盧玉狆改築城 陞堂上高嶺鎭兵馬僉節制使.

③『함경도읍지』西北鎭 顯宗癸丑 革將軍坡斜下北德萬洞三堡 幷屬西北 改堡爲鎭 陞僉使.

그런데 승격된 변진 26진의 배경을 보면 대다수가 ①·③의 사유에 의한 것이었고, ②는 몇 예에 불과하였지만 그 모두가 방어를 강화할 의도에서 기인된 것이었다.

조선 중·후기에 강격된 변진은 몇 진이 되지 못하고, 또 그 배경을 명확히 알 수 없다. 그러나 변진의 혁거와 승격 배경에 미루어 효용감소와 함께 鎭管의 조정으로 巨鎭에서 諸鎭으로 강격된 것으로 추측된다.

---

17) 이와 관련되어 시행된 대표적인 사례가 유수부의 증치와 군영의 창설이다. 그 내용은 다음과 같다.
    유수부 : 강화유수부(인조 5), 수원유수부(정조 17), 廣州留守府(정조 19).
    군영 : 어영청·총융청(인조 2), 수어청(인조 4), 금위영(숙종 8).

이상에서 변진의 승격은 수도와 남북국경의 효율적인 방어를 위한 요충지 군사력의 강화와 변진의 통합에서 기인되었고, 변진의 강격은 효용감소와 진관의 조정에서 기인되었다고 하겠다.

3. 邊鎭의 設置와 革去

1) 設置

조선 중·후기에 설치된 변진은 다음의 표에서 보듯 성종 16~영조 22년에는 兵馬鎭은 첨절제사진은 경기도 월곶진 등 16진, 병마동첨절제사진은 함경도 서북진 등 11진, 만호진은 함경도 인차외진 등 30진으로서 총 57진이 설치되었다. 수군진은 첨절제사진은 경기도 영종진(숙종 7)·덕적진(영조 15)·덕포진(숙종 8년 이전) 등 7진이 설치되었고, 동첨절제사진은 경기도 화량진(인조 7) 등 7진이 설치되었으며, 만호진은 경기도 용진(숙종 42)·장봉도(숙종 34)·주문도(숙종 38년 이전) 등 26진으로서 총 40진이 설치되었다.

영조 23~정조 9년에는 병마진은 첨절제사진은 평안도 아이 등 2진, 동첨절제사진은 함경도 가파치진 등 3진이 설치되었다(만호진은 설치가 없었다). 수군진은 첨절제사진은 전라도 고군산, 만호진은 전라도 명월포 등 10진으로서 총 11진이 설치되었다(동첨절제사진은 설치가 없었다).

정조 10~고종 2년에는 병마진은 첨절제사진은 함경도 장진책, 만호진은 경기도 정포 등 8진으로서 총 9진이 설치되었다(동첨절제사는 설치가 없었다). 수군진은 첨절제사진은 경기도 장곶진(철종 4)과 충청도 안흥진의 2진이 설치되었다(동첨절제사진과 만호진은 설치가 없었다).

조선 중·후기(성종 17~고종 2)를 통해서는 병마진은 첨절제사진 19, 동첨절제사진 12, 만호진 38진 등 69진이 설치되었고, 수군진은 군첨절제사진

10진, 동첨절제사진 7진, 만호진 36진 등 53진이 설치되었다. 병마진과 수군진을 합해서는 첨절제사진 29, 동첨절제사진 19, 만호진 74진 등 122진이 설치되었다.

시기별로는 성종 17~영조 22년에는 병마진 57진과 수군진 40진 등 97진이 설치되었고, 영조 23~정조 9년에는 병마진 3진과 수군진 1진 등 4진이 설치되었으며, 정조 10~고종 2년에는 병마진 9진과 수군진 2진 등 11진이 설치되었다.

이상에서 조선 중·후기에 설치된 변진은 시기별로는 성종 17~영조 22년에 집중되었고(79%, 97/122) 진별로는 만호진(61%, 74/122, 병마진 31%, 38/122, 수군진 30%, 36/122)이 중심이 되면서 첨절제사진도 많이 설치되었다고 하겠다(24%, 29/122, 병마진 16%, 19/122, 수군진 8%, 10/122). 지금까지 살핀 변진설치를 시기별과 진별로 정리하면 다음의 표와 같다.

〈표 6-1〉 조선 중·후기 설치 변진수(혁거후 설치 포함)[18]

	병마진			수군진			합계
	첨절제사	동첨절제사	만호	첨절제사	동첨절제사	만호	(복치)
성종17~영조22	6	11	30	7	7	26	97
영조23~정조9	2	1	0	1	0	10	14
정조10~고종2	1	0	8	2	0	0	11
합계	19	12	38	10	7	36	122

2) 革去

조선 중·후기에 혁거된 변진은 성종 16~영조 22년에는 병마진은 만호진은 함경도 사개동(선조 37) 등 8진이 혁거되었고(첨절제·동첨절제사진은 혁거가 없음), 수군진은 첨절제사진은 경상도 미조정진(선조 25) 등 2진, 동첨절제사진은 전라도 격포진(경종 3), 만호진은 경기도 정포(숙종 40년 이전) 등

---

18) 6장 〈별표〉에서 종합.

26진이 혁거되었다.

영조 23~정조 9년에는 병마진은 첨절제사진은 함경도 혜산진 등 11진, 동첨절제사는 평도·천수진, 만호는 평안도 수구진 등 14진이 혁거되고, 수군진은 만호진은 경상도 축포진 등 10진이 혁거되었다(첨절제사·동첨절제사진은 혁거가 없음).

정조 10~고종 2년에는 병마만호는 사개동(고종 2년 이전) 등 12진이 각각 혁거되는 등 23진이 혁거되었다. 수군은 첨절제사는 경기도 장곶진(고종 2년 이전), 동첨절제사는 경상도 적량(고종 2년 이전)이 혁거되었다. (수군만호는 혁거된 진이 없었다.)

조선 중·후기를 통해서는 수군첨절제사 2진, 수군동첨절제사 2진, 수군만호 33진, 병마만호 23진 등 총 60진이 혁거되었고, 시기별로는 성종 17~영조 22년에 집중되고(58%, 35/60) 진별로는 수군만호진(55%, 33/60)과 병마만호진(38%, 23/60)이 중심이 되었다.

그 외에 수도방어 등과 관련되어 경기도의 초지량(숙종 6)·제물량(숙종 42)·용진(현종 6)·정포(고종 2년 이전)와 교동량(숙종 20) 수군만호진에서 병마만호진과 도호부, 월곶수군첨절제사진이 병마첨절제사진(현종 6년 이전), 평안도 신도병마첨절제사진이 수군첨절제사진(정조 10년 이전)으로 전환되었다.

〈표 6-2〉 조선 중·후기 혁거 변진수[19]

	병마진			수군진			합계 (복치)
	첨절제사	동첨절제사	만호	첨절제사	동첨절제사	만호	
성종16~영조22	0	0	8	2	1	23	34
영조23~정조9	11	1	1	0	0	10	23
정조10~고종2	2	2	11	1	0	1	17
합계	13	3	20	3	1	34	74

---

19) 6장 〈별표〉에서 종합.

4. 邊鎭의 昇·格과 降格

1) 昇格

조선 중·후기에 승격된 변진은 다음의 표와 성종 17~영조 22년에는 병마진은 만호진이 함경도 어유간(영조 22 이전) 등 4진이었고(첨절제·동첨절제사진은 없음), 수군진은 첨절제사진은 황해도 소강진(숙종 44), 만호진은 경기도 영종진(숙종 7) 등 12진으로, 총 17진이었다.[20]

영조 23~정조 9년과 정조 10~고종 2년에는 승격된 변진수가 6진과 3진에 불과하여 큰 의미는 없겠지만 앞 시기에는 병마진은 경기도 초지량(영조 39)과 평안도 차령만호(영조 23), 수군진은 충청도 안흥진첨절제사(정조 9)와 경상도 다대포 동첨절제사(정조 9) 등 3진의 4진이 각각 승격되었다.[21] 뒷 시기에는 병마진은 아이(고종 2)가 첨절제사, 수군진은 전라도 위도(고종 2)와 황해도 초도(고종 2) 동첨절제사가 첨절제사진으로 각각 승격되었다.

조선 중·후기를 통해서 병마진은 만호진 7진이 첨절제사진 등, 수군진은 첨절제사진 2진이 수영, 동첨절제사 5진이 첨절제사진 등, 만호진 12진이 첨절제사진으로 각각 승격하는 등 총 26진이 승격되었다.

---

20) 승격된 변진은 다음과 같다(6장 〈별표〉에서 종합).
   병마만호진 4-첨절제사2(함경도 어유간, 평안도 아이), 동첨절제사2(함경도 서북, 평안도 상토).
   수군첨절제사 1-수군절도사(황해도 소강진).
   수군만호 12-첨절제사4(경기도 영종진, 경상도 영등포, 전라도 임치도·법성포), 동첨 절제사7(경상도 서생포·다대포·적량, 전라도 군산포, 황해도 오우포·허사포·용매량).

21) 승격된 변진은 다음과 같다(6장 〈별표〉에서 종합).
   병마만호진 2-동첨절제사2(경기도 초지량, 평안도 차령).
   수군첨절제사진 1-절도사영(충청도 안흥진).
   수군동첨절제사진 3-첨절제사3(경상도 다대포, 전라도 고군도, 평안도 선천진).

〈표 6-3〉 조선 중·후기 승격 변진수[22]

	수군첨절제사	수군동첨절제사	수군만호	병마만호	합계
성종17~영조22년	1	0	12	4	17
영조23~정조9	1	3	0	2	6
정조10~고종2	0	2	0	1	3
합계	2	5	12	7	26

조선 중·후기에 승격된 군현은 그 수가 많지 않으나 시기별로는 성종 17~영조 22년에 집중되었고(69%, 17/26), 진별로는 만호진(73%, 19/26, 병마 26%/7, 수군46%/12)이 중심이 되었다.

2) 降格

조선 중·후기에 강격된 변진은 다음의 표와 같이 성종 17~영조 22년에는 수군첨절제사진이 경상도 영등포 등 5진이었고, 영조 23~정조 9년에는 전라도 위도수군첨절제사진이었다(정조 10~고종 1년은 강격이 없음). 즉 성종 17~영조 22년에는 경상도 영등포, 전라도 임치도·격포·법성포수군첨절제사진이 만호진, 평안도 방산병마첨절제사진이 만호진으로 각각 강격되었다. 영조 23~정조 9년에는 전라도 위도수군첨절제사진이 동첨절제사진으로 강격되었다.

〈표 6-4〉 조선 중·후기 강격 변진수[23]

	군첨절제사	수군동첨절제사	수군만호	병마만호	합계
성종17~영조22년	5	0	0	0	5
영조23~정조9	1	0	0	0	1
정조10~고종2	1	0	0	0	1
합계	7	0	0	0	7

---

22) 6장 〈별표〉에서 종합.
23) 6장 〈별표〉에서 종합.

조선 중·후기에 강격된 변진은 총수가 6진에 불과하여 큰 의미를 부여하기 어렵지만 변진별로는 수군첨절제사진이 중심이 되었고(83%, 5/6), 시기별로는 성종 17~영조 22년에 집중되었다(83%, 5/6).

5. 邊鎭의 變遷과 國防

1) 國內外 軍事情勢와 邊鎭變遷

조선은 李施愛亂이 토벌된 1467년(세조 13)부터 임진왜란이 발발하는 1592년(선조 25)까지는, 특히 중종초 이후에는 전국에 걸치 전란은 없었지만 왜인과 야인이 수시로 남해연안과 양계 북변을 침구하였으므로[24] 소란이 끊이지 않았다. 1592년부터 영조초까지는 왜와 청의 대대적인 침입,[25] 효종의 북벌도모,[26] 압록강 유역을 둘러싼 청과의 국경분쟁,[27] 李麟佐亂[28] 등과

---

24) 이 시기에 발생한 대표적인 邊亂은 다음과 같다(『조선왕조실록』 성종 17~선조 25년조에서 종합.
   중종대 – 삼포왜란(5년), 추자도왜변(17), 전라도왜변(20), 사량왜변(39), 갑산·창성(7)과 만포진 야인침입(17).
   명종대 – 을묘왜변(10).
   선조대 – 尼蕩介亂(16, 25).

25) 왜란은 1592년 4월 일본군의 부산포 상륙으로 시작되어 서울을 포함한 전국을 유린하고 朝明연합군의 공격으로 울산을 중심한 남해연안에 웅거하였다가 1598년 풍신수길의 유명에 따라 왜군이 철군하면서 종료되었다. 호란은 1627년과 1736년에 後金(淸)의 공격으로 조선군이 패퇴하면서 굴욕적인 항복과 함께 종결되었고, 그 결과 조선은 명과 국교를 단절하고 청에 사대하게 되었다(왜란과 호란의 배경, 진행과정, 결과는 최영희 외, 1987, 「임진왜란」, 『한국사』 29, 국사편찬위원회, 13~134쪽 ; 김종원 외, 「정묘·병자호란」, 같은 책, 211~300쪽에서 종합).

26) 효종은 병자호란 후에 鳳林大君으로서 청에 인질로 들어가 굴욕을 겪고 귀국하여 昭顯世子의 急逝와 함께 세자로 책봉되었다가 인조의 뒤를 이어 즉위하였다. 재위시에는 金自點 등 親淸派를 숙청하였고, 북벌에 뜻을 두고 宋時烈·李浣을 중용하였으며,

관련되어 전국이 전쟁에 휘말리는가 하면 國基와 민심이 동요되었다. 영조 중반으로부터 고종 1년까지는 勢道政治의 부작용에서 洪景來亂과[29] 三南民亂[30] 등으로 민심이 동요되기도 하나 남방과 북방이 안정되면서 평화가 지속되었다.

이러한 대내외정세와 관련되어 중종초~영조초에는 외침의 위기극복, 國體의 확립, 민생의 안정을 위한 여러 방안이 강구되고 실행되었다. 이중 군사정책에 있어서는 중종초에 군사문제를 전담시킬 목적으로 비상설기구로 설치한 備邊司가 상설의 최고 정치·군사기구로 개편되었고,[31] 왜란 중에 訓練都監

그 실행을 위해 御營廳과 守禦廳을 강화하고 騎兵 등 군액을 증액하고 營將制 및 束伍軍의 훈련을 강화하였다(효종의 북벌도모는 李京燦, 1998, 「조선 효종조의 북벌운동」, 『淸溪史學』 5 참조).

27) 압록강 유역을 둘러싼 중국과의 분쟁은 조선 개국초부터 있었지만 본격적인 충돌은 숙종대에 廢4郡地에 茂昌·慈城鎭을 설치하고 舊土의 회복을 도모하면서 시작되었다. 이후 조선인의 압록강 출입이 빈번해졌고, 그 와중에서 발생한 조선인의 인삼채취사건을 기하여 국경분쟁이 촉발되었으며, 1712년(숙종 38) 朝淸의 합의와 함께 白頭山定界碑가 건립되면서 일단락되었다(숙종대 조청 국경분쟁의 배경, 진행과정, 결과는 최소자, 1997, 「청국과의 관계」, 『한국사』 32, 409~413쪽에서 종합).

28) 이인좌난은 1728년(영조 4) 3월 이인좌가 중심이 된 失權 소론·남인 과격파가 청주에서 노론정권 타도를 외치면서 거병하여 청주성을 함락하면서 시작되었고, 일시 충청병영을 함락하고 목천·천안·진천을 거쳐 안성·죽산으로 진군하고 경상·전라도 일부지역의 호응을 받는 등 위세를 떨쳤다. 그러나 동월에 吳命恒이 지휘하는 정부군의 공격으로 안성·죽산전투에서 대패하고 이인좌 등이 생포됨에 따라 파국을 맞았으며, 4월에 경상·전라도의 잔당이 토벌되면서 종식되었다(정석종, 1994, 「영조 무신난의 진행과 그 성격」, 『조선후기의 정치와 사상』, 한길사에서 종합).

29) 홍경래난은 1811년(순조 11) 12월 洪景來·禹軍則 등이 평안도 嘉山을 근거로 몰락양반·상인·빈농·광산노동자·유민 등을 규합하여 서북인의 차별과 세도정치의 가렴주구 타파를 외치면서 거병하였다. 起亂 10여일 만에 가산·곽산·정주·선천·철산 등 청천강 이북 10여군을 점령하는 위세를 떨치다가 정부군의 공격을 받아 박천 등지의 전투에서 대패하고 퇴각하여 정주성에서 농성하다가 1812년 4월에 성의 함락과 함께 종결되었다(고석규, 1997, 「서북지방의 민중항쟁」, 『한국사』 36, 213~276쪽에서 종합).

30) 삼남민란은 1862년(철종 13) 2월 柳季春 등이 진주민을 규합하여 경상우병사 白樂莘의 탐학에 항거한 진주농민봉기에서 비롯되어 이후 12월까지 경상·전라·충청도 50여 군현으로 파급되어 위세를 떨치다가 정부군의 토벌을 당해 종식되었다(배항섭, 1997, 「삼남지방의 민중항쟁」, 『한국사론』 36, 국사편찬위원회, 213~276쪽에서 종합).

의 설치를 시작으로 1682년(숙종 8)까지 御營廳·摠戎廳·守禦廳·禁衛營이 연이어 설치되면서 도성과 경기도의 방어를 강화하였다.[32] 또 외적의 방어를 군현 중심에서 요충지중심의 制勝方略體制로[33] 전환하고 束伍軍과[34] 營將制를[35] 운영하며, 성곽 등 방어시설을 수축하고 연안과 북변 요해처에 병마·수군진 설치 및 기존의 진을 대대적으로 조정하는 등으로써 외방의 군사력과 국방을 강화하고자 하였다. 영조 중기로부터 철종대에는 대내외적인 평화와 관련되어 국기의 확립과 왕실의 권위를 높이기 위해 문예의 정비에 치중한[36]

---

31) 비변사는 중종 5년에 일어난 삼포왜란의 토벌을 전담할 임시 군사기구로 설치되었고, 이후 선조 25년까지 폐지와 복설이 반복되면서 운영되다가 왜란중에 이를 극복하기 위해 상설기관이 되고 직제와 기능이 강화되면서 議政府를 제치고 최고의 정치·군사기구가 되었다(그 창치배경과 과정, 직제와 기능은 潘允洪, 2003, 『朝鮮時代 備邊司硏究』, 경인문화사, 李在喆, 2001, 『朝鮮後期 備邊司硏究』, 집문당 참조).

32) 훈련도감 등 5군영의 설치, 직제, 기능은 崔孝軾, 『朝鮮後期 軍制史硏究』, 新書院, 23~113쪽 ; 車文燮, 1983, 「조선후기 중앙군제의 재편」, 『韓國史論』9, 국사편찬위원회, 2~32쪽 참조).

33) 제승방략은 조선초기에 확립된 지역방어체제인 鎭管體制가 수령의 군정미숙, 군사의 피폐, 진관별 방어로 인해 취약성이 초래된 문제를 개선하기 위해 적의 주요 접근지점에 군사를 집중시켜 외적을 효과적으로 방어하는 전략이다. 이 전략은 尼蕩介亂을 토벌한 후 1588년(선조 21) 평안·함경도에 처음 실시되었고, 왜란을 기해 전국적으로 실시되었다(許善道, 1973, 「'制勝方略' 硏究－임진왜란 직전 방위체제의 실상－」(상·하), 『진단학보』 36·37.

34) 속오군은 조선후기에 鎭管의 군사력을 강화시켜 지방방어를 강화시키기 위하여 진관별로 양인·공사천인을 소속시켜 營將의 지휘하에 총·포·궁술을 훈련하여 유사시에 대비한 군대이다. 1594년(선조 27) 황해도에 처음 실시되었고, 1596년까지 전국에 확대되어 실시되었다. 영장제와 표리를 이루면서 운영되고 군사력이 발휘되었다(張弼基, 1990, 「17세기 전반기 속오군의 성격과 위상」, 『사학연구』 42에서 종합).

35) 영장제는 호란 후에 지방의 군사력을 향상시키기 위하여 8도와 江華鎭撫營에 진영을 설치하고 그 장관(영장)에 경직 당상관 무장을 겸직으로 제수하여 그 지역의 군대를 조련하고 통솔시킨 제도이다. 1627년(인조 5) 전국적으로 실시되었고, 이후 정부의 군사정책, 효율성(공과)과 관련되어 폐지되고 복설되는 변동을 겪으면서 운영되었다(金友哲, 2001, 「營將制의 성립과 조련의 제도화」, 『조선후기 지방군제사』, 경인문화사. 89~110쪽에서 종합).

36) 이 시기에 정비된 주요 정치제도와 문예는 다음과 같다(『조선왕조실록』영조 5~정조 24년조에서 종합).

반면, 국방은 고식책으로 일관하였다.

이러한 군사정책과 관련하여 지방방어를 담당한 진관체제를 보면 강화도와 경기연안, 남방 해안지역, 북변의 요해처에 병마진과 수군진이 대대적으로 설치되고 혁거·통합·승격·강격되었다. 즉 '主鎭－巨鎭－諸鎭'의 鎭管體制가 지속되기는 하나 경기·경상·전라도 연안과 함경·평안도 북변에 설치된 거진(첨절제사진), 제진(동첨절제사·만호진)이 수시로 설치·혁거·승격·강격되는 변화를 겪으면서 운영되었다.

조선 중·후기 변진의 운영을 보면 다음의 표와 같이, 시기적으로는 설치, 혁거, 전환, 승격, 강격 모두 성종 17~영조 22년에 집중되었다. 그런데 이를 다시 왜란과 관련하여 그 이전과 이후의 시기로 구분하여 보면 설치－혁거－전환－승격－강격된 변진수가 성종 17~선조 24년에는 20－9－0－3－2진 등 34진(2는 중복)이었고, 선조 25~영조 22년에는 59－31－4－15－2진 등 111진이었듯이[37] 선조 25~영조 22년이 앞 시기는 물론 영조 23~정조 9년·정조 10~고종 2년의 변천을 압도하였다.

따라서 변진의 변천은 남방과 북방의 외침 등 군사활동과 관련되어 선조 25~영조 22년이 큰 폭으로 변천되면서 중심이 되었고, 성종 17~선조 24년, 영조 23~정조 9년, 정조 10~고종 2년에는 소폭으로 변천되었다고 하겠다.

영조대 : 『경국대전』 정리(12년), 『속오례의』 편찬·『치평요람』 간행(16), 『전록통고』 간행·『태묘의궤속록』 편찬(17), 『병장도설』 간행(18), 『수교집록속편』 간행·『오례의』 이정(18), 『성리대전』 개수(20), 『속대전』 간행(24), 『속병장도설』 편찬(25), 『국조상례보편』 간행(34), 『해동악장』 편찬(41), 『동국문헌비고』 편찬(46), 『열성어제』 간행(52).

정조대 : 규장각 설치(즉위), 『흠휼전칙』 간행(2), 『역상설』 간행(3), 『주의찬요』 간행(4), 『국조보감』 찬술(5~6)·『동문휘고』 편찬(8, 12년 간행)』, 『대전통편』 간행(10), 『무예도보통지』·『몽어노걸대』 간행(14)·『무원록언해』 간행(15), 『증수무원록』 간행(16), 수원유수부·장용영 설치(17), 광주유수부 설치(19), 『증보문헌비고』·『국조역상고』 간행(20), 『오경백편』 편찬(22), 『제종신편』 편찬·『홍재전서』 간행(23).

37) 6장 〈별표〉에서 종합.

<표 6-5> 조선 중·후기 변진 시기별 변천 일람표[38]

	시기별			진별				합계
	성종17~ 영조22	영조23~ 정조9	정조10~ 고종2	수군첨사	수군 동첨사	수군만호	병마만호	
설치	69	11	11	10	7	36	38	91
혁거	35	11	12	2	1	34	23	60
전환	6	1	0	2	0	5	0	7
승격	17	6	3	2	5	12	7	26
강격	5	1	1	7	0	0	0	7
계	122	30	27	23	13	87	68	191

또 설치된 변진을 보면 그 숫자는 지역조건, 남방 왜와 북방 야인의
방어 등과 관련되어 경상·전라·함경도에 집중되었다.[39] 그러나 변천된 변진
수를 보면 다음의 표와 같이 변진이 집중적으로 설치된 경상·전라·함경도와
함께 경기·평안도가 중심이 되었다. 또 경상도 등 5도의 변천된 변진을
시기별로 보면 앞에서의 분석과 같이 모두 선조 25~영조 22년의 시기가
중심이 되면서 영조 23~정조 9년과 정조 10~고종 2년에 경상도와 평안도가
많이 변천되었다.[40]

---

38) 6장 〈별표〉에서 종합. 합계에는 복치, 복혁, 중복승격된 12진이 포함되었다. 12진은
다음과 같다.
복치 4 : 경기도 정포, 충청도 안흥진, 경상도 미조정·영등포.
복혁 7 : 경기도1(정포), 경상도3(감포·해운포·축산포), 함경도2(사마동·사하동), 평
안도1(조산보).
중복승격 1 : 전라도 위도.

39) 『경국대전』 권4, 병전 외관직조에 규정된 8도의 변진(수군첨절제사·만호진, 병마만
호진)은 다음과 같다.

	경기도	충청	경상	전라	강원	황해	함경	평안	합계
수군첨사	1	2	2	2	1	1		3	12
병마만호							14	4	18
수군만호	5	3	19	15	4	6	3		55
합계	6	5	21	17	5	7	17	7	85

40) 도별 변천수는 다음과 같다(6장 〈별표〉에서 종합).

	경기도	충청	경상	전라	강원	황해	함경	평안	합계
성종17~선조24	0	0	10	5	2	0	5	8	
선조25~영조22	14	4	19	14	3	13	19	29	

<표 6-6> 조선 중·후기 도별 혁거·복치 변진 수[41]

	설치·혁거·전환				승격·강격			합계
	신치	혁거	전환	계	승격	강격	계	
경기도	13	2	6	21	3	0	3	24
충청도	3	2	0	5	1	0	1	6
경상도	21	20	0	41	4	2	6	47
전라도	14	4	0	18	8	4	12	30
강원도	1	4	0	5	0	0	0	5
황해도	7	3	0	10	3	0	3	13
함경도	16	17	0	33	3	0	3	36
평안도	16	8	1	25	4	1	5	30
계	91	60	7	158	26	7	33	191

이를 볼 때 조선 중·후기 변진의 변천은 왜란과 야인의 준동, 호란 이후의 수도방어 강화 등과 관련되어 시기적으로는 선조 25~영조 22년에 집중되었고, 지역적으로는 변진의 설치가 집중된 경상·전라·함경도와 경기·평안도에 집중되었다고 하겠다.

2) 邊鎭의 變遷과 國防

조선 중·후기의 변진은 조선개국 이래로 지역적 조건, 왜·야인의 방어 등을 토대로 설치되었다가 보완되어 『경국대전』에 85진(수군첨절제사진 12, 수군만호진 55, 병마만호진 18진)으로 규정된 변진을 계승하면서 비롯되었다. 이후 『대전회통』이 편찬되는 1865년(고종 2)까지 국내외 정세와 관련되어 수시로 설치, 혁파, 승격, 강격되는 등의 변화를 겪으면서 34진(성종 17~선조 24)－111진(선조 25~영조 22)－157진(영조 23~정조 9)－138진(정

영조23~정조9	6	1	9	4	0	0	5	10	
정조10~고종1	1	1	1	1	0	1	15	9	
합계	21	6	39	24	5	14	44	56	

41) 6장 〈별표〉에서 종합. 합계는 치·폐와 승·강이 중복된 군현은 중복을 제외한 수이고, 총군현수는 『대전회통』(고종 2)에 규정된 군현 수이다.

조 10~고종 2)으로 변천되면서 운영되었다.

이러한 변진의 변천은 당시의 군사정세, 수도방어강화를 토대로 하였기에 당시의 국방과 밀접히 연관되었을 것이라고 추측되기는 하나 그 실상을 보여주는 사례가 적어 구체적인 내용은 파악하기 어렵다. 그런데 성종 17~선 조 24년에 있어서는 북로남왜 때에 대개는 변진이 효과적으로 방어하지 못하고 변진과 군현이 함락되었다.[42] 그러나 선조 16년 야인이 訓戎鎭에 침입하였을 때

本(윤2)月初九日 敵胡再圍訓戎鎭 多數射死 不勝退去[43]

라 하였고, 중종 12년에 滿浦鎭僉使의 제수를 두고

滿浦乃深處野人往來之地 處情探問之事 所關尤重 (중략) 今文臣有才幹勘當者 不計 資級擬之何如 傳曰可[44]

라고 하였듯이 일부 변진은 효과적으로 적을 방어하고 적정을 탐문하여 침입에 대비하였다.

선조 25~영조 22년에는 왜란과 호란을 기해 왜군이 국경 변진을 함락하고 파죽지세로 북진하거나 남하하면서 전국을 유린할 때 변진은 침입군의 군세에 압도되어 효과적으로 대응하지 못하였다. 영조 23~정조 9년과 정조 10~고종 1년에는 남북방이 안정되기도 하였지만 변진의 구체적인 방어활동 이 확인되지 않는다.

그런데 조선 중·후기를 통해 남북방에 침입한 왜군과 야인의 군사규모를

---

42) 왜, 야인의 침입시기와 지역은 앞 주 24) 참조.
43) 『선조실록』 권17, 16년 윤2월 계묘.
44) 『중종실록』 권28, 12년 7월 임신.

보면 왜란과 호란 때는 조선의 군사력을 압도하였고, 그 외의 경우에도 대부분은 수가 많았으며, 소수의 경우는 위 훈융진의 예와 같이 많지 않았다. 특히 왜란 때에는 왜군이 상륙하고 장기간 주둔한 경상도 연변의 대부분 변진이

① 『선조수정실록』 권26, 25년 4월 14일 敵倭大擧入寇 陷釜山鎭 僉使鄭撥戰死 慶尙左道水使朴泓 卽棄城退去慶州 倭分兵留陣西生浦多大浦 多大浦僉使尹興信 拒戰死之.

② 『경상도읍지』 加德鎭 嘉靖二十五年丙午設鎭(치만호) 萬曆二十年壬辰亂陷城 其後六十年草創于安骨 ; 같은 책 天城堡 嘉靖二十三年甲辰建置(만호) 萬曆壬辰陷城 其後六十年草創于新門.

이라고 하였듯이 왜군에 함락되면서 혁거되었고, 왜란기에 경상도와 강원도에서 혁거된 변진이 10여나 되었음에서 변진이 제 기능을 발휘하지 못하였다고 하겠다. 또 호란 때에도 후금의 대군이 파죽지세로 의주를 돌파하고 남진하여 강화도를 함락하고 남한산성을 공격하여 조선을 굴복시켰음에서 이 방면의 변진 대부분이 제 기능을 발휘하지 못하였을 것이라고 추측된다.

이를 볼 때 조선 중·후기의 변진은 대군이 침입한 왜란과 호란 때에는 전세에 영향을 끼칠만한 기능을 발휘하지 못하였고, 남북방의 소규모 국지전이 발발하거나 평상시에 한하여 외적을 격퇴하거나 방어하여 침입을 예방하였다. 즉 조선 중·후기의 변진은 왜란과 호란 등 대대적인 침입기를 제외한 대부분의 시기에 남방 왜와 북방 야인의 직접적인 침입을 방어하고 수도의 방어를 보조하여 대외적인 평화와 국정을 안정시키는 한 토대가 되었다고 하겠다.

6. 결어

변진은 북방 국경과 전국 연안·도서 요충지에 설치되고 전임관이 파견되어 그 지역을 방어한 병마만호진과 수군첨절제사·동첨절제사·만호진 등이다.

변진은 1485년(성종 16)에 반포된 『경국대전』에 101진으로 규정되었고, 이후 1864년(고종 2)까지 수십회에 걸쳐 관할지역 조정, 통·폐합, 요충지 방어, 왜란, 수도방어 강화 등과 관련되어 변천되면서 운영되었다.

『경국대전』에 101진이던 변진은 이후 수십회에 걸쳐 설치, 혁거, 복치, 승격, 강격되면서 영조 22년에 143진, 정조 9년에 157진, 고종 1년에 138진으로 변천된 후 『대전회통』에 병마첨절제사 9진, 수군첨절제사 21진, 병마동첨절제사 2진, 수군동첨절제사 11진, 병마만호 21진, 수군만호 34진 등 128진으로 법제화 되었다.

조선 중·후기 변진의 변천은 왜와 야인 침입과 변란의 발생, 수도방어, 남북방의 안정 등과 관련되어 선조 25~영조 22년에 집중되었고 영조 23~고종 1년은 그 수가 미미하였다.

조선 중·후기 변진은 왜, 야인의 준동과 관련되어 함경·평안·경상·전라·경기도에 집중적으로 설치되었고, 그 변천된 수는 수도의 지역적 조건 및 왜·야인의 침구 등과 관련되어 함경·평안·경상도가 중심이 되고 그 외의 지역은 수가 미미하였다.

조선 중·후기 변진은 내침한 군세 등과 관련되어 왜란과 호란기에는 제 기능을 발휘하지 못하였지만 그 외의 시기에는 남방 왜와 북방 야인의 침입을 방어하고 수도의 방어를 보좌여 국경을 안정시키고 국내외 평화를 유지하는 한 토대가 되었다.

요컨대 조선 중·후기의 변진은 국경과 수도방어책에 따라 설치되고 운영되면서 그 토대가 됨은 물론 내외의 평화와 국정안정에 기여하였다고 하겠다. 참고로 조선 중·후기 변진의 변천내용을 표로 정리하여 제시하면 별첨과 같다.

<별표> 조선 중·후기 변진 변천 종합표[45]

	경국대전	성종17~영조22	영조23~정조9	정조10~고종1	고종2 『대전회통』
경기도		(현종6)월곶진 병마첨절제사	→	→	월곶진 병마첨절제사
	월곶진 수군첨절제사	(현종6) 병마첨절제사			
			(영23)여현진	→	여현진
			(영23)백치진	→	백치진
			(영23)장곶진	철종4 장곶진수군 첨절제사→고종2 혁	
		숙종7 영종진 수군첨절제사	→	→	영종진수군첨절 제사
		영조15 덕적진	→	→	덕적진
		(숙종8) 덕포진	→	→	덕포진
		인조7 화량진 수군동첨절제사	→	→	화량수군동첨절 제사
		(효종3) 철곶진→ 숙종34 주문도	→	→	주문도
	영종포수군만호	숙종7 첨절제사			
	초지량	(현종6) 병마만호	영조39 병마동첨절제사		
	제물량	숙종42 병마만호	→	→	제물량병마만호
	정포	(숙종40) 혁	영조23 이후 복→ (정조9) 혁	(고종2) 병마만호	정포
	교동량	숙종20 교동도호부			
		숙종5 인화보 병마만호	→	→	인화보
		현종6 용진	→	→	용진
		숙종30 덕진	→	→	덕진
			(정조9) 승천보	→	승천보
		숙종34 장봉도수군만호	→	→	장봉도수군만호
		숙종42 용진수군만호 → 현종6 병마만호			
		?주문도수군만호 →숙종34 동첨사			
충청도	소근포진수군첨 절제사	→	→	→	소근포진수군첨 절제사
	마량진	→	→	→	마량진
		숙종37 평신진수군 첨절제사	→	→	평신진

		(효종4) 안흥진	(정조9) 수영	(고종2) 첨절제사	안흥진
충청도	당진포수군만호	(영조22) 혁			
	파지도	(영조22) 혁			
	서천포	→	→	→	서천포수군만호
경상도	부산포진수군첨절제사	→	→	→	부산포진수군첨절제사
			(정조9) 다대포	→	다대포진
	제포진	중종5 혁(실함왜군) (영조22) 만호			
		중종5 영등포첨절제사-(중종36) 만호			
		명종3 가덕진	→		가덕진
		성종25 미조정~선조25 폐, 중종7 복	→	→	미조정진
		선조30 서생포수군동첨절제사	→	→	서생포수군동첨절제사
		(영조22) 구산포	→	→	구산포
		(성종17) 적량	→	(고종2) 혁	
		(선조25) 다대포	(정조10) 첨절제사		
	두모포수군만호	→	→	→	두모포수군만호
	감포	선조25 혁(실함왜군) (영조27) 복	(정조10) 혁		
	해운포	중종33 이후 개운포수군만호	→	→	개운포
	칠포	선조25 혁(실함), (영조27) 복~효종9 혁(이)	(정조10) 혁		
	포이포	→	→	→	포이포
		(선조26) 서평포	→	→	서평포
		명종3경 천성포	→	→	천성포
	안골포	(중종10) 안골포 ~ 효종3 혁(영조22) 복	→	→	안골포
		(영조22) 제포	→	→	제포
		연산군11 조라포~(영조22) 혁	(영조27) 복	→	조라포
	오포	(현종10) 혁			
	서생포	선조25 폐(실함) ? 복~선조30 동첨절제사			
	다대포	(선조25) 동첨절제사			
	염포	(영조22) 혁			
	축산포	(현종10) 혁, ? 복	(정조10) 혁		

경상도	옥포	→	→	→	옥포
	평산포	→	→	→	평산포
	지세포	선조25페(실함) 효종2 복	→	→	지세포
		(성종19) 가배량	→	→	가배량
	영등포	중종5 첨절제사 (중종36) 만호	영종26 혁, (정조9) 복	→	영등포
	사량	중종39 파(왜변) 선조25이후 복	→	→	사량
	당포	→	→	→	당포
	조라포	(영조22) 혁			
	적량	(성종17) 동첨절제사			
			(영조27) 청천 ~ (정조 9) 혁		
			(영조27) 신문 ~ (정조9) 혁		
			(영조27) 장목 ~ (정조9) 혁		
			(영조27) 율포 ~?		
			(영조27) 소비 ~?		
전라도	사도진수군첨절제사	→	→	→	사도진수군첨절제사
	임치도진	(숙종9) 만호 (영조22) 첨절제사	→	→	임치도진
		(명종10) 가리포진	→	→	가리포진
		숙종8 위도진	(정조9) 동첨절제사	(고종2) 첨절제사	위도진
		숙종45 격포~(경종3) 동첨절제사			
			(정조9) 고군산첨절제사	→	고군산진
		현종5 이후 법성포 ~(숙종9) 만호, ? 복	→	→	법성포진
		(영조22) 군산포	→	→	군산포진
		성종18 방답진수군동첨절제사	→	→	방답수군동첨절제사
		숙종7 임자도	→	→	임자도
		(숙종9) 고금도	→	→	고금도
		(영조22) 고군산동첨절제사	(정조9) 첨절제사		
		(경종3) 격포~경종3 파			
	회령포수군만호	→	→	→	회령포수군만호

전라도	달량	명종10 혁(왜변)			
	여도	→	→	→	여도
	마도	→	→	→	마도
	녹도	→	→	→	녹도
	발포	→	→	→	발포
	돌산포	중종초 혁			
	검모포		→		검모포
	법성포	현종5 이후 첨절제사 (숙종9) 만호~?			
	다경포	→	→	→	다경포
	목포	→	→	→	목포
		숙종8 지도	→		지도
	어란포	(영조22) 혁	(정조9) 복	→	어란포
	군산포	(영조22) 동첨절제사			
	남도포	→	→	→	남도포
		(숙종9) 신지도	→	→	신지도
	금갑도	→	→	→	금갑도
		(숙종9) 이진	→	→	이진
			(정조9) 명월포	→	명월포
	(중종17) 가리포 ~?				
	숙종9 방원~?				
황해도	소강진수군첨절제사	숙종44 수군절도사			
			(영조23)산산진병마첨절제사	→(정조11)병마동첨절제사	
			(영23)문성	→	문성병마첨절제사
			(영23)선적	→	선적
			(영23)백치	→	(고종2)개성부
			(영23)동리	→	동리
	(광해군8) 백령진수군첨절제사		→		백령진수군첨절제사
	숙종28 초도진수군동첨절제사		→	(고종2)첨절제사	초도진
				(정조11)산산진병마동첨절제사	산산진병마동첨절제사
			(영23)금천병마동첨절제사	→	금천
	숙종31 등산곶수군동첨절제사		→		등산곶수군동첨절제사
	중종18 허사포		→	→	허사포
	(중종23) 오우포		→	→	오우포
	(효종6) 용매량		→	→	용매량

황해도		(숙종32) 문산병마만호	→	→	문산병마만호
		숙종6 소기	→	→	소기
		숙종6 위라	→	→	위락
	광암량수군만호	(영조22) 혁			
	아랑포	(영조22) 혁			
	오우포	(중종23) 동첨절제사			
	허사포	중종18 동첨절제사			
	가을포	(영조22) 혁			
	용매량	(효종6) 동첨절제사			
		영조6년 이후 조니포수군만호	→	→	조니포수군만호
강원도	삼척포진수군첨절제사	→	→	→	삼척포진수군첨절제사
	안인포수군만호	성종21 혁(이 대포)			
	고성포	선조25 이후 혁			
	울진포	선조25 이후 혁			
	월송포	→	→	→	월송포수군만호
		성종21 대포→ (영조22) 혁			
함경도	혜산진병마첨절제사(경직겸)			(정조10)혁	
	훈융진(경직겸)			(정조10)혁	
	동관진(경직겸)			(정조10)혁	
	고량진(경직겸)			(정조10)혁	
	유원진(경직겸)			(정조10)혁	
	이원진(경직겸)			(정조10)혁	
		광해군7 성진병마첨절제사	→	→	성진병마첨절제사
			(영조23)별해진	(정조10)혁	
			(영조23)보하진	→	보하진
			(영조23)어유간		어유간
				(정조10)장진책진	장진책진
				(정조10)무산진	무산진
					(고종2)후주진
		현종14 서북병마동첨절제사			서북병마동첨절제사
			(영조23)가파치병마동첨절제사	→	가파치
	무이병마만호	→	→	→	무이병마만호
	아산	→	→	→	아산
	아오지	→	→	→	아오지

함경도	서북	현종14 동첨절제사			
	斜수洞	선조37혁(移재덕)		정조23 복~? 혁	
	사하북	(영조22) 혁			
	주을온	→	→	→	주을온
	어유간	(영조22) 첨절제사			
	풍산	숙종10 혁		(고종2) 복	풍산
	방원	→	→	→	방원
	영건	→	(정조9) 개 영달	→	영달
	무산	숙종10 도호부			
	옥련	숙종36 혁(이설)			
	운룡	→	→		
	사하동	선조37 혁(이재덕)		정조23 복~(고종2)	
	사하토	혁			
		성종19 이후 인차외병마만호	→	(고종2) 혁	
		중종19 신방구비	→	순조8 개 신방→ (순조13) 혁	
		(영조22) 羅暖	→	(고종2) 혁	
		(영조22) 어면	→	(고종2) 혁	
		(영조22) 진동	→	(고종2) 혁	
		? 오을족보~영조22 혁(이설 이동)			
		? 삼삼파~(중종19) 혁, 중종19 복	→	→	삼삼파
		선조37 재덕	→	→	재덕
		숙종36 고풍산	→	→	고풍산
		숙종36 폐무산	→	→	폐무산
		(영조22) 이동	→	→	이동
		? 豪打~(영조22) 혁			
	조산포수군만호	→	→	→	조산포수군만호
	낭성포	중종4 혁			
	도안포	(영조22) 혁			
평안도	만포진병마첨절제서(경직겸)	→	→	(정조10)폐	
	안산진(경직겸)	→	→	(정조10)폐	
	방산진(경직겸)	(중종19)만호			
	벽단진(경직겸)	→	→	(정조10)폐	
	창주진(경직겸)	→	→	(정조10)폐	
	고산리(경직겸)	→	→	→	(고종2)혁
		(선조28)아이진	→	→	아이진병마첨절제사
			(영23)미곳진	(정조10)신도진	

				수군첨절제사	
		(영조23)청성진	→		청성진
		(영조23)위곡진	→		위곡진
	숙종2 신광진	→	→		신광진
		(영조23)영성진	→		(고종2)혁
	숙종2 우현진	→	→		우현진
선사포수군첨절제사	? 혁→인조14 복치	→	→		선사포수군첨절제사
노강진	→	→	→		노강진
광량진	→	→	→		광량진
삼화현	→	→	(정조10)삼화진수군첨절제사		삼화진
			(정조10)선천진		선천진
			(정조10)신조진		신도진
평안도	(명종8)상토병마동첨절제사	→	→		상토병마동첨절제사
		(영조23)고성병마동첨절제사	→		고성
		(영조23)안의	→		안의
		(영조23)청강	(정조10)서림		서림
		(영조23)유원	→		유원
		(영조23)천마	→		천마
		(영조23)차령	→		차령
	숙종2 시채	→	→		시채
		(영조23)천수	(정조10)혁		
		(영조23)토성	→		(고종 2)혁
선천진수군동첨절제사	→	→	(정조10)첨절제사		
아이병마만호	(선조28)첨절제사				
추파	→	→	(고종2) 혁		
상토	→	→			
구령	→	→			구령병마만호
	숙종1 벌등	→	→		벌등
	숙종1 막령	→	→		막령
	숙종2 차령진	(영조23) 동첨절제사			
	연산군6 이후 옥강	→	→		옥강
	(중종19)방산	→	→		방산
	성종24 이후 청수	→	→		청수
	성종24 이후 수구	(정조10)혁	(고종2) 복		수구
	(영조22)산양회	→	→		산양회
	숙종1 오로량	→	→		오로량

평안도	(영조22) 식송	→		→	식송
	숙종6 양하	→	(정조17) 혁		
	(성종19) 조산보~ (영조22) 혁		(순조14) 복~ (고종2) 혁		
	(영조22) 질괴	→	(고종2) 혁46)		
	(영조22) 종포	→	(고종2) 혁		
	(영조22) 평남	→	(고종2) 혁		
합계	수군첨절제사 12	16	21	27	27
	수군동첨절제사	15	16	11	11
	수군만호 58	35	35	35	35
	병마만호 18	40	40	31	31
	계 88	106	112	104	104

---

45) 『조선왕조실록』성종 16~고종 2년조, 『경국대전』·『속대전』·『대전통편』·『대전회통』 권4, 병전 외관직, 『경기도읍지』등 8도 『읍지』에서 종합.

46) 『속대전』에 처음으로 등재되고 이어『대전통편』에도 확인되나『대전회통』에는 전혀 언급이 없이 삭제되어 있다. 『대전회통』에 평안도 병마만호가 10직이라고 명기되고 구령 등 10직이 확인된다. 이에서 정조 10~고종 2년에 혁파된 것으로 파악한다. 종포와 평남도 같다.

제7장 朝鮮時代(1392, 태조 1~1785, 정조 9) 陵官制研究

1. 서언 – 문제의 제기

陵官은 王과 王妃, 追尊 王과 王妃의 墓-陵과 그 부대시설 및 陵域內의 松木을 관리·수호하는 관직(관인)이다.

능관은 조선이 개창된 2년 뒤인 1393년(태조 2)에 추존한 태조의 4조왕과 그 왕비의 능을 관리하기 위하여 權務職의 陵直 각 2인을 두면서[1] 비롯되었다. 이후 1466년(세조 12)경 『경국대전』의 편찬 때에 正職(祿職)의 종9품 參奉 각2직으로 개정되었고[2], 이후 조선이 멸망하기까지 陵格에 따라 令(종6)·參奉, 直長(종7)·參奉, 奉事(종8)·參奉. 別檢(종8)·參奉 각1직이나 參奉 각2직을 두는 것으로 개정되면서 운영되었다. 또 능수의 증가에 따라 『경국대전』에 40직이던 능관이 지속적으로 증가되면서 『대전회통』에는 90직이 되었다.[3]

---

1) 『태조실록』 권4, 2년 12월 을축. 이때 설치된 권무직의 관직적 성격은 뒤 주 9) 참조. 8릉은 德陵(穆祖, 고조부), 安陵(목조비), 智陵(翼祖, 증조부), 淑陵(익조비), 義陵(度祖. 조부), 純陵(도조비), 定陵(桓祖, 부), 和陵(환조비)이다.

2) 능직이 정식의 종9품인 참봉으로 개정된 정확한 시기는 알 수 없다. 조선초기의 관제를 보면 참봉은 1466년 『경국대전』의 편찬에 수반된 대대적인 관제개정 때에 모든 六曹屬衙門에 최하위 관직으로 설치되었고(『세조실록』 권38, 12년 1월 무오), 그 이전까지 운영되던 권무직은 『경국대전』에 수록되지 않았다. 이에 따라 능관이 제수된 권무직은 이때에 참봉으로 승격·개정되면서 소멸된 것으로 추측된다.

3) 능관이 승직되기 시작한 1707년(숙종 33)에는 36릉에 72직, 1746년(영조 22, 『속대전』)

한편 1494년(연산군 즉위) 이후로부터 정치, 군사, 사회, 경제적인 상황과 관련되어 備邊司, 5軍營 등의 관아가 新置되고, 六曹屬衙門의 정3품 正이하 관직이 지속적으로 혁거되거나 감소되면서 『경국대전』에 660직이던 정3품 이하 文班職이 558~574직으로 감소되면서 운영되었다.4)

이처럼 중앙 문반관직에서 육조속아문의 堂下~參下官이 크게 감소된 반면에 陵官인 종6~종9품관이 크게 증가되어져 능관이 종6~종9품의 관직에서 점하는 비중이 크게 높아졌다. 그 결과 종5~종9품의 중앙 문반인사에서 능관이 차지하는 비중이 크게 높아지게 되었다.

그런데 조선 중·후기의 능관은 그 수가 많았지만 그 관직적 지위는 몇 직의 영을 제외하면 대부분은 참봉이 중심이 된 참하관직이었다. 이러한 능관의 지위와는 달리 능관을 주제로 한 정해득과 김충현,5) 능참봉 金斗璧과 黃胤錫을 대상으로 한 4편6) 등 6편의 전문적 연구가 있고, 그 외에도 왕릉의 陵寢寺·風水地理·조사보고서7) 등의 연구가 있다.

에는 40릉 80직, 1785년(정조 9,『대전통편』)에는 42릉 80직, 1865년(고종 2,『대전회통』)에는 47릉 90직으로 각각 증가되었다(능관별 관직수는 본서 7장 〈표 7-2〉 참조).

4) 1706년(숙종 32) 관제변통이 시작되기 전까지 558직으로 감소되었고, 그 이후는 능관의 증치 등과 관련되어 1746년(영조 22,『속대전』)에는 587직, 1785년(정조 9,『대전통편』)에는 574직으로 변천되면서 운영되었다(각급 관품별 변천내용은 〈표 7-3〉 참조).

5) 정해득, 2013,「조선시대 능관(陵官)연구」,『한국복식』31, 석주선기념박물관 ; 김충현. 2018,「明陵先生案을 중심으로 본 조선후기 陵官의 변화와 운용」,『장서각』39, 한국학중앙연구원.

6) 김경숙, 2005,「18세기 陵參奉 金斗璧의 관직생활과 王陵守護」,『규장각』28 ; 김효경, 2002,「조선후기 능참봉에 관한 연구—『頤齋亂藁』莊陵 참봉 자료집을 중심으로」,『고문서연구』20, 한국고문서학회 ; 유영옥, 2008,「陵參奉職 수행을 통해 본 頤齋 黃胤錫의 仕宦의식」,『동양한문학연구』24, 동양한문학회 ; 정수환, 2007,「朝鮮後期 陵參奉의 經濟生活과 實際-18世紀 黃胤錫의『頤齋亂藁』를 중심으로-」,『민족문화논총』, 영남대학교 민족문화연구소.

7) 탁효정, 2016,「조선초기 陵寢寺의 역사적 유래와 특징」,『조선시대사학보』77, 조선시대사학회 ; 장영훈, 2006,『왕릉풍수와 조선의 역사』, 대원사 ; 이난영·이은희(조사) 김경숙·이유옥(정리), 2009,『조선왕릉-종합학술조사보고서 1』, 국립문화재연구소,

이러한 연구를 통하여 능관제의 성립·변천과 능관의 출신·제수·체직·승직·상벌 등 인사제가 규명되면서 능관제 연구를 심화시키는 토대가 되었다. 그러나 정해득의 연구는 능관의 상벌, 김충현의 연구는 明陵陵官 인사제의 운영에 초점이 맞추어졌기 때문에 능관의 승격배경은 논급되지 않았고, 능관제의 변천에 있어서도 구체적이고도 종합적으로 정리되지 못하였다. 여기에 본 연구의 필요성이 있다.

본 장에서는 능관을 언급하거나 관직을 통괄하여 정리하고 있는『朝鮮王朝實錄』,『經國大典』,『續大典』,『大典通編』,『增補文獻備考』(職官考)와 지금까지에 걸친 능관연구 성과를 수렴하면서 조선이 개창된 1392년(태조 1)으로부터 『대전통편』이 반포된 1785년(정조 9)까지, 즉 德陵(穆祖, 太祖 高祖, 追尊) 이하 42陵에 설치된 陵官-陵官制를 고찰하기로 한다. 먼저 능관의 설치·증치 (승격)배경을 살피고, 다음으로 능관의 증치(승격)상을 살피며, 끝으로 능관이 당시의 관직운영과 어떻게 연관되었는가를 살피기로 한다.

이러한 연구를 통하여 지금까지에 걸친 능관연구를 보완하면서 조선초·중·후기의 능관의 증치·승격배경과 승격실제, 이 시기 능관과 관직(인사)운영과의 연관성을 명확히 이해할 수 있다고 생각된다.

2. 陵官의 設置와 增置·昇格 背景

1) 陵官의 設置

태조 이성계는 왕조를 개창한 당일에 선대 4祖(고조, 증조, 조, 부)와 그 배필을 왕과 왕비에 추존하였다. 고조부모는 穆王과 孝妃, 증조부모는 翼王과 貞妃, 조부모는 度王과 敬妃, 부모는 桓王과 懿妃에 봉한 것이 그것이다.[8] 이어 1년 뒤에 4代 祖父母 이하의 陵號를 정하고, 이들 능과 陵域을 관리하고 수호할 관리로 무품의 權務職인 陵直 각2직을 두면서[9] 비롯되었다.

2) 陵官의 增置·昇格 背景

(1) 陵官의 增置背景

능관이 증치되게 된 것은 주로는 왕조의 지속에 따른 선대왕과 왕비의 증가로 인한 것이었고, 부차적으로는 직계자손이 아닌 방계자손의 즉위로 인한 왕과 왕비 추숭 및 폐위된 왕·왕비의 복위로 인한 것이었다.

1865년(고종 2,『대전회통』)까지의 47릉 90릉관은 역대 왕·왕비의 경우가 健元陵(태조)·齊陵(태조원비)·貞陵(태조계비) 등 32릉 64직이고,[10] 추숭으로 인한 경우가 德陵 등 태조 4대 조부모 8릉과 敬陵, 章陵, 永陵, 綏陵의 12릉의 20직이며, 복위로 인한 경우가 莊陵, 思陵, 溫陵의 6직이다.[11]

---

8)『태조실록』권1, 1년 7월 정미.

9)『태조실록』권4, 2년 12월 을축. 8릉의 명호는 앞 주1) 참조. 이때 권무직의 관품여부는 적기되지 않았지만 태조 1년 7월(『태조실록』권1, 1년 7월 정미)의 관제 반포시에 능직은 아직 설치되지 않았기에 언급되지 않았다. 그러나 고려의 陵直이 無品의 權務였고(『고려시』권77, 지31, 백관2 제사도감각색). 이때에 무품직의 권무로 養賢庫 등의 10여 관아에 判官이나 錄事, 社稷壇에 壇直이 설치되었고, 특히 사직단직은 세종 8년에 녹사로 개칭되었다가 세조 12년 1월에 종9품직의 참봉으로 정식관직이 되었다(『세종실록』권32, 8년 6월 신미 ;『세조실록』권38, 12년 1월 무오조). 이 중 특히 사직단직의 예에서 능직도 무품의 권무직이었을 것으로 추측되기에 무품의 권무직으로 파악한다.

10) 그 외의 29능은 厚陵, 獻陵, 英陵, 顯陵, 光陵, 昌陵, 恭陵, 純陵, 宣陵, 靖陵, 禧陵, 泰陵, 孝陵, 康陵, 穆陵, 長陵, 徽陵, 寧陵, 崇陵, 明陵, 翼陵, 懿陵, 惠陵, 元陵, 弘陵, 健陵, 仁陵, 景陵, 睿陵이다. 각능의 配陵者와 능관의 관직은 7장〈별표〉조선시대 능관 변천 종합표 참조.

11) 그 배릉자는 敬陵은 성종의 부모, 章陵은 인조의 부모이고, 永陵은 효장세자 부부, 綏陵은 순조의 부모이며, 莊陵은 단종, 思陵은 단종비 宋氏, 溫陵은 중종원비 愼氏이다. 덕릉 등 8릉은 7장〈별표〉조선시대 능관 변천 종합표 참조.

(2) 陵官의 昇格背景

능관이 왕릉과 인근 지역(능역)을 수호하고 관리하는 관직인 만큼 능관의 승격은 왕권과 관련된 왕실의 존엄·사전, 국왕과의 관계, 관제운영과 밀접히 관련되었을 것으로 추측된다. 여기에서는 이와 관련되어 능관의 승격배경을 왕권, 국왕과의 관계, 관제운영으로 구분하여 살펴본다.

가) 王權

조선시대에 능관이 처음으로 승격된 것은 1707년(숙종 33)이었고, 이후 1864년(고종 1)까지 10여차에 걸쳐 승격→강격→승격되는 변화를 거치면서 1865년(고종 2, 『대전회통』)에 47릉에 종5품 令 29직, 종7품 直長 9직, 종8품 奉事 3·別檢 3직, 종9품 參奉 47직으로 규정되었다.

조선후기의 능관은 1707년(숙종 33)~1796년(정조 20)까지 총 11차 이상에 걸쳐 변천되면서 운영되었다. 이중 능관이 승격된 시기를 보면 숙종 33년, 영조 1·11년, 정조 즉위년에 집중되었고, 강격된 시기는 숙종 38년, 영조 17년에 집중되었다.[12]

---

12) 숙종 33년에는 참봉 19직이 봉사 11직과 직장 8직, 영조 1년에는 참봉 7직이 봉사 2직과 직장 5직 봉사 1직이 직장, 영조 11년에는 봉사 4직이 직장으로 직장 8직이 영, 정조 즉위년에는 참봉 15직이 별검 7직과 영 8직으로 승격되었고, 숙종 38년에는 직장 5직과 봉사 1직이 참봉 5직과 별검 1직, 영조 17년에는 봉사4직이 별검으로 각각 강격되었다. 이 중 영조 1년의 경우는 동일한 내용이 경종 4년(『경종실록』 권15, 4년 7월 병신)과 영조 1년(『증보문헌비고』 제능관)에 확인되는데 경종이 동년 8월에 훙서하였기 때문에 경종 4년에는 실시되지 못하고 영조 1년에 실시된 것으로 이해되어 영조 1년으로 파악한다. 그 외의 승격과 강격은 다음과 같다(7장 〈별표〉에서 발췌).
영조 17 : 참봉 1→ 별검, 별검 1→ 영, 봉사 2→ 직장
영조 33 : 별검 1→ 참봉
영조 35 : 영1→ 참봉
영조 45 : 참봉 4→ 봉사 3, 직장 1
정조 7 : 영 1→ 직장

능관의 승격이 집중된 숙종, 영조, 정조대는 그 모두가 黨論과 政局을 조정하면서 왕권강화를 도모하였고,13) 실제로도 그 이전이나 이후의 제왕에 비해 왕권이 크게 강화되었다. 강격의 경우에는 종8품의 祿職(봉사)에서 無祿職(별검)으로 조정되었다.14) 이를 볼 때 능관의 승격은 숙종, 영조, 정조의 왕권과 밀접히 관련되었다고 하겠다.

나) 國王(祀典)과의 관계

조선후기 능관의 변천에서 중심이 된 것은 각 능의 종9품 參奉 2명 중 1명이 종7품의 直長·종8품 奉事나 종5품 令 등으로 승격된 것이다. 이 중 대거 직장·봉사나 영으로 승격된 1707년(숙종 33), 1735년(영조 11),15) 1776

정조 7 : 별검 3→ 영
정조 20 : 영1→ 별검
정조 9 : 별검 1→ 영
정조 20 : 별검 4→ 영

13) 숙종은 庚申大黜陟(왕 6, 1680)·己巳換局(왕 15)·甲戌換局(왕 20) 등을 기화로 신권을 억압하고 왕권을 강화하였고, 영조는 蕩平策을 실시하여 노·소론 나아가 남·북인까지 고루 등용하면서 왕권을 강화하였고, 정조는 時派를 중용하고 文體反正을 전개하면서 왕권을 강화하였다(박광용, 1992,「조선후기 당쟁과 정국운영론의 변통」,『당쟁의 종합적 검토』, 정신문화연구원 ; 정만조, 1986,「영조대 초반의 탕평책과 탕평파의 활동」,『진단학보』56, 진단학회 ; 1983,「영조대 중년의 정국과 탕평책의 재정립」,『역사학보』111, 역사학회 ; 정형우, 1970,「정조의 문예진흥정책」,『동방학지』11, 연세대국학연구원 등에서 종합).

14) 봉사는 1년에 4번 녹봉을 받는 관직이고 1년 6개월의 임기를 채우면 동품의 녹직이나 상위직에 승진하면서 체직될 수 있었고, 별검은 녹봉을 받지 못하였을 뿐만 아니라 임기를 채워도 극히 일부만이 동품의 녹직에 임용되었던 만큼 그 관직의 차이가 현격하였다.

15) 직장과 봉사 11명이 영과 직장으로 승격된 기사는『증보문헌비고』제능관조에는 영조 11·17년조,『조선왕조실록』에는 영조 17년조에서 모두 확인된다. 그런데 이를 구체적으로 보면『증보문헌비고』의 11년조는 이들 관직이 文官窠로 기재되고 17년조에는 蔭官窠로 전환된 것으로 기재되었으며,『영조실록』17년조에는 음관과로 기재되어 있다. 이에서 이때의 변화는 영조 11년에 문관과였다가 영조 17년에 음관과로 전환된 것으로 이해된다. 이에 따라 여기에서는『증보문헌비고』에 의거하여 영조 11년으로 파악한다.

년(정조 즉위)을 중심으로 능관의 승격과 국왕과의 관계를 살펴본다. 먼저 3시기에 능관이 승격된 능과 그 대상자를 보면 다음과 같다.[16]

1707년(숙종 33)

직장승격(8) : 健元陵(태조), 齊陵(태조원비 한씨), 貞陵(태조계비 康氏), 章陵 (元宗, 비), 長陵(인조, 원비 한씨), 徽陵(인조계비 趙氏), 寧陵(효종, 비), 崇陵(현종, 비)

봉사승격(11) : 獻陵(태종, 비), 英陵(세종, 비), 光陵(세조, 비), 宣陵(성종, 계비 윤씨), 順陵(성종원비 한씨), 靖陵(중종), 禧陵(중종계비 윤씨), 泰陵 (중종계비 윤씨), 穆陵(선조, 원비 박씨, 계비 김씨), 明陵(숙종계비 민씨, 김씨), 翼陵(숙종원비 김씨)

1735년(영조11)

영승격(8) : 健元陵, 貞陵, 獻陵, 顯陵(문종, 비 권씨), 敬陵(덕종, 비 한씨), 昌陵(예종, 계비 한씨), 恭陵(예종원비 한씨), 思陵(단종비 송씨)

직장승격(4) : 順陵(성종원비 한씨), 宣陵, 靖陵, 禧陵

1776년(정조즉위)

영승격(8) : 昌陵(예종, 계비 한씨), 溫陵(중종원비 愼氏), 莊陵(단종), 長陵(인 조, 원비 한씨), 寧陵(효종, 비 장씨), 懿陵(경종, 계비 이씨), 弘陵(영조원비 서씨), 永陵(眞宗, 비 趙氏)

별검승격(7) : 齊陵(태조원비 한씨), 厚陵(정종, 비 김씨), 英陵, 光陵, 章陵(원 종, 비 具氏), 明陵(숙종, 1계비 민씨, 2계비 김씨), 元陵(영조, 계비 김씨)

---

16) 7장 〈별표〉 조선시대 능관 변천 종합표에서 발췌.

이들 능의 배릉자를 보면 1707년에 직장으로 승격된 8릉은 건원릉 등 3릉은 조선을 개창한 태조와 두 왕비였고, 장릉 등 5릉은 숙종의 4대 부모였고, 봉사로 승격된 11릉은 헌릉 등 9릉은 공덕이 큰 왕과 그 왕비였고, 명릉과 익릉은 왕비였다. 그러나 1735년과 1776년의 변천에 있어서는 1707년의 변천과는 달리 특별한 원칙이 없고,[17] 또 1776년에 있어서는 당시까지 참봉 2인이었던 모든 능의 참봉 1인이 승격되었다.[18] 이점에서 1707년의 변천은 공덕과 왕통이 관련되었고, 1735년과 1776년의 경우는 관제변통에서 크게 기인된 것으로 보인다.[19]

다음으로 능관이 승격된 5시기 능의 배릉자를 宗廟·永寧殿에 위패가 봉안된 왕과 관련시켜 보면 1707년(숙종 33)에 직장이나 봉사로 승격된 19릉은 다음의 표에서와 같이 건원릉과 헌릉 등 18릉이 종묘에 봉안된 왕의 능이고, 추존왕의 능인 장릉만이 영령전에 봉안되었다. 1725년(영조 1)에 직장이나 봉사로 승격된 7릉은 모두 영령전에 봉안되었고, 1735년(영조 11)에 영으로 승격된 8릉은 3릉이 종묘에 봉안되고 5릉이 영령전에 봉안된 왕이며, 직장으로 승격된 4릉은 모두 종묘에 봉안된 왕의 능이다. 1776년(정조 즉위)에 영으로 승격된 6릉은 2릉이 종묘 4릉이 영령전에 봉안된 왕이고, 1783년(정조 7)에 영으로 승격된 9릉은 7릉이 종묘에 2릉이 영령전에 봉안된 왕이고, 직장과 봉사에 승격된 3릉은 모두 영녕전에 봉안된 왕의 능이다.[20]

---

17) 1735년에 영으로 승격된 8릉은 건원릉 등 3등의 배릉자는 공덕이 높고 왕통이 계승되고 그 외 5릉은 왕통이 단절되거나 추존 왕인 반면에 직장으로 승격된 4릉은 공덕이 높고 왕통이 계승된 왕이다. 1776년에 영으로 승격된 8릉은 長陵 등 3릉만이 공덕이 높고 왕통이 계승된 왕이고 그 외의 5릉은 왕통이 단절되거나 추존된 왕 및 왕비이며, 별검으로 승격된 7릉은 英陵 등 4릉은 공덕이 높고 왕통이 계승된 왕이고 그 외 3릉은 왕통이 단절되거나 추존된 왕 및 왕비이다.

18) 능명과 능관 변천은 7장 〈별표〉 조선시대 능관 변천 종합표 참조.

19) 관제변통과 관련된 내용은 본 장 3)절 참조.

20) 영조 1년과 정조 7년에 영, 직장, 봉사, 별검으로 승격된 능은 〈표 7-1〉 참조.

	令		直長		奉事	
	종묘봉안 왕·비 능관	영녕전봉안 왕·비 능관	종묘봉안 왕·비 능관	영녕전봉안 왕·비 능관	종묘봉안 왕·비 능관	영녕전봉아 왕·비 능관
숙종33			健元陵, 齊陵, 貞陵, 長陵, 徽陵, 寧陵, 崇陵	章陵,	獻陵, 英陵, 光陵, 順陵, 宣陵, 靖陵, 禧陵, 泰陵, 穆陵, 明陵, 翼陵	
영조1				顯陵,敬陵,昌陵,恭陵, 思陵		康陵, 惠陵
영조11	健元陵, 貞陵, 獻陵,	顯陵,敬陵,昌陵,恭陵, 思陵	靖陵, 禧陵, 宣陵, 順陵,			
정조 즉위	寧陵, 弘陵,	昌陵,溫陵, 懿陵,永陵				
정조7	英陵, 光陵, 長陵, 徽陵, 崇陵, 明陵, 翼陵	康陵, 章陵,		德陵		淑陵, 懿陵,

　　그런데 종묘(정전)와 영녕전에는 공덕이 높고 왕통이 계승된 역대 왕과 왕통이 단절되거나 추존된 왕의 신위가 차별되어 봉안되었고, 또 그 제사는 다같이 大祀로 규정되었지만 제례는 차별되면서 거행되었다.[22] 이를 볼 때 1707년의 승격 때에는 국왕(사전)과의 관계가 크게 고려되었지만 그 후는 이것 보다는 관제변통에서 크게 기인되었다고 하겠다.

　　따라서 능관이 처음으로 승격된 1707년(숙종 33)에는 재위시의 공덕,

---

21) 종묘와 영녕전에 신위가 봉안된 19왕 30왕비, 14왕 20왕비 중 19왕과 14왕의 신위는 다음과 같다(『증보문헌비고』 권55, 예고5 종묘·영녕전조).
　　종묘봉안 : 태조, 태종, 세종, 세조, 성종, 중종, 선조, 인조, 효종, 현종, 숙종, 영조, 장조, 정조, 순조, 헌종, 철종, 고종, 순종.
　　영녕전봉안 : 목조, 익조, 도조, 환조, 정종, 문종, 단종, 덕종, 예종, 인종, 명종, 원종, 경종, 진종.

22) 종묘에는 매년 4時, 臘日, 俗節, 朔望에 국왕이나 왕세자 이하가 初獻官이 되어 제사를 거행하였고, 영녕전에는 춘, 추에만 宰相이 제관이 되어 제사를 거행하였다(『국조오례의』 길례 종묘·영녕전조). 또 제사시의 제문에도 종묘에 봉안된 왕에게는 모두 국왕이 "孝曾孫嗣王臣"이라고 하였지만 영녕전의 경우는 그 모두 단지 "嗣王臣(정종·문종·단종·예종)"이나 "國王(인종)" 또는 "孝曾姪孫(명종)"으로 칭할 뿐이었다(『영조실록』 권62, 21년 8월 병진).

후대 왕과의 관계, 의례 등이 크게 고려되었지만 그 후의 승격 때에는 재위시의 공덕 등도 고려되었겠지만 주로는 관제변통에서 기인되었다고 하겠다.

다) 官制運營(官制變通)

1392년(태조 1) 개국으로부터 1466년(세조 12)까지 개변되고 정비된 관제는 1485년(성종 16)에 반포된 마지막『경국대전』에 법제화되면서 정립되었고, 이후 조선말까지 당시의 정치, 군사, 사회, 경제 등과 관련하여 부분적으로 개변되면서 운영되었다.

『경국대전』에 규정된 정3품~종9품 경관 동반직은 당하관(정3~종4품)이 122직, 참상관(정5~종6품)이 291직, 참하관(정7~종9품)이 257직으로 총 660직이었다.[23] 다시 참하관을 관품별로 보면 정7품 15직, 종7품 43직, 정8품 14직, 종8품 44직, 정9품 50직, 종9품 91직이었다. 조선중기 이후에는 지속적으로 당하관 이하가 삭감되는 방향으로 관제가 개변되면서 정3품~종9품의 수가 능관이 처음으로 승격되는 1707년(숙종 33)까지는 558직으로 크게 감소되었고, 이후 다소 증가되어 1746년(영조 22)과 1785년(정조 9)까지는 587직과 574직으로 증감되었다.[24] 그러나 종9품(참봉)직이 중심이 된 능관은 다음의 표와 같이 능수의 증가 등과 관련되어 1707년(숙종 33)까지는

---

23) 구체적인 내용은 뒤 〈표 7-3〉 참조. 그 중 대규모로 관직이 삭감된 몇 예를 제시하면 다음과 같다(『성종실록』권185, 16년 1월 병진 ;『인조실록』권34, 15년 3월 정미 ;『명종실록』권18, 10년 6월 정축 ;『선조실록』권17, 16년 5월 정미조. 연산군대에도 큰 변화가 있었지만 중종의 즉위와 함께 그 대부분이 복구되었기에 제외).
　　성종 16 : 敦寧府副正·僉正·判官 각1, 通禮院引儀 2, 司饔院奉事·參奉 각1, 內需司典會·副典需 각1.
　　인조 15 : 內資寺·司瞻寺·豊儲倉·司畜署·惠民署·禁火司·宗簿寺혁거.
　　명종 10 : 內瞻寺·內資寺判官 각1, 司僕寺·司瞻寺·司宰監副正, 社稷署令, 分司畜署直長·別提, 膳工監副正, 濟用監判官 1.
　　선조 16 : 敦寧府主簿 1, 司醞署令, 典設司守, 造紙署司紙.
24) 뒤 〈표 7-3〉 참조.

1485년의 40직에서 68직에서 증가되었고, 다시 1746년과 1785년까지는 80직으로 크게 증가되었다.[25]

〈표 7-2〉 조선시대 능관 변천[26]

	능수	능직 (무품)	참봉 (종9)	별검 (종8)	봉사 (종8)	직장 (종7)	영 (종5)	계	비고
1393(태조2)	8	16						16	
1466(세조12)	15		30					30	
1485(성종16)	20		40					40	『경국대전』
1707(숙종33)	34		49		11	8		68	관제변통
1746(영조22)	40		60	7	0	4	9	80	『속대전』
1785(정조9)	42		38	11	3	9	19	80[27]	『대전통편』

이러한 참하관의 격감과 능관 참봉의 증치로 인한 인사적체를 해결하기 위하여 능관 참봉을 중심으로 한 참하관의 승격, 즉 관제변통이 지속적으로 도모되고 실현되었다. 종9품직의 종8품직 이상으로의 승직은 1707년 陵官 參奉이 처음으로 종7품 直長과 종8품 奉事로 승격되기 이전부터 시작되었다.[28] 그러나 능관이 중심이 된 참하관의 관제변통은 1707년(숙종 33) 전년에 이조판서 李寅燁이 請對에서

참봉으로서 임기가 만료되어 체직되지 못할 자가 수십여 명이 될 것입니다. 그런데 정기인사에서 〈參奉이〉 체직될 관직은 奉事〈종8품〉와 直長〈종7〉을 합해 겨우 7직에 불과합니다. 실로 관직을 소통할 방도가 없습니다. 신의

---

25) 1707년, 1746년, 1785년의 정3~종9품 관직수에 있어서 능관을 제외한 그 외의 관직수 는 각각 1485년 620직, 490직(1707), 497직(1746), 484직(1785)이다. 이를 감안하면 1746년과 1785년에도 능관 이외의 관직은 계속 감소되었다고 하겠다.

26) 7장 〈별표〉 조선시대 능관 변천 종합표에서 종합.

27) 덕릉, 안릉, 정릉, 화릉 각1직, 그 외 38릉 각2직.

28) 『숙종실록』 권38하, 29년 7월 을묘. 이때에 이조판서 李濡의 啓言에 따라 義禁府道使 3원을 經歷, 氷庫·典設司別檢 각2원을 別提, 重林道 등 5驛 察訪을 모두 참삼관으로 승격되고, 掌苑署·司圃署別檢 2인을 각각 直長과 奉事로 승격되었다.

생각으로는 典設司別提〈종6〉2원과 別檢〈종8〉1원, 氷庫別提2원, 義禁府都事
〈종6〉2원의 총 7원을 참봉이 임기가 차면 당연히 체직시키는 관직으로
하고, 봉사에 체직된 자는 반드시 만 30개월이 지난 뒤에 6품에 승진시키고
봉사와 직장은 각각 15개월을 채우게 하면 임기가 찬 참봉이 체직될 수
있는 관직이 창설에 비할 바는 아니지만 제법 조화롭게 운용할 수 있는
방도가 될 것입니다. 관제변통에 의거하여 廟堂〈備邊司〉에서 논의하게 한
후 稟達하여 정하는 것이 어떠하겠습니까(〈 〉는 필자 보).[29]

라고 한 의견을 참조하여 전설사별제·별검 등을 임기가 만료된 참봉의
체직관직으로 정함과 동시에 健元陵 등 19릉의 參奉 1직을 直長이나 奉事로
승격하였다.[30]

또 1735년(영조 11)에 左議政 宋寅明이 올린 참하관의 인사적체를 개선하기
위한 관제변통 건의에 따라 각급 능관과 경관 各司 관원을 대규모로 승격·삭
감하면서 文官窠를 축소하고 南行(蔭官)窠를 확대하였다.[31] 그 뒤에도 몇
차례에 걸쳐 능관의 승격이 중심이 된 관제 변통이 있었는데 그 모두는
참하관의 인사적체를 개선할 목적에서 있게 된 것이었다.

그 외에도 1712년(숙종 38)에는 능관의 임기와 관련된 능관의 빈삭한
교체로 인한 폐단을 방지하기 위하여 遠地〈함경도와 여주〉에 있는 8릉의

---

29) 『숙종실록』 권43, 32년 3월 무진.
30) 승격된 시기에 있어서 위 『숙종실록』을 볼 때는 숙종 32년에 실행된 것으로 보이나
『증보문헌비고』 제능관조에 숙종 33년에 실시되었다고 하였음에서 숙종 32년에
결정되었다가 숙종 33년에 실시된 것으로 파악한다.
31) 『영조실록』 권53, 17년 1월 기사. 이때에 변개된 내용은 다음과 같다.
5품관 승격 健元陵 8릉·宗廟署·社稷署 令, 6품관 승격 膳工監直長 1-文官窠에서 南行窠,
泰陵奉事 陞直長, 孝陵 등 8릉 奉事 改別檢.
宗廟署·社稷署·永禧殿·平市署令 定文臣5品窠.
直長 減3, 奉事 減9員.
南行參上 加12, 文臣參上 加4, 文臣參下 加8員.

능관 중 參奉이 아닌 관직을 참봉으로 조정하였다.[32] 이 조치로 당시까지 참봉 2직이던 德陵 등 6릉과 奉事·參奉 각1직이던 英陵·光陵의 봉사가 참봉으로 강격되었다.[33] 영릉·광릉은 공덕이 현저하고 종묘에 봉안된 세종과 세조의 능이었음에도 불구하고 강격이 되었고, 그 후 많은 능의 능관이 종5품 令으로 승격되었음과는 달리 장기간 참봉 2직이 설치되었다가 1776년(정조 즉위)과 1785년(정조 9)에야 여타 능과 같이 참봉 1직이 別檢과 令으로 승격되었다.[34]

이상에서 1707년(숙종 33) 이후에 참봉이 중심이 된 능관이 종5품 令 이하로 여러 차례에 걸쳐 승격되면서 변천되게 된 것은 직접적으로는 참하관의 인사적체를 개선하기 위한 관제변통에서였고, 여기에 강력한 왕권과 재위시의 공덕·종묘봉안 등이 가미되면서 행해지게 되었다고 하겠다.

3. 陵官의 昇格

조선 개국초의 능관은 官階가 없는 權務職이었지만 1466년(세조 12)경에는 문반 종9품직인 參奉으로 개칭·승격되었고, 다시 1707년(숙종 33) 이후에는

---

32) 종9품 참봉의 임기는 18개월로 규정되었지만 능관 참봉은 36개월을 근무하여야만 18개월을 근무한 것으로 인정되었고, 봉사의 임기는 18개월이었다(『경종실록』 권15, 4년 7월 무오). 이에서 영릉과 광릉의 봉사가 참봉으로 강격되었고, 그 후 오래 동안 참봉 2직이 계속된 것은 이것에서 연유되었다.

33) 『증보문헌비고』 제릉관조. 8릉 능관은 여타 능관과 경관 참하관의 대대적인 관제개편의 부분으로서 언급되었는데, 여타 능관 등과는 달리 8릉의 능관은 숙종 38년의 그것과 동일하였음에서 이때의 8릉 기사는 숙종 38년의 그것이 확인된 것으로 추측되기에 영릉과 광릉의 강격은 『증보문헌비고』에 의거하여 숙종 38년에 단행된 것으로 파악한다.

34) 『증보문헌비고』 권224, 직관고 11, 제능관조.

諸陵의 참봉 1직이 종5품 令, 종8품 直長, 종8품·奉事·別檢으로 개칭·승격되면서 운영되었다.

1) 令·直長·奉事

(1) 令(종5품)

문반 종5품직인 령은 1735년(영조 11)에 심각한 참하관의 적체를 해결하기 위한 관제변통과 配陵된 국왕의 공덕 등이 감안되어 健元陵 등 8릉의 종8품 直長을 승격시키면서 비롯되었다.[35] 이후 관제변통과 관련된 관제개정과 관련되어 앞의 〈표 7-2〉와 같이 9직(1746, 영조 22, 『속대전』)→ 19직(1785, 정조 9, 『대전통편』)으로[36] 변천되면서 운영되었다.

(2) 直長(종7품)

문반 종8품직인 직장은 1707년(숙종 33)에 관제변통 등에 따라 건원릉 등 6릉의 종9품 參奉 1직을 종8품 직장으로 개칭·승격시키거나 1735년(영조 11) 종7품직인 奉事가 강격되면서[37] 비롯되었다. 이후 관제개정에 따라 종6품직인 令으로 승격되거나 종8품직의 봉사로 강격되면서 이후 역대 왕·왕비와 추존 왕·왕비가 증가되고 관제변통에 따른 참봉직의 영·봉사·직장·별검으로의 승격과 함께 〈표 7-2〉와 같이 4직(1746, 영조 22, 『속대전』)→ 9직(1785, 정조 9, 『대전통편』)으로[38] 변천되면서 운영되었다.

---

35) 『증보문헌비고』 권224, 직관고 11, 제능관조. 그 외의 7릉은 貞陵, 獻陵, 顯陵, 敬陵, 昌陵, 恭陵, 思陵이다(7장 〈별표〉 조선시대 능관 설치와 변천 종합표에서 발췌).
36) 7장 〈별표〉 조선시대 능관 변천 종합표에서 발췌.
37) 『증보문헌비고』 제능관조(관직수는 뒤 〈부록〉 조선시대 능관 변천 종합표에서 종합).

(3) 奉事(종7품)

문반 종8품직인 봉사는 1707년(숙종 33)에 인사행정에 따른 관제변통에 따라 헌릉 등 11릉의 종9품 參奉 1직을 종7품 봉사로 개칭·승격시키면서[39] 비롯되었다. 이후 관제변통과 관련된 관제개정으로 종6품 令으로 승격되는가 하면 종8품의 直長과 종9품의 참봉으로 강격되면서 혁거(1746, 영조 22, 『속대전』)→ 3직(1785, 정조 9, 『대전통편』)으로[40] 변천되면서 운영되었다.

2) 別檢(종8품)

문반 종8품 무록직인 별검은 1712년(숙종 38)에 능관의 빈번한 교체로 인한 폐단을 시정하기 위한 관제변통에 따라 明陵의 종7품 奉事를 別檢으로 개칭·강격하면서 비롯되었고,[41] 이후 관제변통에 따른 관제개정으로 종7품직인 봉사가 강격되고 종9품 참봉직이 승격되면서 앞의 〈표 7-2〉와 같이 7직(1746, 영조 22, 『속대전』)→ 11직(1785, 정조 9, 『대전통편』)으로[42] 변천되면서 운영되었다.

3) 參奉(종9품)

無品權務職인 陵直이[43] 문반 종9품직인 참봉으로 승격된 시기는 명확하지

---

38) 7장 〈별표〉 조선시대 능관 변천 종합표에서 종합.
39) 『숙종실록』권43, 32년 3월 무진·갑오 ;『증보문헌비고』권224, 직관고 11, 제능관조. 그 외의 10릉은 英陵, 光陵, 順陵, 宣陵, 靖陵, 禧陵, 泰陵, 穆陵, 明陵, 翼陵이다.
40) 7장 〈별표〉 조선시대 능관 변천 종합표에서 발췌.
41) 7장 〈별표〉 조선시대 능관 변천 종합표에서 발췌.
42) 7장 〈별표〉 조선시대 능관 변천 종합표에서 발췌.

못하다. 그렇기는 하나 1466년(세조 12)에『경국대전』의 편찬에 따른 관제개정에 따라 처음으로 육조속아문인 諸寺·監·司·倉·庫·署 등에 종9품직의 참봉을 두었고,[44] 1485년(성종 16)에 반포된『경국대전』에 경기에 위치한 7릉에 각각 2직의 참봉이 규정되고[45]『증보문헌비고』에는 함길도에 소재한 8릉과 경기에 소재한 7릉 모두 각 2직의 참봉을 둔 것으로 기재되었다.[46] 이를 볼 때 함길도와 경기에 위치한 15릉 모두에는 1466년 관제개정 때에 무품권무인 능직 각2명을 문반 종9품 참봉으로 개칭하면서 승격한 것으로 추측된다.

참봉은 1466년에는 德陵(목조)·安陵(목조비) 이하 태조 4대 조부모의 8릉과 健元陵(태조)·齊陵(태조비 한씨) 이하 왕·왕비의 7릉에[47] 각2직의 30직이 있었다. 이후 역대 왕·왕비와 추존 왕·왕비가 증가되고 인사행정에 따른 관제변통에 따른 참봉직의 令·奉事·直長·別檢으로의 승격과 함께 위의〈표 7-2〉와 같이 40직(1485, 성종 16)→ 49직(1707, 숙종 33)→ 60직(1746, 영조 22,『속대전』)→ 41직(1785, 정조 9,『대전통편』)으로 변천되면서 운영되었다.

그 외에 무품의 권무직인 능직은 1393년(태조 2) 태조의 4대 조부모를 왕에 추존하고 능호를 정하면서 설치되었다가 1466년(세조 12)『경국대전』의 편찬에 수반된 대대적인 관제정비에 따라 종9품 참봉으로 승격·계승되면서 소멸되었다.

---

43) 능직의 관직적 성격은 앞 주 9) 참조.
44)『세조실록』권38, 12년 1월 무오.
45)『경국대전』권1, 이전 경관직.
46)『증보문헌비고』권224, 직관고 11, 제능관조.
47) 7장〈별표〉조선시대 능관 변천 종합표에서 발췌.

4. 陵官과 官制·人事行政

1) 陵官과 官制

조선왕조의 관제는 개국초에 고려의 관제를 계승하면서 성립되었고, 태종과 세종대에 크게 정비되었다가 1466년(세조 12)『경국대전』의 편찬에 수반된 관제 조정으로 정립되었다가 1485년(성종 16)에 반포된 마지막『경국대전』에 법제화되면서 정착되었다.⁴⁸⁾

『경국대전』에 법제화된 관제는 이후 조선말까지 왕권, 정치, 군사, 사회, 경제 등의 변천과 함께 국정운영체계는 1591년(선조 24)까지는 의정부-6조 체제가 지속되었고, 1592년 이후는 비변사-6조체제로 변동되면서 운영되었다. 그러나 관아와 관직의 운영에 있어서는 1591년까지는 관아는 큰 변화가 없었지만 관직은 육조속아문의 정3품 당하관 이하가 지속적으로 감소되었고, 1592년 이후는 비변사 등의 관아가 신치되는가 하면 육조속아문이 많이 혁거되고 또 그에 속한 관직이 크게 감소되면서 운영되었다.

한편 1485년(성종 16)~1785년(정조 9)에 걸친 관직변천을 보면 정1~정3품 당상관은 큰 변동이 없이 운영되었다.⁴⁹⁾ 그러나 정3품 이하 당하관은 당시의 정치, 군사, 재정, 관아합병·관원조정 등과 관련되어 六曹屬衙門의 諸寺·監·司·倉·庫·署 등의 관직은 그 수가 격감된 반면에 종6~종9품의 능관은 크게 증가되면서 운영되었다.⁵⁰⁾

---

48) 한충희, 2006,『조선초기의 정치제도와 정치』, 계명대학교출판부, 103~135쪽.
49) 『경국대전』에 적기된 경직 문반 당상관은 46직(정1품 4, 종1 3, 정2 10, 종2 10, 정3 18)이었고, 이후『대전통편』까지 단지 종2품은 1직(강화부유수)이 증치되고, 정3품 2직(세자시강원찬선, 성균관제주)이 증치 및 1직(장예원판결사, 장예원이 형조에 소속되면서 혁파)이 감소되면서 운영되었다(한충희, 2006,『조선초기의 정치제도와 정치』, 계명대학교출판부, 2006, 113~116쪽〈표 4-2〉,『속대전』·『대전통편』권1, 이전 경관직에서 종합).
50) 1485년(성종 16)~1785년(정조 9)에 능관은 앞의〈표 7-2〉와 같이 1485년(성종 16,

<표 7-3> 1485~1785년 문반 정3~종9품관 변천 일람표
(단위 직, ( )는 능관, 경은 『경국대전』, 속은 『속대전』, 대통은 『대전통편』)[51]

	1485 (경)	1486 ~1706	1707~ 1746(속)	1747~ 1785(대통)		1485 (경)	1486 ~1706	1707~ 1746(속)	1747~ 1785(대통)
정3품 당하관	24	~17	~17	~16	정7	15	16	~16	~17
종3	27	~10	~10	~12	종7	43	~42(8)	~34(4)	~38(6)
정4	14	~15	~15	~15	정8	14	~14	~14	~13
종4	47	~17	~17	~17	종8	44	~32(11)	~50(7)	~40(14)
정5	36	~34	~34	~33	정9	50	~42	~42	~42
종5	70	~46	~70(9)	~59(19)	종9	91(40)	~135(49)	~115(60)	~123(41)
정6	69	~53	~53	~50	합계	66~(40)	~558 (68)	~587(80)	~574(80)
종6	116	~85	~100	~99					

正品職은 정3품관은 위의 표와 같이 24직(『경국대전』)에서 17직(숙종 33년과 『속대전』 이하 『속』으로 약기)→ 16직(『대전통편』, 이하 『통』으로 약기)으로 크게 감소되면서 운영되었다. 그러나 정4, 정5, 정6, 정7, 정8, 정9품관은 큰 변동없이 운영되었다.[52] 從品官은 크게 감소되면서 운영되었는데 종3품관은 27직에서 10직(숙종 33·『속』)→ 12직(『통』), 종4품관은 47직에서 17직(숙종 33·『속』·『통』), 종5품관은 70직에서 46직(숙종 33)→ 70직(『속』) 59직(『통』), 종6품관은 116직에서 85직(숙종 33)→ 100직(『속』)→ 99직(『통』)으로 감소되었다. 종7품관은 43직에서 42직(숙종 33)→ 34직(『속』) → 38직(『통』), 종8품관은 44직에서 32직(숙종 33)→ 50직(『속』)→ 40직(『통』)으로 각각 감소되면서 운영되었다. 종9품관은 다른 종품과는 달리 능관

『경국대전』에는 종9품 40직이 있었고, 이후 68직 ─ 종7품 8·종8품 11·종9품 49(1707, 숙종 33)→ 80직 ─ 종5품 9·종7품 4·종8품 7·종9품 60(1746, 영조 22, 『속대전』)→ 90직 ─ 종5품 19·종7품 6·종8품 14·종9품 41(1785, 정조 9, 『대전통편』)으로 변천되면서 운영되었다.

51) 『조선왕조실록』 성종 16~정조 7년조(육조속아문관), 7장 <별표> 조선시대 능관변천 종합표(능관)에서 종합.

52) 이들 관직 대부분이 국정의 핵심관아인 議政府·六曹·司憲府·司諫院과 문한기구인 弘文館·成均館·藝文館·承文院·世子侍講院 등에 소속되었기에 거의 변동없이 후대로 계승되었다.

참봉의 증가와 관련되어 오히려 91직에서 135직(숙종 33)→ 115직(『속』)→ 123직(『통』)으로 크게 증가되면서 운영되었다. 이를 합산하면 정3품~종9품은 660직(『경국대전』)에서 558직(숙종 33)→ 587직(『속』)→ 574직(『통』)으로 즉, 100여 직 내외가 격감되면서 운영되었다.

그런데 이 변천에서 능관을 제외할 때는 그 감소된 관직수가 620직에서 490직→ 507직→ 490직으로 그 폭이 더 크고, 그 중에서도 참봉은 감소폭이 더 크다. 특히 정6품~종9품관이 승직할 종5품은 능관이 처음으로 승격하는 1707년에 69직이던 것이 1785년에는 50직으로 감소되었고, 정6~종9품관은 542직에서 422직으로 감소되었으니 그 비중이 더 심화되었다.[53] 또 종6, 종7, 종8, 종9품 간에도 삭감률이 더 높아졌고, 종8품과 종9품 간의 차이는 더욱 심하였다.[54]

이를 볼 때 1485~1785년에는 계속하여 당하관이 감소되었고, 참상관과 참하관은 물론 참하관—특히 종9품 참봉과 종8품 이상 간의 비율이 점증되면서 참하관의 인사를 크게 적체시켰다고 하겠다.

2) 陵官과 人事行政

1485년 이후에 지속적으로 삭감되면서 운영된 관직수를 능관의 변천과 관련된 시기별로 보면 앞의 〈표 7-3〉과 같이 1485년에 660직이던 정3품 당하관~종9품관이 1707년(숙종 33)까지는 558직, 1746년(영조 22)까지는

---

53) 종5품관은 72%로 감소되었고, 정6~종9품관은 78%로 감소되었다.
54) 종6품, 종7품, 종8품, 종9품간의 관직수 비율을 보면 다음의 표와 같다(위 〈표 7-3〉에서 발췌).

	1485(『경』)	1486~1707(숙종 33)	1708~1746(『속』)	1747~1785(『통』)
종6품 ↔ 종7품	1(116) : 0.4(43)	1(85) : 0.5(42)	1(100) : 0.3(34)	1(99) : 0.4(38)
종7 ↔ 종8	1(43) : 1(44)	1(42) : 0.8(32)	1(34) : 1.4(50)	1(38) : 1.1(40)
종8 ↔ 종9	1(44) : 2.1(91)	1(32) : 4.2(135)	1(50) : 2.3(115)	1(40) : 3.2(123)
종6~정9 ↔ 종9	1(281) : 0.3(91)	1(231) : 0.6(135)	1(256) : 0.5(115)	1(249) : 0.5(123)

587직, 1785년(정조 9)까지는 574직으로 변천되면서 운영되었다. 그런데 동기에 능관수를 보면 1485년 40직이던 것이 1707년 68직, 1746년 80직, 1785년 80직으로 계속 증가되었다. 또 능관이 승격된 종5품 이하의 종품직에서 승격된 능관을 제외하면 그 모두가 계속하여 감소되었다.[55]

이러한 종5품관 이하의 관직의 감소, 능관이 중심이 된 종9품직의 계속적인 증가는 종9품직이 중심이 된 참하관의 인사적체를 심화시켰고, 이를 해결하기 위한 종9품직의 종8품직 이상으로의 승격이 요청되었다. 종9품직의 종8품직 이상으로의 승직은 1688년(숙종 14)부터[56] 계속하여 제기되었다. 그러다가 1707년(숙종 33)에 健元陵 등 19릉의 參奉 각1직이 종7품 直長과 종8품 奉事로 승격되면서 본격적으로 실시되었다.

이 관제변통으로 종9품 참봉에서 종7품과 종8품으로의 체직 즉, 참하관 간의 인사적체가 다소 완화되기도 하였다. 실제로도 숙종 37년 6월에 左議政 金昌集이 올린 상소에

　　근래에 관제를 변통하여 능관을 봉사와 직장으로 승격하였는데 실제로
　　참하관을 소통시킨 효과가 있었다고 생각합니다.[57]

라고 하였듯이 다소 효과가 있었다. 그러나 17년 후인 경종 4년 7월에 吏曹判書 李肇가 각릉 참봉 1인을 종5품 令으로 승격시킬 것을 啓言하면서 그 이유로

　　근년에 새롭게 급제하는 문·무과 출신과 음서로 사관하는 初入仕者가 점차로
　　많아져 前職者로서 산계를 가진 文·武·蔭官이 거의 천여 명이나 됩니다.

---

55) 구체적인 내용은 앞의 주 54) 참조.
56) 『숙종실록』권19, 14년 12월 신축 ; 권30, 22년 7월 을해, 외.
57) 『숙종실록』권50, 37년 6월 계유.

그러나 제수할 관직이 많지 않아 復職을 하지 못하고 있습니다. 마땅히
점차로 관직수를 늘려 차례로 서용하소서.[58]

라고 하였듯이 여전히 인사적체가 심각하였다. 이에서 계속하여 능관의
승격이 중심이 된 관제변통이 요청되었고, 실제로 1785년(정조 9, 『대전통
편』)까지의 90여 년간 10여차 이상에 걸쳐 능관의 승격이 중심이 된 관제변통
이 시행되었다. 그리하여 능관으로 승격된 종5~종8품직이 1707년 19직에서
20직(영9, 직장4, 별검7, 1746년, 『속대전』)→ 42직(영19, 직장9, 봉사3, 별검
11, 1785년, 『대전통편』)으로 증가되었다.

또 능관이 동품직에서 점하는 비중을 보면 다음의 표와 같이 종5품
令은 13%에서 32%까지 격증하였고, 종7품 直長은 19%에서 12%로 감소되었
다가 16%로 증가되었고, 종8품 奉事와 別檢은 14%에서 14%로 감소되었다가
35%로 증가되었으며, 종9품 參奉은 44%에서 36%, 52%, 33%로 변천되었
다. 이 중 참봉은 20~40여명이 영 이하로 승격되었지만 33% 이상이나
되었다.

〈표 7-4〉 1485~1785년 능관의 관직 비중

	1485(『경』)	1486~1707(숙종 33)	1708~1746(『속』)	1747~1785(『대통』)
종5품			13%(70/9)	32%(59/19)
종7		19%(42/8)	12%(34/4)	16%(38/6)
종8		24%(32/11)	14%(50/7)	35%(40/14)
종9	44%(91/40)	36%(135/49)	52%(115/60)	33%(123/41)

그런데 능관의 인사행정을 보면 참봉은 1466년(세조 12)에 17릉 34명
중 북도출신 진사로 제수된 8릉을[59] 제외한 9릉 18명 중 9명이 蔭官窠로

---

58) 『경종실록』 권15, 4년 7월 병신.
59) 『영조실록』 권79, 29년 2월 임자, 외(북도 德陵 등 8릉의 참봉은 함경북도 관찰사가
    본도 진사를 천거하여 제수하였다. 『경국대전』 권1, 이전 경관직).

규정되었고,[60] 이후 1706년(숙종 32)까지는 이 규정이 준행된 것으로 추측된다.[61] 1707년 이후는 참봉은 물론 영 이하 명릉 능관의 대부분이 음서출신자였음에서[62] 능관의 대부분이 1741년(영조 17)[63] 이후 점차로 음관과로 전환된 것으로 추측된다. 또 명릉 능관에 제수된 자는 대부분이 36개월 미만에 陞資·陞職되거나 타 관아로 체직되었는데[64] 그 중 25% 정도가 國喪脫喪, 재직 왕릉의 親祭·別祭 등과 관련되어 종8품직(계) 이상에 승진하였으며,[65] 종6품 이상에 승진한 자는 육조속아문의 실무직이나 외방 수령으로 제수되었다.[66]

물론 명릉 능관의 사례는 전체 능관의 수 십 분의 1에 불과하고, 또 명릉에 배릉된 숙종과 그 왕비들은 영조와 정조의 부모와 증조부모이기 때문에 여타의 능 보다 친제·별제가 많았을 것이라고 추측된 등에서 조선후기는 물론 영조대 이후에 있어서도 일반화시키기는 어렵겠지만 능관의

---

60) 『연려실기술』 별집 권7, 관직전고 제사조. 정해득은 앞 논문, 69쪽에서 "『경국대전』에는 음관 초입사의 원래 숫자가 165명인데 경외의 참봉이 70명이었다"라고 하면서 응참봉 70직을 모두 음관과라 하였다. 그러나 『경국대전』에 음관 초입사에 대한 규정이 없고, 또 『경국대전』에 규정된 능참봉은 70직이 아니고 40직이다.

61) 능참봉의 관직적 성격은 명화히 알 수 없다. 그러나 참봉이 중심이 된 참하관의 인사적체와 관련되어 참봉 중 1명이 영(종5)과 직장(종7) 등으로 승격되었고, 영 이하가 文官窠에서 蔭官窠로 전환되었으며, 1711년(숙종 37) 이후의 明陵 등 승이하 능관이 대부분 음서출신자인 등에서 참봉이 직장 등으로 승격되는 1707년까지는 『연려실기술』에 적기된 즉, 제릉 참봉 2직 각각 문관과 1직과 음관과 1직으로 운영되었음에서 추측하여 파악한다(명릉 능관의 출신은 김충현, 앞 논문, 192~193쪽 참조).

62) 김충현, 앞 논문, 192~193쪽. 분석대상 330명 중 267명이 주로 음서, 그 외 63명(모두가 별검)이 문과급제자였다.

63) 『영조실록』 권53, 17년 1월 계사. 이때 건원릉 영 등 능령 8과와 함께 사직·종묘서령과 상의원·선공감주부가 문관과에서 음관과로 전환되었고, 영희전·평시서령이 음관과에서 문관과로 전환되었다.

64) 12개월 미만 36%(119명), 24개월 미만 33%(109), 36개월 미만 17%(56)로 36개월 미만이 총 86% 284명이었다(김충현, 앞 논문, 194~195쪽).

65) 각급 능관 330명 중 135명이 봉사(종8) 이상에 승진되었다(봉사 24, 별검 66, 영 45, 김충현, 앞 논문, 199~200쪽).

66) 김충현, 앞 논문, 200쪽.

기능, 출신, 관품 등을 고려하면 개략적인 경향은 이와 크게 다르지 않았을 것이라고 생각된다.

그런데 명릉 능관이 36개월 미만에 체직·승직되고, 특히 종9품 참봉이나 종8품 봉사·별검이 품계를 뛰어넘어 종6품직(계)에 승직이나 승자된 것은 그 관직자의 대부분이 유력 관인·가문의 자제임을[67] 감안하더라도 당시에 만연된 인사적체와 1,000여명 이상에 달하는 散職者를 고려할[68] 때 대단한 특혜였다. 이에서 당시 유력 관인 가문은 자제의 출사와 영달에 능관직을 크게 활용하였고,[69] 이러한 능관의 관직적 성격에서 능관은 음관 淸職으로 인식되었다.

조선시대의 능관이 동품직 나아가 참하관의 인사운영에 어떠한 역할을 하였는가는 명확히 알 수 없다. 그러나 30% 이상을 점한 참봉은 1466년(세조 12)~1706년(숙종 32)에는 문관과 음관의 참하관 인사에서, 30% 이상을 점한 종5품 영과 종8품 봉사·별검, 종9품 참봉은 1707년(숙종 33) 이후 음관이 중심이 된 동품직 나아가 참하관의 인사운영에서 중요한 역할을 하였을 것으로 생각된다. 또 종7품의 직장도 16% 내외를 점하였음에서 1707년 이후 음관이 중심이 된 동품직 나아가 참하관의 인사운영에서 중요한 역할을 하였을 것으로 생각된다.

이를 볼 때 숨 이하 능관은 여타 동품직이 지속적으로 감소되었음과는 달리 계속 증가되고 승격되면서, 특히 숙종 후반기 이후에는 그 각각이

---

67) 종친, 외척, 유력가문 인물이 성관이 확인된 83명의 대부분을 점하였다(전주이씨 36, 여흥민씨 17, 경주김씨 12, 당성홍씨 11, 반남박씨 11명, 김충현, 앞 논문, 190~193쪽).

68) 『숙종실록』 권43, 32년 3월 무진 ; 『경종실록』 권15, 4년 7월 병신, 외.

69) 예컨대 영조후반기에 세손 정조의 장인으로서 총융사·한성판윤·병조판서겸어영대장·호조판서·판의금부사·선혜청당상·좌참찬 등을 두루 역임한 金時默의 아들인 金基大와 현손인 金元植, 순조의 국구로서 순조대의 정권·병권을 장악하고 국정을 총관한 金祖淳의 외손인 李承緒 등이 있다(김충현, 앞 논문, 199~200쪽, 김시묵과 김조순의 관력은 필자 보).

속한 동품직에서 큰 비중을 점하였으며, 참하관의 인사적체를 근본적으로 해결하지는 못하였지만 음관이 중심이 된 동품직과 참하관 인사운영의 중심이 되었다고 하겠다.

5. 결어

陵官은 개국조의 4대 부모, 역대 왕·왕비, 추존왕·왕비의 묘를 수호하고 관리하는 官人(官職)이다.

조선왕조의 능관에는 처음에는 諸陵에 官品이 없는 陵直 2명을 두었고. 1466년(세조 12)경부터 종9품직의 參奉 2명을 두었다.

1707년(숙종 33)부터는 1485년(성종 16) 이후로부터 당시까지에 걸친 관제개정과 관련되어 정3품~종8품직이 많이 삭감되고 종9품직-특히 능관인 參奉-의 수가 크게 증가되면서 종6~종9품관의 인사가 크게 적체되었다.

이러한 인사적체로 인한 관인의 인사행정을 원활히 하기 위해 1707년에는 왕권·官制變通에 配陵된 왕의 공덕을 참조하여, 1736년 이후에는 관제변통을 주로 하여 능관인 참봉 2명 중 1명을 令(종5품), 奉事(종7), 直長(종8), 別檢(종8)으로 승격하였다.

능관은 1485년(성종 16,『경국대전』)에 20릉 참봉 40직이다가 1746년(영조 22,『속대전』)에는 42릉 令 이하 80직(영 23, 직장 5, 별검 7, 참봉 49), 1875년(정조 9,『대전통편』)에는 42릉 영 이하 80직(영 29, 봉사 3, 직장 9, 별검 2, 참봉 47)으로 변천되면서 운영되었다.

능관은 종6품~종9품의 하급관인이기는 하나 그 관직수와 관련되어 각각 1706년까지는 종9품직, 1707년 이후는 종5~종9품관직의 30~40%를 점하였고, 이로써 종5~종9품 文班과 蔭官 관직운영의 중심이 되었다.

요컨대 조선후기의 능관은 참하관의 인사적체를 변통하기 위하여 영

이하로 대거 승격되었고, 동품의 관직에서 전유한 비율과 관련되어 참하관 인사행정의 중심이 되었다고 하겠다.[70]

---

70) 능관의 除授, 遞職, 陞資·陞職 등도 보다 구체적으로 고찰해야 되겠지만 능관제의 변천에 초점을 맞춘 관계로 구체적으로 고찰하지 못하고 선행연구에 의거하여 간략히 정리하였고, 서술에 중복됨이 많고 논지에 추측과 비약됨이 많았다.

〈별표〉 조선시대 능관 변천 종합표 (令 종5, 直長 종7, 別檢·奉事 종8, 參奉 종9)⁷¹⁾

		경국대전	성종16~영조22 (속대전)	영조23~정조7 (대전통편)	정조8~고종2 (대전회통)	비고
	德陵 목조	參奉2*	→	→직장1(영조45)	→	*증보문헌비고 제능관조
	安陵 목조비 이씨	참봉2*	→	→참봉1(영조45)	→	
	智陵 익조	참봉2*	→	→別檢1참1(영조45)→	→직장1참봉1(?)→	
	淑陵 익조비 최씨	참봉2*	→	→奉事1, 참봉1(영조45)→	→	
	義陵 도조	참봉2*	→	→奉事1, 참봉1(영조45)→	→	
	純陵 도조비 박씨	참봉2*	→	→奉事1, 참봉1(영조45)→	→	
	定陵 환조	참봉2*	→	→참봉1(영조45)	→	
	和陵 환조비 안씨	참봉2*	→	→참봉1(영조45)	→	吏曹道內人備擬 受點(이상 동)⁷²⁾
	健元陵 태조	참봉2	→直長1參奉1(숙종33)→令1참봉1(영조11)→		→	
	齊陵 태조비 한씨	참봉2	→직1참1(숙33)→참2(숙38)→	→別檢1참1(정조즉)→영1참1(정7)→	→	
경국대전	貞陵 태조계비 강씨	참봉2	→직장1참1(숙33)→영1참1(영11)→		→	
	厚陵 정종, 비 김씨	참봉2	→	→별1참1(정조즉)→	→영1참1(?)	
	獻陵 태종, 비 민씨	참봉2	→奉事1참1(숙33)→직1참1(영1)영1참1(영11)→	→	→직1참1(?)	
	英陵 세종, 비 심씨	참봉2	→봉1참1(숙33)참2(숙38)→	→별1참1(정즉)→영1참1(정7)→	→	
	顯陵 문종, 비 권씨	참봉2	→직1참1(영1)영1참1(영11)→	→	→	
	光陵 세조, 비 윤씨	참봉2	→봉1참1(숙33)참2(숙38)→	→별1참1(정즉)→영1참1(정7)→	→	
	敬陵 덕종, 비 한씨	참봉2	→직1참1(영1)영1참1(영11)→	→	→	
	昌陵 예종, 계비 한씨	참봉2	→직1참1(영1)영1참1(영11)→	→참2(영35)→영1참1(정즉)→	→	
	恭陵 예종비 한씨	참봉2	→직1참1(영1)영1참1(영11)→	→	→	
	順陵 성종비 한씨	참봉2	→봉1참1(숙33)직1참1(영11)→	→	→	

구분	陵	대상				
	莊陵	단종	참봉2(숙24)→	→별1참1(정즉)→영1참1(?)→	→	
	思陵	단종비 송씨	참봉2(숙24)→직1참1(영1)→영1참1(영11)→	→	→	
	宣陵	성종, 계비 윤씨	참2(연산1)→봉1참1(숙33)→직1참1(영11)→	→	→	
	靖陵	중종	참2(인조1)→봉1참1(숙33)→직1참1(영11)	→	→	
	溫陵	단경왕후 신씨	참봉2(영15)→	→영1참1(정즉)→	→	
	禧陵	중종계비 윤씨	참2(중종10)→봉1참1(숙33)→직1참1(영11)→	→	→	
경국대전이후	泰陵	중종계비 윤씨	참2(명종20)→봉1참1(숙33)→직1참1(영17)→	→	→	
	孝陵	인종, 비 박씨	참2(선조1)→별1참1(영17)→	→		영1참1(?)→
	康陵	명종, 비 심씨	참2(선조즉)→봉1참1(영조1)→별1참1(영17)→	→		영1참1(?)→
	穆陵	선조, 비 박씨, 계비 김씨	참2(광해즉)→봉1참1(숙33)→별1참1(영17)→	→	→	
	章陵	원종, 비 구씨	참2(인10)→직1참1(숙33)→참2(숙38)→	→영1참1(정즉)→별1참1(곧)→	→영1참1(정20)→	
	長陵	인조, 비 한씨	참2(인27)→직1참1(숙33)→참2(숙38)→	→영1참1(?)→별1참1(곧)→	→영1참1(정20)→	
	徽陵	인조계비 조씨	참2(숙14)→직1참1(숙33)→봉1참1(영1)→별1참1(영17)→영1참1(곧)→	→별1참1(정20)→	→영1참1(정조20)→	
	寧陵	효종, 비 장씨	참2(효종10)→직1참1(숙33)→참2(숙38)→	→영1참1(정즉)→별1참1(곧)→	→영1참1(정조20)→	
경국	崇陵	현종, 비 김씨	참2(현종15)→직1참1(숙33)→봉1	→영1참1(?)→	→	

구분	능	피장자				
대전이후			참1(영1)→별1참1(영17)→			
	明陵	숙종, 1계비 민씨, 2계비 김씨	참2(숙26)→봉1참1(숙33)→별1참1(숙38)→	→참2(영33)→별1참1(정즉)→영1참1(?)→	→	
	翼陵	숙종비 김씨	참2(숙6)→봉1참1(숙33)→별1참1(영17)→	→영1참1(정9)→	→	
	懿陵	경종, 계비 이씨	참봉2(영즉)→	→영1참1(정즉)→	→	
	惠陵	경종비 심씨	참2(경종즉)→봉1참1(영1)→별1참1(영11)→	→		→영1참1(?)
	元陵	영조, 계비 김씨	참봉2?(영22[73])→	→별1참1(정조즉)→	→	
	弘陵	영조비 서씨		참봉2(영33[74])→영1참1(정즉)→	→	
	永陵	진종, 비 趙씨		참2(영52[75])→영1참1(정즉)→	→	
	健陵	정조, 비 김씨				순조즉 별1참1→영1참1(?)→
	仁陵	순조, 비 김씨				순조즉 별1참1→영1참1(?)→
	綏陵	文祖, 비 趙씨				순조32 별1참1→영1참1(?)→
	景陵	헌종, 비 김씨, 계비 홍씨				헌종9 영1참1→직1참1(?)→
	睿陵	철종, 비 김씨				철종10 참봉2→
합계			20릉 40직 ; 참봉40	40릉 80직 ; 영8, 직장5, 별검9, 참봉58(영조23)	42릉 80직 ; 영24, 직장6, 봉사3, 별검6, 참봉41(정조7)	47릉 90직 ; 영29, 직장9, 봉사3, 별검2, 참봉47(고종2)

71) 『조선왕조실록』 태조 2~철종 10년조 ;『증보문헌비고』 권224, 직관고 11 諸陵官조 ; 『경국대전』,『속대전』,『대전통편』,『대전회통』에서 종합.

72) 『경국대전』 권1, 이전 경관직.

73) 『속대전』 권1, 이전 경관직.

74) 설치 능관은 불명하나 원릉의 예에 따라 참봉으로 비정하여 파악한다.

75) 同上.

결어

    지금까지 조선중기에 정치를 총령하거나 주도한 議政府와 邊事 등 군정을 주관한 備邊司, 조선 중·후기를 통해 설치·변천 및 혁거·삭감·증치되면서 운영된 중앙관아와 문반 경관직, 지방을 통치하고 해안과 북방을 방어한 변진, 왕릉을 수호·관리한 능관을 대상으로 그 각각의 설치배경, 변천, 당시의 정치·경제·군사·정치세력 등과의 관계를 구체적이면서도 체계적이고 종합적으로 고찰하였다. 각 장의 서술 요지를 제시하고, 이를 종합하면서 조선 중·후기 정치제도의 특징을 제시하고자 한다.

1. 朝鮮中期의 議政府는 『경국대전』에 규정된 "百官을 거느리고 庶政을 고르게 하고 陰陽을 다스리며 나라를 경륜한다"는 기능을 계승하여 議政府署事制期(중종 11~28년경)·六曹直啓制期(성종 16~중종 10, 중종 28경~선조 24), 院相(국왕즉위초)·王側近(연산말)·功臣(중종초)·權臣(중종말)·外戚(명종대)·언관(중종 11~13) 등 대두에 따라 기능발휘에 차이가 있기는 하나 국정 전 분야에 걸쳐 활발한 정치활동을 전개하면서 국정을 총령하거나 주도하였다.

2. 朝鮮中期(成立期) 備邊司는 국정운영체계상으로는 의정부(의정부서사기)나 육조(병조, 육조직계제기)의 지휘를 받아 司事를 처리하게 되었지만 그 설립이 긴급한 邊事의 처리에서 기인되었고, 의정부·병조 대신이 변사에 미숙하고 비변사를 운영한 堂上(都提調·提調)은 남북방의 변사에 諳鍊

하면서 장기간 재직하였음과 관련하여 당상이 의정부·병조의 지휘·간섭을 배제하고 변사 등 군정관련 정사를 專管하였다.

3. 朝鮮 中·後期의 中央官衙는 급변하는 정치·군사·경제·사회상과 관련되어 새로이 備邊司·宣惠廳·奎章閣과 訓練都監 등 軍營衙門이 설치되어 의정부를 명목상의 기관으로 전락시키고 육조·육조속아문 기능을 약화시키면서 모든 정치·군사를 주관하였고, 육조속아문은 다수의 아문이 강격되거나 혁거되었다.

4. 朝鮮 中·後期의 文班 京官職은 급변하는 정치·군사·경제·사회상과 관련되어 새로이 등장한 備邊司·宣惠廳·奎章閣과 訓練都監 등 軍營衙門의 겸직당상(도제조·제조)과 군영대장이 정치·군사를 주관함에 따라 경관직의 중심축이 이전까지 의정부·육조 정직에서 비변사 등의 겸직당상과 군영대장으로 옮겨졌다. 물론 비변사 겸직당상에는 3의정과 이·호·예·병·형판을 중심으로 제수되었지만, 이들이 발휘한 정치력은 본직으로서보다는 겸직을 통해서였다. 또 당시에 대두된 당파·세도정치가 이러한 정치제도에 편승하여 당상겸직을 통해 비변사는 물론 군영아문까지 장악하면서 왕권을 약화시키고 공적 정치질서를 붕괴시키면서 국정을 전단하거나 주도하였다. 이에서 조선후기의 비변사 등 아문과 도제조 등 신설된 관아·관직은 당시의 급변하는 정치·군사·경제 등에 대처하면서 왕조를 지속시키기도 하였지만 집권당파와 세도정치가가 정치를 전단·주도하는 토대가 되었다.

5. 朝鮮 中·後期의 郡縣은 법제적인 기능은 이전의 그것이 그대로 계승되었지만 많은 군현이 강격되고 승격되게 된 것은 직접적으로는 급변하는 경제·사회상과 관련된 반란·반역·강상죄인 등에서 야기되었고, 이를 통하여 왕조를 유지하고 국방을 강화하며 중앙집권·유교적 신분질서 유지와 효율적인 지방통치에 기여하였다.

6. 朝鮮 中·後期에는 내침하는 남북방의 외적 방어와 관련되어 많은 변진이

설치·승격되었고, 비록 왜란과 호란기에는 적의 군세와 관련되어 큰 효과가 없었으나 그 외의 시기에는 왜·야인의 직접적인 침입을 방어하고 수도방어를 보조하여 국경과 민심을 안정시키고 국가의 평화를 유지시키는 한 토대가 되었다.

7. 朝鮮時代의 陵官은 역대의 전개에 따라 조선초기에는 20릉에 參奉(종9)이 40직에 불과하였으나 조선중기 이후에 점차로 증가한 능관(참봉)으로 인해 심화된 참하관의 인사적체를 해소하기 위해 1707년(숙종 33) 이후에는 여러 번에 걸쳐 종9품직인 참봉직 중 1직을 종5품 슈, 종7품 直長, 종8품 봉사·별검으로 승격시키는 관제조정이 있기도 하였다.

이러한 정치제도의 운영과 특징을 볼 때 조선 중·후기의 정치제도는 조선초기에 비해 국정운영체계가 ① 조선중기에는 '王-議政府-6曹體制'가 지속되기는 하나 邊事 등 군정은 '王-備邊司體系'로 운영되었고, ② 조선후기에는 비변사가 국정을 총령함에 따라 '王-備邊司-六曹·5軍營體系'로 운영되었다.

관직체계는 ③ 조선중기에는 '의정부·6조·삼사 등 정1~정3품 당상관직'이 중심이 되었고, ④ 조선후기에는 비변사·선혜청 등 정치·경제를 전관한 관아가 도제조 등 겸직을 중심으로 운영되고, 군영아문의 대장이 요직이 되면서 '겸직인 비변사·선혜청 등 도제조·제조·부제조·유사당상, 군영대장'이 중심이 되었다. ⑤ 3의정·6조판서 등은 본직으로서 보다는 예겸직인 비변사도제조 등을 통하여 정치력을 발휘하였고, 이를 토대로 의정부는 명목상이나마 최고 정치기관으로 존속될 수 있었다.

정치운영은 ⑥ 조선중기에는 의정부·육조·삼사 등 당상관이 국왕을 받들고 법제적인 관아기능, 행정체계를 통하여 국정을 총령하고 분장하였다. ⑦ 조선후기에는 집권당파가 비변사·선혜청 등 당상겸직과 군영대장직을 독점하거나 다수를 점하면서 비변사·군영아문 등을 지배하였고, 공론보다는 당파의 이해에 따라 정치를 독단하거나 주도하였다. 이러한 현상은 유년 국왕보필과 관련되어 세도정치가 행해진 순조대, 헌종대, 철종대에 외척이 중심이 된 안동김씨와 풍양조씨 세도정치기에 더욱 심화되었다.

요컨대 조선 중·후기에 개편되면서 운영된 관아·관직제 즉, 비변사·5군영 등 아문과 도제조·제조·군영대장 등 관직은 당시의 급변하는 정치·군사·경제 등에 대처하면서 수도권의 방어를 강화하고 왕조를 지속시킴에 기여하기도 하였다. 그러나 조선후기, 특히 1701년(숙종 27, 庚申大黜陟) 이후는 노론과 세도정치가가 정치를 전단·주도하는 토대가 되었다고 하겠다.

부록 : 『議政府謄錄』 解題

　　『議政府謄錄』은 1646년(인조 24)으로부터 1859년(철종 10)까지의 의정부 관원이 행한 각종 정사 및 의정부 관원의 제수와 동정 등을 기술한 48.25/ 36.1㎝, 7,000여 면 34책의 필사본이다.

　　議政府는 1400년(정종 2) 4월에 王世弟인 芳遠(靖安君으로서 정종 2년 2월에 세제가 되었다가 동년 11월에 즉위)의 주도하에 정권과 병권을 장악한 大臣·宗親·勳臣과 都評議使司의 과중한 권력을 약화하고 왕권을 강화하는 방향에서의 정치기구 개편책에 따라, 1279년(고려 충렬왕 5) 이래로 국정의 최고 의결·집행기관이었던 도평의사사를 개편하면서 성립되었다.

　　의정부 기능은 법제적으로는 1401년(태종 1)에 도평의사사의 최고 국정기관으로서의 기능과 周官 三公(太師·太傅·太保)의 직장인 '論道經邦·燮理陰陽'의 기능이 융합되어 '摠百官·平庶政·理陰陽·經邦國'으로 규정되면서 정립되었고, 이것이 『經國大典』의 편찬과 함께 명문화되었으며, 이후 高宗代까지 그대로 계승되었다. 그러나 실제기능은 1592년(선조 25) 備邊司制의 확립과 함께, 그 이전은 비록 왕권과 연관된 議政府 중심의 국정운영─議政府署事(擬議)制─인가, 六曹 중심의 국정운영─六曹直啓制─인가에 따라 의정부 기능의 발휘가 소장되기는 하나 '摠百官·平庶政·理陰陽·經邦國'의 기능 즉, 최고 국정기관으로서의 지위는 유지하였다. 그 이후는 비변사가 정치·군사 등 모든 국정을 관장하였으므로 '理陰陽'과 연관된 여러 의례를 주로 담당하는 유명무실한 관아가 되었다.

의정부 관원은 법제적으로는 1466년(세조 12)에 정비된 領·左·右議政(정1
품, 각1명), 左·右贊成(종1, 각1), 左·右參贊(정2, 각1), 舍人(정4, 2), 檢詳(정5,
1), 司祿(정8, 2)이『경국대전』의 편찬과 함께 명문화되면서 확립되었고,
늦어도 1785년(정조 9) 이전에 사록 1명이 삭감되었을 뿐 고종대까지 계승되
었다. 그러나 실제로는 이 또한 비변사의 대두와 함께『東國通志』에

> 인조즉위 초에 말하기를 비변사를 설치하면서 찬성과 참찬은 병이나 요양하
> 는 관직이 되었고, 사인과 검상의 집무소는 妓樂의 장소가 되었다.[1]

라고 적기하였음과 같이 3의정·사록은 항시 운영되었지만 좌·우찬성은
거의 운영되지 않았고, 사인·검상은 운영과 미운영이 교차되었으며, 좌·우참
찬은 항시 운영되기는 하나 소수만이 추요직인 備邊司堂上을 겸대하고 政廳에
참여하는 등으로 미약하였다.

『의정부등록』은 의정부관원이 행한 여러 정사와 의정부관원의 제수·동정
을 구체적으로 기술한다는 원칙아래, 위에서 언급한 의정의 기능·관원과
연관되어 영·좌·우의정과 좌·우참찬 등이 수행하거나 참여한 儀禮(서술내용
의 대부분을 차지)·外交·人事·刑政事와 의정부관원의 제수·동정·국정참여
형태 등을 포괄하여 일별·관원별·행사별로 구체적인 내용은 생략하고 제목
만을 제시하는 방향에서 서술하였다.『議政府謄錄』-표지에는 '謄錄 議政府
上'-의 수록내용을 분야별로 정리하면 다음과 같다.

  1) 儀禮分野：國王·王妃·大王大妃·王大妃·代行王·代行王妃·國王生父·國王生
     母·世子·世子嬪·王子·王女·外戚 등과 관련된 각종의 吉事·凶事·祭祀·疾病·
     治療·節(候)日·移御와 변란·천재지변 등 때의 문안대상·문안자·문안종

---

1) 仁祖卽位有言 自備局(備邊司)之設 贊成參贊爲養病之坊 舍人檢詳爲妓樂之司

류, 국왕·왕실과 관련된 각종 하례시의 하례대상·하례자, 국왕의 각종 大內·外 行幸時의 隨駕者와 국왕동정, 국왕·왕실의 誕日·節日의 進膳對象·物膳監進者, 宗廟·各(魂)殿·各宮·社稷·山川·先農壇 등에서 행해진 季節·節日·祈雨祭 등의 祭祀·祭獻官, 국왕·왕실과 관련된 葬禮의 진행상황·참여자 등.

2) 對外分野 : 清 사신 내왕시의 迎接·接待·伴送使와 그 종사자, 對清使行文書의 查對·拜表와 그 참여자, 對清進獻方物의 封裹와 그 참여자 등.

3) 人事分野 : 卜相의 主管者·擬望者, 監司·兵使·守令의 薦擧者, 配享功臣·大提學 圈點時의 참여자·권점내용, 都堂錄 작성시의 참여자, 翰林取才·文科·武科·春秋武藝都試·講經(試)·製述試 등의 (考)試官, 의정부와 의정부 당상관이 都提調·提調를 겸대한 承文院·奉常寺·司譯院·軍器寺·司宰監·宣惠廳·禁衛營·御營廳·景慕宮 등의 堂下官 이하에 대한 褒貶 참여자, 代行王·王室·大臣과 관련된 諡號·尊號·徽號·陵號·宮號 議定 등의 대상자·참여자·의망내용 등.

4) 刑政分野 : 初覆·再覆·三覆·親鞫·推鞫·庭鞫·刑決 合坐時 등의 참여자, 行刑時의 참관자 등.

5) 議政府 官員 動靜分野 : 本職과 兼職의 除授·擬望者, 陞進(職), 遞職, 身病·親病勇退·相避·被劾 등으로 인한 본직(겸직 포함)이나 겸직의 辭職(呈疏)과 국왕의 批答, 罷職, 新除授官의 부임을 위한 給馬와 부임여부, 身病辭職·覲親·親病問安·父母墳이나 妻墳의 遷葬·焚黃·近親喪(服制) 등으로 인한 給由, 5品 이하 檢詳·司祿의 署經 이전 근무, 被劾待命(待罪)과 이에 대한 국왕의批答, 新官肅拜 여부와 新官·在職官의 相會禮, 牌招와 그 대상자, 辭職 후의命召返納事, 賜物의 대상자·물건명 등.

6) 其他分野 : 賓廳·備局·次對·召對·朝參·常參·入侍 등 때의 정무논의 참여자, 上言·上啓·上疏·箚啓 등을 통한 정사 개진자, 經筵進講者, 의정부에 내린傳旨(敎), 의정부(관원)에 관계된 備忘記, 備邊司·六曹·臺諫·承政院의 상소

와 정사 중에서 의정부(관원)에 관계된 것, 監司·暗行御史(使) 密啓·狀啓
논의의 참여자, 의정부관원이 수행한 使行과 陵·園·廟 보수사,『조선왕조
실록』등 편찬자, 월별로『의정부등록』을 기록한 掌務書記, 매일의 의정부
入直者 등.

　　『議政府謄錄』은 1646년(인조 24)~1859년(철종 10)의 213년을 서술범위로
하였다. 그러나 1654년(효종 5)~1663년(현종 4) 7월, 1677년(숙종 3)~1687년
(숙종 13), 1692년(숙종 18)~1695년(숙종 21), 1699년(숙종 25)~1702년(숙종
28), 1715년(숙종 41)~1720년(숙종 46), 1724년(경종 4)~1727년(영조 3),
1744년(영조 20)~1755년(영조 31), 1759년(영조 35)~1761년(영조 37), 1774
년(영조 50)~1776년(영조 52), 1783년(정조 7)~1788년(정조 12), 1804년(순
조 4)~1806년(순조 6), 1810년(순조 10)~1816년(순조 16) 11월, 1829년(순조
29)~1842년(헌종 8), 1849년(헌종 15)~1851년(철종 2)의 78년을 제외한 135
년 분 만을 34책으로 전하고 있다. 각 책별 수록기간은 다음과 같다.

　　1책　1646년(인조 24)~1653년(효종 4)
　　2책　1663년(헌종 4) 8월~1670년 6월
　　3책　1670년(현종11) 7월~1676년(숙종 2)
　　4책　1688년(숙종 14)~1691년
　　5책　1696년(숙종 22)~1698년
　　6책　1703년(숙종 29)~1704년
　　7책　1705년(숙종 31)~1706년
　　8책　1707년(숙종 33)~1710년
　　9책　1711년(숙종 37)~1714년
　　10책　1721년(경종 1)~1723년
　　11책　1728년(영조 4)~1730년

12책 1731년(영조 7)~1734년

13책 1735년(영조 11)~1737년 10월

14책 1737년(영조 13) 12월~1740년

15책 1741년(영조 17)~1743년

16책 1756년(영조 32)~1758년

17책 1762년(영조 38)~1764년

18책 1765년(영조 41)~1767년

19책 1768년(영조 44)~1770년

20책 1771년(영조 47)~1773년

21책 1777년(정조 1)~1779년

22책 1780년(정조 4)~1782년

23책 1789년(정조 13)~1791년

24책 1792년(정조 16)~1794년

25책 1795년(정조 19)~1797년

26책 1798년(정조 22)~1800년

27책 1801년(순조 1)~1803년

28책 1807년(순조 7)~1809년

29책 1816년(순조 16) 12월~1819년

30책 1820년(순조 20)~1823년

31책 1824년(순조 24)~1828년

32책 1843년(헌종 9)~1848년

33책 1852년(철종 3)~1854년

34책 1855년(철종 6)~1859년

『議政府謄錄』은 이 책에 수록된 시기를 포괄하거나 일부를 언급하고 있는
『朝鮮王朝實錄』·『備邊司謄錄』·『承政院日記』·『日省錄』에 비하여 (1) 분량이

크게 적고, (2)『조선왕조실록』등이 정치·군사 경제·의례 등 국정의 모든 분야와 上啓·上疏 등을 상세하게 기술한 것과는 달리 儀禮事가 대부분이고, 상계·상소사와 정무논의의 참여는 그 비중이 미약하며, 구체적인 내용이 거의 생략되어 사료적 가치가 떨어지는 한계가 있다. 그러나 (1) 領議政으로부터 司祿까지의 동정과 卜相望 및 贊成·參贊·舍人·檢詳·司祿望을 모두 기술하였고, (2) 의정부·의정부관원의 소관사를 구체적으로 기술하였고, (3) 국가·국왕·왕실과 관련된 모든 의례사를 구체적으로 기술하였으며, (4) 당대에 기록된 1차 사료라는 특징을 지녔다. 따라서『의정부등록』은 또 다른 의정부 기록인『議政府別謄錄』(4책, 필사본, 1649년(인조 27)~1863년(철종 14)을 기록)과 함께 1646년으로부터 1859년까지의 (1) 의정부·의정부관원의 지위와 기능, (2) 의정부 관원의 인사상황과 동정, (3) 국가·국왕·왕실의 동정과 의례를 고구하는 귀중한 자료라고 하겠다. (1989, 保景文化社).

참고문헌

1. 자료

『朝鮮王朝實錄』 성종 14~철종 14년조.

『高純宗實錄』 고종 1~2년조.

『備邊司謄錄』

『議政府謄錄』

『議政府別謄錄』

『承政院日記』

『日省錄』

『正宗記事』

『新增東國輿地勝覽』

『八道邑誌』

『增補文獻備考』

『萬機要覽』

『東國通志』(朴周鍾)

『國朝五禮儀』

『國朝人物考』

『典故大方』

『經國大典』

『典錄通考』

『續大典』

『大典通編』

『大典會通』

2. 논저

고석규, 1997, 「서북지방의 민중항쟁」, 『한국사 36』.

김동수, 1990, 「조선초 군현의 승강 및 읍호의 개정」, 『전남사학』 5, 전남대학교 사학과.

김동수, 1991, 「조선초기 군현제 개편작업」, 『전남사학』 6.

金宇基, 2001, 『朝鮮中期 戚臣政治硏究』, 集文堂.

김우철, 2001, 『조선후기 지방군제사』, 경인문화사.

김우철, 2001, 「영장제의 성립과 조련의 제도화」, 『조선후기 지방군제사』, 경인문화사.

金鍾洙, 2003, 『조선후기 중앙군제연구-훈련도감의 설립과 사회변동-』, 혜안.

김종원 외, 「정묘·병자호란」, 『한국사』 29.

민현구, 1983, 『조선초기의 군사제도와 정치』, 韓國硏究院.

朴光用, 1992, 「조선후기 당쟁과 정국운영론의 변통」, 『당쟁의 종합적 검토』, 정신문화연구원.

박광용, 1997, 「영조대 탕평정국과 왕정체제의 정비」, 「정조대 탕평정책과 왕정체제의 강화」, 『한국사』 32, 국사편찬위원회.

朴 範, 2019, 「정조중반 장용영의 군영화과정」, 『사림』 70, 수선사학회.

潘允洪, 2003, 『朝鮮時代 備邊司硏究』, 景仁文化社.

방범석, 2016, 「장용영의 편제와 재정운영」, 『한국사론』 62, 서울대 국사학과.

방상현, 1991, 『조선초기 수군제도』, 민족문화사.

배항섭, 1997, 「삼남지방의 민중항쟁」, 『한국사』 36.

서울대학교도서관, 1981, 「議政府謄錄」, 『韓國本圖書解題』.

서울대학교도서관, 1981, 「議政府別謄錄」, 『韓國本圖書解題』.

邊太燮, 1969, 「高麗都堂考」, 『歷史敎育』 11·12 합호.

申奭鎬, 1964, 「備邊司와 그 謄錄에 대하여」, 『韓國史料解說集』.

吳洙彰, 1997, 「세도정치의 전개」, 『한국사』 31, 국사편찬위원회.

吳宗祿, 1990, 「비변사의 조직과 직임」, 「비변사의 정치적 기능」, 「중앙군영의 변동과 정치적 기능」, 『조선정치사』 하, 청년사.

禹仁秀, 2003, 「영남 남인의 형성」, 『조선후기 영남 남인 연구』, 경인문화사.

李謙周, 1976, 「임진왜란과 군사제도의 개편」, 『한국군제사』 근세조선후기편, 육군본부.

이경찬, 1988, 「조선 효종조의 북벌운동」, 『청계사학』 5, 정신문화연구원.

李秉烋, 1984, 『朝鮮前期 畿湖士林派硏究』, 일조각.

이병휴, 1999, 『朝鮮前期 士林派의 現實認識과 對應』, 一潮閣.

李樹健, 1989, 『朝鮮時代 地方行政史』, 民音社.

이수건, 1989, 「朝鮮初期 郡縣制整備에 대하여」, 『嶺南史學』 1, 영남대학교 국사학과.

이수건, 2003, 「사림의 득세」, 『한국사』 30, 국사편찬위원회.

李迎春, 1998, 「붕당정치의 전개」, 『한국사』 30, 국사편찬위원회.

李銀順, 1988, 『조선후기 당쟁사연구』, 일조각.

이재룡, 1994, 「공물」, 「역」, 「진상」, 『한국사』 24, 국사편찬위원회.

李在喆, 2001, 『조선후기 비변사연구』, 집문당.

이재호, 1971, 「조선비변사고」, 『역사학보』 50·51합호.

李存熙, 1984, 「조선왕조의 유수부 경영」, 『한국사연구』 47, 한국사연구회.

이존희, 1990, 『朝鮮時代地方行政史硏究』, 一志社.

李泰鎭, 1977, 「중앙오군영제의 성립과정」, 『한국군제사』 근세조선후기편, 육군본부.

이현종, 1970, 「비변사창치연대고」, 『編史』 3, 국사편찬위원회.

이희환, 2015, 『조선정치사』, 도서출판 혜안.

임선빈, 1998, 「朝鮮初期 外官制度 硏究」, 정신문화연구원 한국학대학원 박사학위논문.

장병인, 1978, 「朝鮮初期의 觀察使」, 『韓國史論』 4, 서울대 국사학과.

장필동, 1990, 「17세기 전반기 속오군의 성격과 위상」, 『사학연구』 42.

정만조, 1983, 「영조대 초빈의 탕평책과 탕평파의 활동」, 『진단학보』 56.

정만조, 1986, 「영조대 중년의 정국과 탕평책의 재정립」, 『역사학보』 111, 역사학회.

정석종, 1994, 「영조대 무신난의 진행과 그 성격」, 『조선후기의 정치와 사상』, 한길사.

鄭夏明, 1968, 「軍令·軍政系統의 變化」, 『韓國軍制史』 근세전기편, 육군본부.

정해득, 2013, 「朝鮮時代 陵官硏究」, 『韓國服飾』 31, 단국대학교 석주선기념박물관.

정형우, 1970, 「정조의 문예진흥정책」, 『동방학지』 11, 연세대 국학연구원.

정홍준, 1996, 『조선중기 권력구조 연구』, 고려대학교 민족문화연구소.

車文燮, 1973, 「宣祖朝의 訓練都監」, 『朝鮮時代軍制史』, 단국대학교출판부.

차문섭, 1976·1979, 「守禦廳硏究」(상·하), 『동양학연구』 6·9, 단국대동양학연구소.

차문섭, 1998, 「중앙 군영제도의 발달」, 『한국사』 30, 국사편찬위원회.

차문섭 외, 1981, 『조선후기 국방체제의 제문제』, 국사편찬위원회.

車容杰, 1980, 「조선후기 관방시설의 정비과정」, 『한국사론』 7.

차용걸, 1981, 「조선후기 관방시설의 변화과정」, 『한국사론』 9.

천관우, 1979, 『근세조선사연구』, 일조각.

최소자, 1997, 「청국과의 관계」, 『한국사』 32, 국사편찬위원회.

최영희, 1987, 「임진왜란」, 『한국사』 29, 국사편찬위원회.

최완기, 1994, 「수상교통과 조운」, 『한국사』 24, 국사편찬위원회.

崔異敦, 1994, 『朝鮮中期 士林政治構造硏究』, 일조각.

崔娃姬, 2014, 「조선후기 宣惠廳의 운영과 中央財政構造의 변화」, 고려대학교 박사학위논문.

崔孝軾, 1983, 「어영청연구」, 『한국사연구』 40.

최효식, 1985, 「총융청연구」, 『논문집』 4, 동국대 ; 1996, 『조선후기 군제사연구』, 新書苑.

탁효정, 2016, 「조선초기 능침사의 역사적 유래와 특징」, 『조선시대사학보』, 조선시대사학회.

韓春順, 2006, 『明宗代 戚臣政治 硏究』, 혜안.

韓忠熙, 1980·1981, 「朝鮮初期 議政府研究」(상·하), 『한국사연구』 31·32.

韓忠熙, 1991, 「朝鮮前期(太祖~宣祖 24년)의 權力構造研究—議政府·六曹·承政院을 중심으로—」, 『國史館論叢』 30, 국사편찬위원회.

한충희, 1992, 「조선 중종 5년~선조 24년(성립기)의 비변사에 대하여」, 『서암조항래교수화갑기념 한국사학논총』, 논총간행위원회.

한충희, 1994, 「중앙 정치구조」, 『한국사』 23, 국사편찬위원회.

한충희, 2001, 「중앙 정치기구의 정비」, 『세종문화사대계』 3, 세종대왕기념사업회.

한충희, 2006, 『朝鮮初期의 政治制度와 政治』, 계명대학교출판부.

한충희, 2011, 「朝鮮 中·後期 議政府制의 變遷研究」, 『韓國學論集』 45, 계명대학교 한국학연구원.

한충희, 2011, 『朝鮮前期의 議政府와 政治』, 계명대학교출판부.

한충희, 2014, 『조선의 패왕 태종』, 계명대학교출판부.

한충희, 2019, 「조선시대 능관연구」, 『동서인문학』 59, 계명대학교 동서인문학연구소.

한충희, 2020, 「朝鮮 中·後期 中央官衙 變遷研究」, 『조선사연구』 29.

허선도, 1973, 「'제승방략' 연구—임진왜란 직전 방위체제의 실상」(상·하), 『진단학보』 36·37.

洪順敏, 1998, 「붕당정치의 동요와 환국의 빈발」, 『한국사』 30, 국사편찬위원회.

홍순민, 2016, 「승정원의 직제와 공간규모」, 『규장각』 49, 서울대 규장각.

홍혁기, 1984, 「비변사의 조직과 역할에 대하여」, 『소헌남도영박사화갑기념사학논집』.

麻生武龜, 1963, 「重吉萬次씨의 「비변사설치에 취하여」에 사견을 석명함」, 『청구학총』 24.

重吉萬次, 1936, 「備邊司의 組織에 就하여」, 『靑丘學叢』 23.

집필을 마무리하면서 조선후기 정치, 군사의 두 축인 비변사와 군영아문의 조직·기능을 2장과 3장에서 논급하기는 하였지만 두 아문의 조선후기 정치에서의 위상을 고려하면 독립된 1장이나 2장으로 정리하여 실었으면 하는 아쉬움이 있었다. 그러나 이 분야에 대해서는 정치하면서도 체계적인 선구연구가 많고, 또 필자가 이 분야에 대해 연구하고 발표한 논문이 없기에 감히 시도하지 못하였다. 편집되어 정리된 글을 보니 더 생각이 간절하다.

그렇기는 하나 장기간 연구하여 온 '조선초기의 정치제도와 정치운영'을 이어 그 외연을 조선 중·후기까지 확대하였고, 당뇨의 관리가 어렵고 당뇨로 인해 안력이 약화되어 자료를 읽고 정리하기가 쉽지 않았음에도 이렇게 결실을 맺게 되니 기쁘기가 한량없다.

평소에도 항상 못난 신랑의 건강에 고심하는 내자에게 고마운 마음을 가졌지만, 새삼 이 저서를 마무리하면서 많은 생각이 든다. 김귀옥 여사 미안하고 고맙습니다.

찾아보기

340